KB184807

매국노
고종

매국노 고종

한 번도 경험하지 못한 지도자

박종인 지음

와이즈맵

일러두기

1. 전문 학술 서적이라면 고종과 고종시대 선행연구 소개와 비판이 있어야 하지만 본서는 대중을 위한 책이기에 생략했습니다. 참고한 선행연구는 각주와 미주를 참고해주십시오. 출처가 빠져 있다면, 이는 착오 혹은 실수이오니 추후 보완하겠습니다.

2. 본문 출처는 각 부 끝 미주에 기록했습니다. 단, 본문 흐름과 관계 깊은 주석은 그 페이지 하단에 각주로 기록했으니 꼭 참고해주십시오.

3. 연대는 특별한 표시가 없는 한 1895년까지는 음력이고, 1896년 이후는 양력입니다. 갑오개혁을 주도했던 갑오정부는 1895년 음력 11월 16일(양력 12월 31일) 이후인 1896년 양력 1월 1일 태양력을 채택했습니다. 실록도 마찬가지입니다. 단, 승정원일기는 음력으로 유지했습니다.

4. 중국 인명과 지명은 모두 한글 발음 그대로 표기했습니다. 예를 들어 '梁啓超'는 표준 외래어표기법의 '량치차오' 대신 '양계초'로, '袁世凱'는 '위안스카이'가 아닌 '원세개'로, '天津'은 '텐진'이 아닌 '천진'으로 표기했습니다. '외래어표기법'은 중국 인명에 대해 '신해혁명(1910년)' 이전 인물은 '과거인', 이후 인물은 '현대인'으로 구분해 과거인은 관행적인 한국어 발음 표기를 허용하고 있습니다. 본서가 다루고 있는 시대는 주로 1910년 이전이니 일관성 유지를 위해 지명 또한 관행적 표기를 따랐습니다.

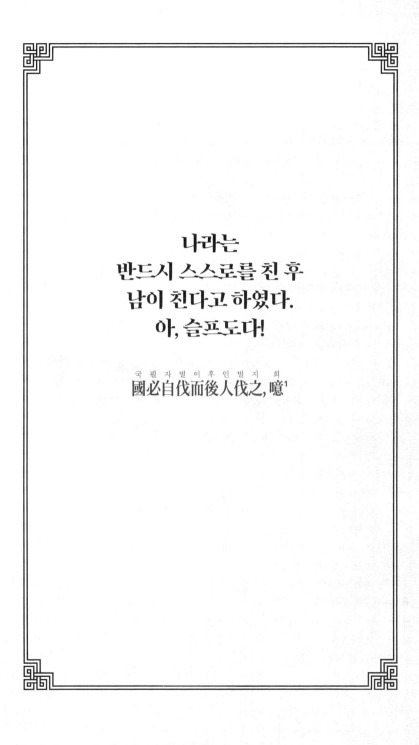

나라는
반드시 스스로를 친 후
남이 친다고 하였다.
아, 슬프도다!

국 필 자 벌 이 후 인 벌 지　희
國必自伐而後人伐之, 噫[1]

누가 고종을 변호하는가

익성군 입궁하던 날

서기 1864년 1월 16일 토요일, 음력으로는 1863년 12월 8일이다. 이른 아침 해 뜰 무렵 철종이 죽었다. 차가운 공기를 헤치고 영의정 김좌근과 도승지 민치상이 일행을 이끌고 창덕궁 돈화문을 나섰다.

왕이 죽은 것은 죽은 것이고, 정치는 급박하게 돌아갔다. 왕실 최고 어른인 조 대비가 서둘러 전현직 대신들을 소집했다. 성원이 되자 조 대비가 말했다. "국가 안위를 위해 한시도 미룰 수 없다. 흥선군의 둘째 아들로 하여금 익종대왕의 대통을 잇게 하노라."

익종대왕은 왕위에 오르지 못하고 요절한 효명세자를 말한다. 왕위 계승 절차를 모두 숙지한 뒤 이날 오후 3시 가마를 앞세워 김좌근과 민치상이 궁을 나섰다. 가마에는 사람이 아니라 조 대비가 내린 교서가 들어 있다. 익성군翼成君 이명복을 후임 왕에 임명한다는 명령서다. 교서는 조 대비가 언문으로 작성했고, 대신들이 이를 한문으로 옮겼다. 하고많은 왕족 가운데 하나인 이명복을 익성군으로 봉한다는 명령서 군호관교君號官敎 또한 작성됐다. 이명복은 하루아침에 군君이 되고, 왕王이 될 참이었다.

궁에서 익성군이 사는 운현궁까지는 느린 걸음으로 30분 정도 걸렸을 것이다. 일행이 문 앞에 도착했다. 도승지 민치상이 심부름꾼을 들여보냈다.

"왕명을 실은 가마가 당도하였으니 청컨대 마루에서 내려와 맞이하소서." 큰형 재면, 사촌형 재원과 함께 대기하고 있던 명복이 마당으로 내려와 허리를 땅까지 조아리며 절을 했다. 이름과 나이를 묻는 절차를 마치고 민치상이 가마에 실려 있던 교서를 꺼내 마루 위 상에 내려놓았다. 이름은 명복命福이었고, 나이는 만 12세였다.[2] 다른 이름으로 '재황載晃'이 있는데 언제부터 아명인 명복 대신 초명 재황이라 불렸는지는 확실하지 않다.●

익성군이 마루 위로 올라와 무릎을 꿇었다. 민치상이 교서를 읽었다. 익성군이 다시 마루에서 내려와 교서를 향해 네 번 절했다. 도승지 민치상이 그에게 교서를 전했고, 익성군은 교서를 읽은 뒤 방으로 들어갔다. 궁에서 온 사람들이 모두 물러났다.

모두 정해놓은 절차였다. 물러났던 사람들이 다시 들어와 이윽고 익성군에게 입궐을 청했다. 익성군이 탄 가마가 돈화문에 도착했다. 돈화문에서는 덮개가 없는 가마 여輿로 갈아탔고, 중간문인 인정문에서는 걸었다. 그리고 왕실 진료실 극수재克綏齋에 이르자 옷깃을 왼쪽으로 바꾼 뒤 머리를 풀어헤치고 북쪽을 향해 크게 울었다. 수행했던 전현직 대신과 승지,

---

● 실록에는 조 대비가 '흥선군(興宣君)의 둘째 아들 이명복(李命福)'에게 대통을 잇는다고 기록돼 있다.(1863년 고종 즉위년 12월 8일 『고종실록』)

사관, 규장각 관리들과 종친들 또한 함께 서럽게 울었다.[3]

　공식적으로 기쁨은 있을 수 없었다. 새 왕의 탄생은 곧 옛 왕의 죽음이었으니까. 선왕이 죽었기에 왕이 되었을 뿐, 만일 그때 권좌 획득에 들떠 웃음을 보였다면 두고두고 정쟁에 이용당할 에피소드였고 따라서 그는 후회 가득한 권력자로 전락했으리라.

　아버지인 흥선군 이하응은 달랐을 것이다. 두 눈 시퍼렇게 살아 있음에도 불구하고 친아들을 양자로 떠나보냈지만, 그는 아무 불만이 없었다. 이하응은 관모를 쓰고 푸른 도포와 하얀 명주실로 만든 허리띠를 차고 검은 가죽신을 신고서 가마에 오르는 아들을 말없이 바라보았다. 고대하던 날이었다.

　그렇게 흥선군 둘째 아들 명복은 궁으로 떠났다. 아버지가 멀쩡하게 살아 있지만, 왕이 되기 위하여 그는 효명세자의 양자가 되었다. 조 대비는 헌종의 어머니인 동시에 고종의 어머니이기도 했다. 닷새가 지난 12월 13일 창덕궁 인정문 앞에서 새 왕이 등극했다.

　이름 '명복' 혹은 '재황'은 관례에 따라 희귀 자인 '형㷣'으로 개명했다. 유교문화권에서는 민간에서 왕의 이름에 들어가는 글자를 쓰지 못하는 관행이 있었다. 그래서 일반 백성이 이름을 짓는 데 불편함이 없도록 하기 위해 왕명을 희귀 자로 바꾸니, 왕이 된 이명복의 이름을 백성에게 해방시키는 애민 정신의 발로다.

　'형㷣'은 남을 기쁘게 놀라게 한다amaze는 뜻이다. 그런데 이 희귀한 글자는 주로 경악하게 하다startle는 뜻과 '탄식할 때 내는 소리'라는 뜻으로 쓰인다.

고종황제어진 / 국립고궁박물관

등극 후 보름 동안 올라온 긴급 보고

등극한 새 왕이 교서를 발표했다. 새 왕이 된 데 대한 부담감을 표현한 뒤 고종[4]은 새로운 포부를 밝혔다. 그 첫머리에 그가 선언했다.

"나는 인조仁祖의 직계 후손이다."[5]

전주 이씨 왕실 적통이 아니라는 사실을 극복하기 위해 고종은 역사를 샅샅이 뒤진 끝에 자기가 인조 직계임을 찾아내 이를 명시했다. 열두 살 먹은 어린 왕이니 직접 쓴 선언문은 아니다. 이 글은 예문관제학芸文館提學 윤치정尹致定이 지었다. 글 잘 쓰기로 소문난 예문관 관리가 지은 글에 그가 '인조'의 적통을 이었다고 나온다.

인조가 누구인가. 직접 칼을 들고 반군을 이끌어 광해군을 몰아내고 왕이 된 사람이다. 반군 동지들에게 이리 치이고 저리 치이다가 '오랑캐' 청나라에 고개를 숙인 지도자다. 윤치정이 그 사실을 알리기 위해 이 글을 쓰지는 않았을 것이다. 하지만 병자호란 전후 사정을 뻔히 알고 있는 사람들에게는 조짐이 불길했다. 불길한 조짐은 또 있었다. 곳간이 비어 있는 것이다.

이틀 뒤 어린 왕을 대신해 수렴청정을 맡은 조 대비가 이렇게 하명했다.

"호조 재정이 매우 부족하다고 하니 내하전內下錢 5만 냥을 세 도감都監에 나누어 보내어 경비가 군색한 근심을 조금이나마 펴도록 하라."[6]

내하전은 왕실 전용 예산이다. 세 도감은 국상國喪이 났을 때 설치했던 빈전도감殯殿都監, 국장도감國葬都監, 산릉도감山陵都監을 이른다. 철종 사후 장례를 치르고 나서 정신을 차려보니 그 시신을 모시는 빈전, 장례 절차를 이르는 국장, 그리고 왕을 묻는 작업인 산릉 예산이 없었던 것이다. 그래서 조 대비는 왕실 예산에서 5만 냥을 각출해 그 '궁색한' 근심을 덜도록 하라고 명했다.

한 나라 지도자가 죽었는데, 그 상喪을 치를 돈이 그 나라에 없었다.

그럼에도 불구하고 군에서 대원군으로 군호가 격상된 왕의 아버지 이하응에게는 격에 맞는 경제적 대우를 그대로 인정했다. 그가 사는 대원군 궁, 즉 운현궁에 세금을 내지 않는 토지 1,000결을 은 2만 7,000냥으로 구입해 지급하고, 향후 5년 동안 매년 콩 100석과 쌀 100석을 지급하라는 안건은 그대로 통과됐다. 사흘 뒤 대원군은 이를 극구 사양했다. 조 대비는 이를 기특히 생각하고 매달 쌀 10석과 돈 100냥을 지급하라고 명했다.

다음날 비변사[7]에서 또 보고가 올라왔다. 철종이 죽고 새 왕이 등극한 사실을 청나라 황실에 알려야 하는데, 그 사신을 보낼 경비가 부족하다는 것이다.

비변사에서 아뢰기를, "이번 고부청시승습주청사告訃請諡承襲奏請使● 가 북경에서 머무는 기간을 예측하기 어렵다. 또 이렇게 더없이 중대한 일에는 응당 미리 마련한 비용이 있어야 한다. 그런데 관서 영읍에는 저축해 놓은 은이 넉넉하지 못하니 호조에 있는 은 가운데 6,000냥을 이관해 사용하고 남는 돈은 귀국 후 장부에 정리하도록 하자." 이에 대왕대비가 윤허하였다.[8]

그리고 12월 23일 조 내비는 왕실 진족을 관리하는 종신부宗親府에 기존 예산에 더해 매년 돈 4,000냥과 베와 무명 각각 10동(同·500필)씩을

● 중국 황제에게 선왕이 죽음을 알리고(고부), 선왕의 시호 하사를 청하고(청시), 새 왕의 왕위 계승을 허락하는(승습) 사신.

더 마련해 보내라고 담당 부서인 선혜청宣惠廳에 분부했다.⁹

국가 예산 부족은 차라리 나았다. 원래 있는 예산에서 이리저리 끼워 맞추면 되는 일이었으니까. 문제는 사회 그 자체였다.

청나라 사신 예산을 어렵게 해결하고 닷새 뒤인 12월 21일, 비변사에서 또 보고가 올라왔다. 이번에는 동학東學에 관한 보고였다.

"경주 동학 죄인 최복술에 대해 의정부로부터 의견을 받으라는 지시가 있었다. 동학 무리가 이미 번성해 있어 거의 천 리나 되는 땅에 검문 검색과 체포가 이어지면 소란이 클 듯하다. 최복술 따위 죄인을 경상도 감영으로 압송해 따로 취조하도록 해달라." 대왕대비가 윤허하였다.¹⁰

등극 첫날 새 왕은 스스로를 인조의 적통이라고 선언했다. 호조로부터 받은 첫 보고는 선왕 장례 비용 부족이었고, 두 번째 보고는 사대 본국 청나라 황실에 국왕 교체 사실을 알리는 사신 파견 비용 부족이었고, 비변사로부터 날아온 세 번째 보고는 농민 반란 무리인 동학 집단이 경상도에 퍼져 있다는 소식이었다.

이 세 가지 보고에 수렴청정 중이던 조 대비는 왕실 금고를 열어 국가 금고인 호조로 보냈고, 다음날 그 호조에서 6,000냥을 꺼내 중국으로 보냈다.

그리고 농민 무리는 그 수괴를 경상감영으로 따로 이송해 별도로 조사하도록 명했다. 경상도 1,000리에 사는 백성이 이 사실을 알면 시끄러워지니 조용히 처리하라는 특별한 지시였다. 새 왕의 아버지에게 은 1,000냥짜리 부동산을 선물하고 매년 곡식을 내리는 '의법 조치'는 유예하지 않고, 오히려 종친부 예산은 크게 증액했다.

여기까지가 흥선군 둘째 아들 이재황이 익성군이 되고, 왕이 되고, 비변사와 호조로부터 첫 보고를 받은 보름 간 기록이다.

1864년부터 1907년까지, 앞으로 보게 될 43년 고종 천하는 정확하게 이 패턴으로 운영됐다. 국가 예산은 이리저리 변통을 해서 해결하고, 급증하고 있는 사회 모순에 대해서는 눈과 귀를 닫는 아주 일관된 패턴으로 고종 정부는 운영됐다.

국가 지도자의 존재 이유 – 부국강병

국가의 목표는 국민의 행복이다. 국민 행복을 위한 두 가지 수단은 부국富國과 강병强兵이다. 국부를 증강함으로써 국민의 삶의 질을 높인다. 국가가 독점한 폭력을 사용해 위험으로부터 국민을 보호한다. 다른 수단은 부차적이다. 이 두 가지 수단을 비효율적으로 사용하거나 잘못 사용하면 국가는 존립할 가치가 없다. 그 국가는 잘못된 국가다.

조선은 국가였나. 고종은 그 국가의 지도자였나. 실질적으로 조선 왕국 최후 지도자로서 그는 국가를 어떤 방식으로 운영했는가. 앞으로 부국과 강병이라는 두 가지 기준으로 고종의 행적을 알아보려고 한다. 결론부터 말한다. 고종은 매국노다.

부국을 하는 대신 자기 금고를 채웠고, 강병을 하는 대신 강병에 투입할 국가 자원을 개인 호기심과 탐욕을 채우는 데 소모했다. 그러면 다른 친일 매국노들은 무엇인가. 헤이그 밀사는 무엇이고 상해 독일은행에 예치했던 독립운동을 위한 비자금은 무엇인가. 우리가 역사 교과서에서 배웠고 여러 책들과 TV프로그램에서 찬양하는 그 영웅적 미담은 다 무엇인가.

헤이그 밀사 이위종의 연설

1907년 고종은 이상설을 대표로 네덜란드 헤이그에서 열리는 만국평화회의에 밀사를 파견했다. 밀사단은 이상설과 이준, 이위종이었다. 소위 을사보호조약 혹은 을사늑약에 의해 대한제국 외교권은 일본에 넘어간 상태였다. 고종은 그 조약이 부당함을 세계만방에 알리고 독립을 호소하기 위해 이들 세 사람을 파견했다. 1907년 4월 20일 자 고종 서명이 날인된 신임장을 들고 이들은 기차로, 배로, 걸어서 도착한 지구 반대편 도시에서 을사조약이 부당함을 만방에 알렸다.

대표는 이상설이었다. 이상설은 영어와 프랑스어에 미숙했다. 그래서 함께 간 이위종이 실질적인 대표 역할을 했다. 외국 기자들과 만날 때 마이크를 잡은 사람은 이위종이었다. 본회의장에 입장이 불허되자 이들은 외국 기자들 앞에서 회견을 했다. 회견장에서 기자들을 상대한 사람은 이위종이다. 이위종은 아버지 이범진을 따라 미국과 러시아, 프랑스에서 어린 시절을 보낸 사내다. 헤이그에 파견됐을 때 이위종은 스물세 살이었다. 기자들 앞에서 이위종은 준비한 연설문을 꺼내 읽었다. 다음은 그 일부다. 1907년 8월 22일 자 미국 〈인디펜던트The Independent〉지에 실린 연설문이다. 이 잡지는 이위종을 '왕자 이위종 Prince Ye We Chong'으로 소개했다. 연설문 제목은 '한국을 위한 호소문A Plea for Korea'이다.

일본 정치가들은 늘 일본이 일본만이 아니라 모든 문명과 모든 국가의 상업적 이익을 위해 싸우고 있다고 주장했다. (중략) 하지만 놀랍고 슬프게도 일본은 '정의롭고 평등한 기회'를 보장한다는 구호와 달리 추하고 불의하며 비인도적이고 이기적인 야만스러운 행동을 보였고 지금도 그러하다.

The Japanese publicists proclaimed, time after time, that Japan was
not fighting for herself alone, but also for all civilisation and for the

commercial benefit of all nations. (중략) To our amazement, and great resentment, Japan had been and is playing the ugly, unjust, inhuman, selfish and brutal role instead of a fair and 'equal opportunities for all' role.

헤이그 밀사는 바로 이 일본의 야만성을 고발하기 위해 네덜란드로 간 밀사들이었다. 그런데 이위종이 한 이 연설 첫머리는 우리 민족주의적 상식과 많이 다르다. 위 인용문 가운데 '(중략)'으로 가려진 부분을 열어보자.

잔인한 지난 정권의 학정과 부패에 질려 있던 우리 한국인은 일본인을 희망과 공감으로 맞이했다. 우리는 일본이 부패한 관리들에게 엄격한 잣대를 적용해 만민에게 정의를 구현하며 정부에 솔직한 충고를 해주리라고 믿었다. 우리는 일본이 그 기회를 활용해 한국인에게 필요한 개혁을 하리라고 믿었다.

We, the people of Korea, who had been tired of the corruption, exaction and cruel administration of the old Government received the Japanese with sympathy and hope. We believed, at that time, that Japan, while dealing possibly stern measures against the corrupt officials, would give justice to the common people and would give honest advice in the administrative work. We believed that Japan would seize the occasion and lead the Koreans in their efforts to bring about the necessary reforms.[11]

황제 신임장을 소지한 외교관 이위종이 한 연설문이었다. 그 연설문에 등장한 '잔인한 정권'을 장악하고 지휘한 사람이 바로 황제 고종이다. 첫

1907년 8월 22일 자 미국 〈인디펜던트〉지에 기재된 '한국을 위한 호소문'. / Harthi Trust

글자부터 끝 인사까지 잔악한 일본 성토로 채워도 모자랄 터인데, 이위종은 '지난 정권의 학정'을 고발했다. 한 나라 황제가 자기 비자금으로 파견한 밀사 입에서, 그 황제가 다스린 나라가 엉망진창이었다는 말이 스스럼없이 튀어나왔다. 정말 고종은, 정말 그가 만든 대한제국은 민족 독립을 위해 투쟁한 선하고 가련한 황제였고 가여운 정권인가.

왜 우리는 이 대목을 모르고 있었는가.

이 문장은 고종이 자주 독립을 염원하는 개혁군주였다는 허황된 신화를 깨뜨릴 수 있는 사실事實, 팩트Fact이기 때문이다. 헤이그 밀사들이 고종 정권을 맹비판했다는 사실이 알려지면 그 신화가 붕괴되기에, 고종 맹신자들은 이 문장을 아주 쉽게 삭제해버리고 선택적으로 인용해버린다.

초대형 버스를 몰고 고속도로를 역주행한 운전자가 있었다. 그런데 부

매국노 고종

산에서 서울까지 무사히 주행했다. 사고가 나지 않았다. 그 운전자를 모범운전자라고 할 수 있을까. 소속 회사로부터 징계를 당함은 물론 미필적 고의에 의한 살인 미수범으로 처벌받아야 할 운전자다. 그가 고종이다. 조선이라는 회사 간판을 대한제국으로 바꿔놓고서는 폭주를 거듭하다가 자발적으로 폐업한 사주다. 사람들은 그 '운전기술' 혹은 결과적인 모범 역주행자를 보고 고종을 개혁군주, 비운의 망국 군주라 부른다.

이제 고종 신화 표지를 찢는다. 고종은 만 가지 악惡의 근원이다. 그는 회사 돈으로 구입한 슈퍼카를 폐차 직전으로 만들어놓고 뒤늦게 여기저기 티를 내며 부품을 구하러 다닌 횡령 혐의자다.

지도자의 덕목

2019년에 쓴 《대한민국 징비록》은 조선왕조 지도자들이 범한 실책에 관한 총론이었다. 이 책은 그 각론이다. 역대 조선왕조 지도자들은 성리학에 찌들어 나라를 폐쇄하고 자기네 욕심을 채웠다. 그 시대 유럽과 일본은 거침없이 앞으로 나갔다. 죽음을 각오하고 살았다.

그들과 동급으로 올라갈 수 있는 계기가 몇 차례 있었다. 임진왜란은 각성의 대기회였다. 그런데 권력자들은 그 기회를 발로 차버렸다. 필자는 왜 그때 이순신이 쿠데타를 일으키지 않았나 안타깝다. 나라를 살릴 천재일우의 기회를 맞았음에도, 성리학적 군신관계를 고집했던 무장 충무공은 변혁 대신 충성을 택하고 말았다.

1623년에 광해군을 몰아내고 서인西人이 권력을 잡은 인조반정. 조선은 그해에 개방과 진보를 향한 관문을 닫아버렸다. 스스로 군주요 스승이라 했던 정조 시대는 주자성리학의 완성기였고, 모든 여타 학문이 파국을 맞은 시대였다. 조금씩, 그러나 확연하게 눈에 띄는 방식과 방향으로 조선 권력층은 정확하게 좌표를 찍어가며 나라를 파멸의 길로 지휘했다.

파멸의 끝은 기회다. 19세기 중반 지구가 360도로 활짝 열리고 온 세상이 정글로 변해가던 그 시간대에, 조선을 이끄는 지도자는 응당 그 정글을 헤쳐나가 비상구를 찾아야 했다. 비상구만 열면 새 세상을 만날 절호의 기회가 기다리고 있었다. 그러지 않기에, 정글 속 동굴에 숨어 살다가 그 어둠 속에 뚫린 무저갱無低坑으로 나라를 추락시켜 버렸다. 그게 고종이다.

일본사 연구가인 서울대학교 교수 박훈이 던진 화두는 의미심장을 넘어, 적나라하다. 다음은 박훈이 말하는 일본 근대화 과정 핵심 에피소드다.

서양의 연합함대가 공격해오자 양이 열풍에 들뜬 조슈의 사무라이들은 흥분했다. 드디어 일본 사무라이의 무용과 기개를 보여줄 기회가 왔다고. 그러나 정신주의는 며칠 가지 못했다. 서양 함대의 맹폭 앞에 시모노세키의 조슈번 포대는 그저 고철 덩어리임이 드러났다. 압도적 무력 앞에, 그리고 철저한 패배 앞에 조슈 사무라이들은 잽싸게 태세전환을 했다. '서양 오랑캐를 이기려면 저들의 우수한 무기와 전법과 군대를 갖지 않으면 안 된다.' 이는 누구나 아는 사실이었다. 인정하기 싫었을 뿐이다. 조금만 생각해보면 너무도 분명한 사실을, 인정하기 싫어서 엉뚱한 길로 가다가 헛길로 새는 일은 인류사에서 부지기수다. 누가 너무 늦지 않은 시기에, 냉정하게 이를 직시하고 방향을 제대로 잡느냐의 싸움이다.
이때 조슈의 태도는 놀라웠다. 불과 어제까지 그렇게도 처절하게 양이를 부르짖었던 자들이 패하자마자 서양과 협정을 맺고 표변했다. 그리고 가열차게 '서양화' 정책을 추진했다. 간단하다, 서양을 이기기 위해 서양화한다는 것이다.[12]

같은 시대에 이웃나라 지도자는 모든 기득권을 내려놓고 부국강병을 택했다. 그 이웃나라에 철저하게 희생된 이웃나라, 조선의 지도자는 부국강병 대신 기득권 확장을 택했다.

누가 매국노를 변호하는가

누가 고종을 변호하는가. 아니 변호도 모자라 누가 고종을 자주 독립을 염원한 개혁군주라고 찬양하는가. 고종 정권은 '냉정하게 직시하고 방향을 제대로 잡느냐의 싸움을 할' 생각조차 하지 않았다. 구한말에 근대화한 일본에 나라를 빼앗긴 것도 고종 때문이고, 그 근대화에 뒤쳐진 것도 고종 때문이다. 조선을 찾은 외국 사람들이 가난해서 불쌍하다고 혀를 찰 정도로 국가 경제가 파탄 난 것도 고종 때문이다. 고종은 만악의 근원이다.

그때까지 조선왕조 400년이 병약하게 흘러왔지만, 그 병색을 걷고 그나마 회복될 수 있었던 기회를 고종은 다 발로 차 버렸다. 오로지 자기 목숨과 권력과 부귀영화를 위해 나라를 버렸다. 그러니 고종은 매국노다. 고종이 매국노인 이유를 구체적으로 밝히기 위해 이 책을 썼다. 조작된 신화가 신앙으로 변하고 종교로 변해 사실로 굳어지기 전에 조작은 폭로돼야 한다.

1882년 6월, 1년 1개월치 월급이 밀린 왕십리 가난한 군인들이 임오군란을 일으켰다. 조선 정부는 청나라 군사를 불러 난을 진압했다. 왜 청나라 군대를 불렀는가. 조선에 국방을 맡은 군사가 없었기 때문이다. 2년 뒤 갑신정변 때는 그 정변을 진압한 부대가 누구였나. 청나라 군대였다. 동학농민군을 진압한 군대는 어느 나라 군대였나. 일본 군대였다. 왜? 조선에 군사가 없었으니까. 왜 없었는가. 고종이 없애버렸다. 사라진 군대는 어디로 갔나. 고종이 살고 있는 창덕궁과 덕수궁 호위부대로 갔다.

나라는 왜 가난했는가. 1907년 국채보상운동이 벌어졌을 때 이 나라 빚이 1,300만 원이었다. 그해 나라 예산이 1,310만 원이었다. 왜 한 나라 예산에 맞먹는 빚이 생겼는가. 돈을 물 쓰듯 썼기 때문이다. 누가 썼는가. 고종이 썼다. 어디에 썼는가. 독일제 철모를 사고, 박력 있게 포성을 내지르는 기관총 개틀링건을 사고, 자기 생일날 예포를 쏠 고물 상선을 사고, 생일상에 올릴 프랑스제 식기를 사는 데 썼다. 500년 전 자기 조상 묘 준경묘와 1500년 전 자기 조상 할아버지 제단 조경단을 만드는 데 썼다. 그러고도 돈이 모자라는 줄 모르고 무당 굿을 하고 삼천리 금수강산에 돈을 퍼부어 제사를 지냈다.

군사가 사라지고 곳간이 텅 비고 썩은내가 팔도에 진동하는데, 그는 그 나라를 버리고 일곱 번이나 남의 나라로 도망갈 생각을 했다. 러시아 공사관으로 도주해 살던 1년 동안 주요 국가 재산을 다 팔아치우고 자기 왕좌를 보전했다.

나라가 사라지던 날, 정확하게는 나라 외교권이 사라지던 1905년 그날, 그 왕은 황실의 안녕을 보전해주는 대가로 그 나라 파는 계약서에 동의했다. 그것뿐인가. 1910년 나라가 사라지고, 그 나라의 군주로서 부활을 염원하기는커녕 그는 대일본제국 왕족으로 막대한 세비歲費를 총독부로부터 받으며 살았다. 자기 딸보다 어린 여자를 들여서 또 아이를 낳고 살았다. 이게 왕인가. 이게 자주 독립을 염원한 개혁군주인가. 이제 '통천융운조극돈륜정성광의명공대덕요준순휘우모탕경응명입기지화신열외훈홍업계기선력건행곤정영의홍휴수강문헌무장인익정효태황제統天隆運肇極敦倫正聖光義明功大德堯舜禹謨湯敬応命立紀至化神烈巍勳洪業啓基宣曆乾行坤定英毅弘壽康文憲武章

仁翼貞孝太皇帝'●, 조선 26대 왕이자 대한제국 초대 황제 고종, 이형李㷋 이야기를 시작한다. 이름대로 빛나고 화락하며 기뻐하고 흥성했는지, 탄식할 정도로 놀아제끼던 자였는지 본다.

[주 석]

1 황현,『매천야록(梅泉野錄)』 2권 1894년② 7.일본군의 남산 포진과 大鳥圭介의 알현, 국사편찬위원회: '國必自伐而後人伐之'는『맹자』이루 상에 나오는 말이다.
2 양력으로는 1864년 1월 16일이니 1852년생인 이명복은 12세가 맞다.
3 1863년 철종14년 12월 8일『승정원일기』
4 조선 왕은 생전에는 '전하' '주상' 같은 호칭이 있을 뿐 이름이 없었다. 이 책에서는 사후 그가 받은 묘호인 '고종(高宗)'으로 표기하겠다.
5 1863년 12월 13일『고종실록』
6 1863년 12월 15일『고종실록』
7 조선 후기 영의정, 우의정, 좌의정으로 구성된 의정부를 대신해 국정 전반을 총괄한 실질적인 최고 관청
8 1863년 12월 16일『고종실록』
9 1863년 12월 23일『고종실록』
10 1863년 12월 21일『고종실록』
11 『The Independent』 v.63(July~Dec 1907), p.423~427, 「A Plea for Korea by Prince Ye We Chong」, 22 August 1907
12 2020년 4월 7일 자『서울경제』, 「박훈의 일본사 이야기-양이 부르짖던 배외주의자, 서구 맹폭 앞에 근대화 첨병으로」

● 1863년 12월 13일『고종실록』총서. 고종이 생전부터 사후까지 여러 차례에 걸쳐 누적돼 받은 이름들을 합친 명칭이다. 끝부분의 '문헌무장인익정효(文憲武章仁翼貞孝)' 앞까지는 나라에 경사가 있을 때 신하들과 세자가 바쳤던 존호(尊號)이고, '문헌무장인익정효'는 고종이 죽은 후 받은 시호(諡號)다. 우리가 흔히 부르는 '고종(高宗)'은 왕이 죽은 후 종묘에 신위를 넣을 때 붙이는 이름, 묘호(廟號)다.

차례

서문_ 누가 고종을 변호하는가 6

1부 / 장성長城 1864~1873

1장 | 아버지, 장성長城을 쌓다

대원군의 갑자유신 1864~1873

이양선의 시대 30 | 일본의 굴기 31 | 학정과 민란의 시대 32 | 흥선대원군의 개혁, 갑자유신 33 | 대원군, 군사력을 강화하다 36 | 대원군, 진영논리를 부수다 39 | 대원군, 만동묘를 부수다 40 | 대원군, 서원을 부수다 43 | 대원군, 삼정문란을 개혁하다 44 | 대원군의 장성 48 | 대원군의 실책: 경복궁과 당백전과 쇄국 49 | 조선을 바꿀 수 있었던 갑자유신 55

2장 | 아들, 장성을 부수다

고종의 친정 선언 1873

1864년 운현궁에 열린 두 개의 문 58 | 1873년 11월 4일 심야회의 59 | 폭풍 전야 60 | 청황제의 친정과 고종의 사전포석 63 | "모든 것을 원위치하시라": 노론의 대반격 68 | 최익현의 직격탄: 대원군을 쫓아내라 69 | 노론의 깊은 뜻 70 | 심야의 반격과 대반전 72 | 결별 75

[주석] 77

2부 / 출항하는 유령선 1873~1882

3장 | 병정놀이

고종 친위부대 무위소와 사라진 진무영

공인된 폭력, 병권과 금권 82 | 의문의 사건들과 고종의 복심 83 | 고종의 욕심: 친위부대 무위소 84 | "매번 이런 식이니, 황공하옵니다 그려" 88 | 괴물로 변한 무위소 90 | 고종을 위한, 고종의 군사 93 | 무너진 장성, 진무영 95 | 1875년 8월 일본 군함의 포격 97

4장 | 돈놀이

청나라 돈 청전淸錢 폐지

공포영화 같았던 화폐개혁 102 | 권력을 위한 두 번째 공인된 폭력, 금권 103 | 대원군 지우기: '백성을 위하여' 105 | 1874년 1월 6일 청전 폐지령 내린 날 107 | 일주일 뒤 1월 13일, 드러나는 고종의 무능 107 | 나흘 뒤 1월 17일, 고종의 끝없는 고집 111 | 다시 사흘 뒤 1월 20일, 포기하지 않은 왕 113 | 후폭풍, 가난의 나락 114 | 무능과 무지와 이기심 116 | 사악함, 그 결과 120

5장 | 건달 놀이

우글대는 민씨들

1906년 국무총리를 거부한 여흥 민씨 민영규 124 | 지도자와 고종, 권력과 비전 127 | 되살아난 250년 전 밀약 128 | 도전받는 왕권과 권위 130 | 다시 지켜진 밀약1: 숭용산림과 노론 132 | 다시 지켜진 밀약2: 노론보다 더한 연맹, 여흥 민씨 133 | 민씨, 고위직을 장악하다 134

[주석] 141

3부 / 조선을 고물로 만들다 1882~1894

6장 | "이미 주상께 5만 냥을 상납하였느니라"

부패腐敗

미친 호랑이 146 | 가난한 군인들의 반란, 임오군란 147 | 모든 민씨들을 다 죽인다: 진살제민 149 | 황현이 기록한 민씨들의 행각 151 | 직접 뇌물을 거둔 최악의 부패 군주 157 | 죄의식이 전혀 없는 부패 160 | 당오전 발행과 무명잡세의 부활 161 | 갈수록 가난해진 나라 163 | 갈수록 부자가 된 군주 164 | 망국으로 이끈 기생충들 165

7장 | 이 나라는 내 것이니라

갑신정변과 독재자 고종 1884

고종의 파트너 갈아치우기 168 | 노론 정권을 위한 이념, 척화론 170 | 노론 거두 김평묵의 척양론 171 | 이어지는 노론과의 악연 173 | 첫 번째 반성문 "모두가 내 죄다" 174 | 두 번째 반성문, 그리고 "또 말로만 그러시려고?" 176 | 지켜지지 않은 반성 179 | 개혁과 본질적으로 무관했던 지도자 181

8장 | 개틀링으로 학살한 백성

1894년 동학농민전쟁

대신 모두가 경악한 어느 어전회의 184 | 동학농민전쟁의 원인과 결과 187 | 고종과 민영준, 합동으로 청나라 군사를 불러들이다 188 | 민영준과 원세개의 비밀회담 191 | 그들은 백성을 무엇으로 보았는가 196 | 원로 김병시의 작심 발언과 벗겨진 고종의 가면 198 | 일본의 참전과 대학살 200 | 모두 사면된 민씨들과 조병갑 204

[주석] 206

4부 / 잃어버린 태평성대 1895~1904

9장 | 갑오개혁의 좌절

반동의 시작

낭비당한 10년 212 | 500년 모순 청산을 노린 갑오개혁 213 | 반동의 조짐 214 | 반동의 시작 216 | 권력 회수 219 | 나라를 팔다: 아관에서의 1년 221 | 실록에 기록된 나라 판매 현황 222

10장 | 집을 세우다

대한제국과 광무개혁

제국의 건설 226 | 권력 독점의 완성: 대한국 국제와 독립협회 229 | 경제력 독점의 완성: 내장원 232 | 부활한 매관매직 234 | 부활한 무명잡세: 우뭇가사리에도 세금을 235 | 군사력 독점의 완성: 대한제국군 236 | 텅 빈 국고와 사라진 비자금 241 | 광무개혁의 허구: 황제를 위한 개혁 243 | 허세와 낭비: 궁궐 신축과 생일파티 245 | 망국의 징조와 예언 248 | 1905년 마지막 반성 251 | 비웃음 당한 황제 253

11장 | 집을 버리다

고종의 칠관파천 七館播遷

파탄 난 나라와 도주하는 군주 256 | 청나라 군사를 부른 왕과 병조판서 260 | 청일전쟁과 미관파천 261 | 그 사이 영국으로: 영관파천 263 | 성공한 망명, 아관파천 265 | 1897년 두 번째 미관파천 266 | 러일전쟁과 무더기 파천 미수 267 | 무더기 파천 미수의 결과 268

[주석] 270

5부 / 고물을 팔아치우다 1904~1910

12장 | 러일전쟁과 주합루

황천항해荒天航海 **1904~1905**

좌절된 도주, 그리고 러일전쟁 278 | 소름끼치는 사진 한 장 279 | 잃어버린 10년, 고물이 된 나라 281 | 거제도 일본군 기념탑과 러일전쟁 282 | 러시아의 동방정책과 조선 284 | 북새통이 된 조선과 지도부의 무지 286 | 1904년 제물포와 1905년 거제도 286 | 일본군이 총살한 대한 제국인, 일본군을 위문한 대한제국 288 | 황천항해 289

13장 | 황제가 기댄 그녀, 앨리스

1905년 9월, 을사조약 두 달 전

공주, 하늘에서 내려오다 292 | 1905년 5월 일본 황족의 한성 나들이 293 | 1905년 6월 미국 부영사 스트레이트의 부임 294 | 1905년 9월, 이상한 나라의 앨리스 296 | 1882년 한미조약 거 중조정 297 | 철석같이 미국을 믿은 고종 299 | 홍릉에 나타난 버펄로 빌 300 | 고종만 몰랐던 세상 꼬라지 304

14장 | 늙은 조병세의 죽음과 난파선의 쥐떼들

을사조약 전야

의관 안종덕의 상소 308 | 원로 조병세와 고종의 대화 310 | 나라를 고물로 만든 고종 314 | 난 파선을 떠나는 쥐떼들 317 | "그물 치기도 전에 물고기가 뛰어들었다" 320

15장 | 매국노 고종

1905년 을사조약과 뇌물 2만 원
엠마 크뢰벨의 기억 324 | 그 음울하고 비겁했던 풍경 325 | 상소한 자들을 처벌하라 326 | 황제가 받은 접대비 2만 원 329 | 뇌물 30만 엔과 경부선 지분 332 | 떡밥 150만 엔 334 | 을사오적의 상소와 고종의 묵묵무답 335 | "나가 죽으시라" 336

16장 | 도쿠주노미야 이태왕

헤이그 밀사와 왕공족王公族
돌아오지 않은 밀사들 340 | 밀사들, 그날 이후 343 | 왕공족, 도쿠주노미야 이태왕과 쇼토쿠노미야 이왕 344 | 왕공족의 탄생 346 | 왕공족의 식민 일상 347

[주석] 353

1부

장성長城

1864~1873

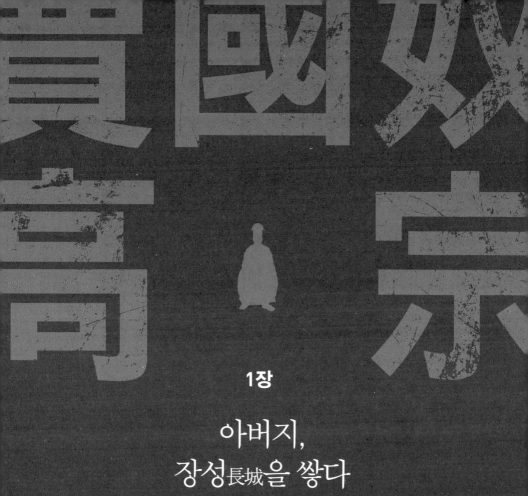

1장

아버지,
장성長城을 쌓다

대원군의 갑자유신
1864~1873

대원군이 10년 동안 집권하면서 '대원위분부大院位分付'라는 다섯 자가 삼천리 강토를
풍미하였다. 그 위세가 우레와 불같으므로 모든 관리와 백성들은 두려움에 휩싸여
항시 관청의 법을 우려하였다. 사람들 말을 빌리면 대원군을 실각시키지 않았더라면
국가가 망하는 것은 오늘까지 지속되지 않았으리라고 하였다.
민씨들이 집권한 이후 서민들은 착취를 견디다 못해 한탄을 하며
도리어 대원군 정치를 그리워했다.[1]

– 매천 황현

이양선의 시대

19세기 초부터 조선 바다에는 서양 상선과 군함이 출몰하며 새로운 시
대를 알리고 있었다. 대륙에서는 막강한 군사력으로 무장한 유럽 제국이
황제국 청나라를 위협하고 있었다. 바다 건너 일본은 그 유럽에 문호를 개
방하고 근대 문명을 차근차근 수입하며 부국과 강병의 길을 걷고 있었다.
26대 지도자 고종이 친정을 선언한 1873년, 조선 왕국 나이는 481세였다.

1840년 벌어진 아편전쟁은 새 시대를 여는 서막이었다. 영국과 청나
라가 벌인 이 전쟁에서 청은 참패했다. 이빨 없고 발톱 없는 호랑이임이
드러난 청은 남경조약(1842)을 통해 아편 무역을 전격 허용했다. 허수아
비 제국 청은 영혼까지 서양 오랑캐에게 갉아 먹히는 중이었다. 1856년
제2차 아편전쟁이 터졌다. 영국만 아니라 프랑스군까지 끼어들었다. 북
경까지 점령한 이들을 피해 청나라 황제는 피난길에 올랐다.

황제가 도주했다! 두 번이나 세상 뒤집히는 꼴을 본 청나라 권력층은 유럽 문물을 받아들여 부국강병을 꾀하기 시작했다. '양무운동洋務運動'이라 부르는 근대화 정책이다. 세상은 천자天子가 다스리는 천하天下가 아니라 만국이 같은 높이에서 경쟁하는 세계世界라는 사실에 대한 각성이었다.

조선 왕국은 대량살상무기를 대량으로 적재한 군함이 대량으로 몰려오는 새로운 시대를 맞고 있었다. 황제국 청나라에 사대事大함으로써 국가를 유지할 수 있는 시대가 아니었다. 막연하긴 했지만, 고종 정권 또한 조선을 에워싸고 벌어지는 이 상황을 알고 있었다. 그 광경을 지켜본 조선 권력층도 서서히 위기감을 느끼기 시작했다. 그런데 위기감에 대한 대책은 청나라 같은 개방정책이 아니라 한층 더 강화된 '쇄국鎖國'이었다. 개국 이래 지배층 골수까지 파고든 주자성리학적 세계관은 세상이 수직적 천하가 아니라 수평적 세계임을 인정할 수 없었다.

일본의 굴기

이웃나라 일본은 달랐다. 일본 지도자들은 이미 1641년 나가사키에 작은 인공섬 데지마出島를 만들어놓고 네덜란드인에게 섬을 개방했다. 섬에 뚫린 작은 문에서 조금씩, 하지만 거대하게 유럽 문명이 새어나와 일본을 물들였다. 그 문명을 일본 지성들은 란가쿠蘭學라고 불렀다. 란가쿠를 통해 들어온 유럽 문명은 지성에서 권력으로, 권력에서 일반 대중으로 속속 파고들었다. 그래서 19세기 시작된 서구 제국주의에 일본은 그리 놀라지 않았다. 이미 알고 있던, 예견됐던 일이었으니까.

그 서구 제국주의에 일본 지도자들은 어떻게 대처했는가. '사이후이死而後已'로 했다. '죽어야 그치겠다'는 결사적인 결기로 새 시대를 준비했다.

'사이후이'는 논어 태백편에 나오는 문구다.[●] 또한 일본 야마구치현 하기시에 있는 기도 다카요시(木戸孝允·1833~1877) 생가 대들보에 적힌 낙서다. 기도 다카요시는 막부를 타도하고 메이지 유신을 성공시킨 소위 '유신 3걸' 가운데 한 명이다.[●] 조선을 철저히 희생시키고 일본이 달성한 근대화, 메이지 유신은 세계 정세에 대한 정확한 판단과 죽음을 각오한 실천으로 이루어졌다.

황제국 청이 무참히 추락하는 장면을 목격하면서, 일본은 세계를 택했다. 황제국 스스로도 부국강병을 위해 나라 문을 열고 나라 돈과 인력을 쏟아 붓고 있었다. 이유는 명확했다. 그러지 않으면 나라가 망하니까.

학정과 민란의 시대

세도정치 100년 동안 쌓인 국내 모순은 폭발 일보 직전이었다. 정조 사후 권력을 잡은 안동 김씨와 풍양 조씨 세도 정권은 '삼정문란'(전정田政, 군정軍政, 환곡還穀)으로 표현되는 전방위적인 타락과 부패 정치를 행했다. 과세 기준은 땅이었지만 세도 정부는 땅을 제대로 측량도 하지 않고 세금을 매겼다. 병역 의무 대신 부과된 군사 세금(군정)은 일반 백성에게만 부과될 뿐, 양반은 면세였다. 그래서 온갖 방법을 동원해 양반이 되려는 자들이 급증했다.

그 모든 학정虐政에 세도 정권은 무관심했다. 이들에게 중요한 변수는 백성 복지가 아니라 백성이 납부하는 세금이었다. 그 세금이 세도 정권

● 『논어』 태백편: 증자께서 말씀하셨다. "선비는 도량이 넓고 의지가 굳지 않으면 안 되나니 임무는 막중하고 갈 길은 멀기 때문이다. 인의 실현을 자기의 임무로 여기니 이 또한 막중하지 않으냐? 죽은 뒤에야 이 일이 끝나니 이 또한 멀지 않으냐[曾子曰 士不可以不弘毅 任重而道遠 仁以爲己任 不亦重乎? 死而後已 不亦遠乎!?"

● 나머지 2걸은 사이고 다카모리(西鄉隆盛)와 오쿠보 도시미치(大久保利通)다. 자세한 내용은 『대한민국 징비록』(박종인, 와이즈맵, 2019) 참조.

매국노 고종

유지를 위한 경제적 기반이었고, 그들에게 정권은 국가에 앞서는 지고지선의 목표였다. 백성 복지를 앞세우는 합리적인 국정과 세도 정권의 행복은 반비례했다. 정권이 강화될수록 백성의 삶은 바닥으로 추락해갔다.

이들을 견제하는 세력은 전무全無했다. 숙종 이후 완벽하게 구축된 노론 독재가 이어진 데다, 영정조 이후 노론에서 파생된 안동 김씨와 풍양 조씨가 권력을 질적, 양적으로 독점하고 있었던 것이다.

공동체 일원이라면 당연히 누렸을 소시민적인 행복은 불가능했다. 19세기가 시작되면서 백성은 민란民亂으로 불만을 폭발시켰다. 여러 버전으로 변형된《정감록鄭鑑錄》이 떠돌며 전주 이씨 왕조가 넘어간다는 소문이 돌았다. 세상은 '부자가 남의 땅을 다 차지해 이득을 취해버렸고, 가난한 자들은 먹을 것도 없어 빚을 진 자는 거지가 되거나 심하면 도둑이 되는 지경'2에 빠져 있었다. 그런 때에 조선 왕국 25대 왕 철종이 죽고 고종이 뒤를 이었다. 진짜 권력자는 아버지 흥선대원군이었다.

흥선대원군의 개혁, 갑자유신甲子維新

세금 제도 정비, 탐관오리 처단, 군사력 강화와 세도정치 혁파.

고종 등극 이듬해인 1864년부터 1873년까지 흥선대원군이 벌인 정치를 보면 왜 고종이 친정을 선언하게 됐는지 이유가 명확하게 보인다. 정조 사후 63년 동안 이어진 노론 독재와 세도정치 모순을 대원군이 전방위적으로 제거해 버린 것이다. 그 10년 동안 대원군이 폭풍이 몰아치듯 벌인 개혁정책을 '갑사유신甲子維新'이라고 한다.

이 모든 정책은 '대원위분부大院位分付'라는 이름으로 시행됐다. 공식 직위는 없지만 왕의 아버지로서 주요 정책을 입안하고 시행했다는 뜻이다. 매천 황현이 쓴《매천야록梅泉野錄》에는 이렇게 기록돼 있다.

余年五十二辛巳
夏自題

玉壺李漢喆洗滌敬韓[?]

50세 기념 흥선대원군 이하응 초상. 오른쪽 글씨는 대원군 친필이다. /서울역사박물관

대원군이 10년 동안 집권하면서 '대원위분부大院位分付'라는 다섯 자가 삼천
리 강토를 풍미하였다. 그 위세가 우레와 불같으므로 모든 관리와 백성들
은 두려움에 휩싸여 항시 관청의 법을 우려하였다.[3]

대원군은 국왕과 별도로 운현궁에 인력을 두고 조선 팔도 행정을 손에
쥐듯 파악하며 국정을 운영했다. 대원군 측근인 김규락은 이렇게 기록했다.

지금 운현궁 안에 사부가 집중돼 있고 문서들이 쌓여 있다. 대원군의 총명
함을 보충해주고 대신 애쓰는 사람들이 없음을 근심하지 않는다.[4]

1864년 1월 10일 대원군은 조 대비를 통해 대신들에게 경고했다.

선왕 시대에 해마다 풍년이 들었으니 곤궁한 걱정을 몰랐다. 그런데 왜 나
라 재정은 고갈되고 백성은 곤궁하고 기강은 해이하고 풍속은 수습할 수
없을 정도로 무너졌는가. 왜 고혈을 짜내는 것을 견디지 못해 백성이 법을
어기는 일까지 벌어지는가.
나라의 법과 규율은 엄연히 존재하니, 우레나 번개와 같이 엄한 형벌을 가
하여 도끼나 작두로 다스릴 방도가 없는 것은 아니다. 그러나 우선 함께 고
쳐나가자는 뜻에서[咸與維新之義함여유신지의] 마음을 털어 놓고 자세히 타이
른다. 끝내 방자하게 굴면서 두려운 줄을 모르는 자는 훗날 죄를 뉘우치게
될 때가 닥쳐서야 내가 미리 타일러 주지 않았다고 말하지 말라.[5]

선왕이 치적을 쌓은 동안 뒤에서 어둠의 세력이 나라를 완전히 망가뜨
려놓았다는 지적. 그리고 말은 '함여유신咸与維新'●, 모두 함께 고쳐나가자

● '함여유신(咸與維新)'은 '함께 새로이 고친다'는 뜻이다. 대원군의 개혁을 이 말에서 따와 '함여유신' 혹은
1864년 갑자년에 벌인 일이라 하여 '갑자유신'이라고 부른다.

는 권유문이었지만 "좋은 말로 할 때 따라오라"는 무서운 경고였다.

이제 당시까지 450년 동안 조선을 족쇄처럼 옥쬈던 각 분야 모순을 대원군이 어떻게 풀어나갔나 살펴보자.

대원군, 군사력을 강화하다

집권한 대원군이 내놓은 첫 번째 정책은 강병책이었다. 우선 그때까지 문신 집단 아래에 있던 무장武將들을 대거 요직에 등용했다. 이는 문신 출신인 외척이 장악한 병권을 회수하는 작업이기도 했고, 대륙에서 불어오는 위기감과 바다에 출몰하는 이양선에 대한 대책이기도 했다. 1월 13일 상주가 기거하는 오두막에 한 달 넘도록 은둔 중이던 고종이 모습을 드러냈다. 오전 7시 창덕궁 희정당에서 첫 어전회의가 열렸다. 고종 뒤에는 발이 드리워져 있고 그 뒤에는 수렴청정을 하는 조 대비가 앉아 있었다.

어린 왕이 집무를 시작한 바로 그날 대원군은 조 대비 입을 통해 비변사가 올리는 기밀문서를 의정부로 이관할 계획을 내놓으라고 명했다. 비변사는 그 뿌리가 전시戰時 비상대책회의였지만 어느 틈에 의정부를 무력화시키고 국가 최고 의사 결정기관으로 행세하고 있었다.

이뿐만 아니었다. 대원군은 비변사 고위직을 전직 무장에게도 열라고 명했다. 명색이 전시 회의체제인데, 비변사 고위직은 모조리 문반이 독점하고 있었다. 고종이 주재한 첫 어전회의에서 조 대비 입에서는 "재상 반열에 오른 무관을 경들은 왜 하대下待하는가"라는 꾸지람까지 쏟아졌다. 폭풍처럼 몰아치는 새로운 인사정책에, 영의정 김좌근과 좌의정 조두순은 "수백 년째 해온 일이긴 하지만 물러가서 서로 의논하여 결론을 내리겠다"고 우물쭈물 대답했다.[6] 김좌근과 조두순은 세도정치 권세가 오를 대로 올라 있는 권력가들이었다. 그해 6월 26일 대원군은 병조판서를 임

명할 때 정2품 이상 무장 출신을 반드시 후보에 올리도록 명했다.[7]

이로써 조선 왕국은 건국 이래 처음으로 국방부장관에 해당하는 병조 판서에 군 출신이 문신 출신과 대등하게 임명되는 시대를 맞게 되었다.● 조선 왕국의 주요 군부대장인 훈련대장과 어영대장, 금위대장과 총융사 도 모두 문관에서 무관으로 대체됐다. 1866년에는 종2품인 군문대장을 정2품으로 승격시켰다.

그리고 1865년 3월 28일 대원군은 조 대비 입을 빌려 그때까지 외척 과 권력자들이 전횡을 일삼는 통로였던 비변사를 의정부 아래로 통합해 버렸다.[8]

서울과 지방 사무를 전부 비변사에 위임한 것이 언제부터인지는 모르겠으 나 사리로 보아 그럴 수 없다. 비변사 직인을 영원히 녹여 없애버리고 앞으 로 공문서에는 첫 머리에 비변사 대신 의정부를 적어 넣으라.

비변사는 전쟁 같은 계엄 상황에서 국정 지휘권을 행사하는 기관이다. 그런데 왜란과 호란을 거치며 비변사는 군사 정책은 물론 국정 전반에 지휘권을 휘두르는 초법적 권력체로 변신했다. 심지어 영의정과 좌, 우의 정이 국정을 결정하는 의정부는 언제나 비변사에 밀렸다.

정조 이후 세도정치 시대 비변사는 전현직 고위직 외척들이 수시로 모 여 왕 대신 국정을 결정하는 권력체였다. 그 비변사를 대원군이 없애버 린 것이다. 그뿐만 아니었다.

두 달 뒤인 5월 26일 대원군은 훈련도감과 금위영, 어영청을 통합한 삼 군부三軍府를 설치했다.[9] 합동참모본부 격인 삼군부는 문관들의 의사결정

● 연갑수, 「대원군 집정의 성격과 권력구조의 변화」, 『한국사론』 27, 서울대학교, 1992: 연갑수에 따르면 대원군 집권 후 병조판서에는 문무반이 번갈아 임명됐고 고종 6년 이후에는 무신이 독점했다.

기관인 의정부와 동급이었다.

조선은 전쟁을 수행할 지휘력이 없는 나라였다. 임진왜란 직전 병조판서는 문신 김응남이었다. 1627년 정묘호란 직전 공석이었던 병조판서에는 문신 이정귀가 임명됐다. 1636년 병자호란 때도 국방부장관은 문신 이성구였다. 그 군사를 이제 군사 전문가에게 돌려준 것이다. 비변사가 하던 원래 역할을 삼군부가 인수하게 된, 문과 무가 엄격하게 분리되고 동급이 된 혁명적인 사건이었다. 어찌 보면 당연한 일이었다.

대원군 집권기인 1866년 병인년 프랑스군이 강화도를 공격했다. 문관인 강화유수 이인기는 프랑스군 포격과 함께 도주했다.[10] 병인양요는 한 달 만에 프랑스군이 퇴각함으로써 끝났다. 실질적으로는 강화도 주민이 도륙되고 외규장각에 있던 보물과 서적이 약탈당하는 참패였지만, 형식적으로는 조선 관군의 승리였다.

대원군은 이를 계기로 강화도에 설치돼 있던 부대 진무영鎭撫營 병력을 대폭 강화했다. 양요 와중인 9월 9일 대원군은 강화유수 이인기를 전격 파면하고 무장인 우포도대장 이장렴을 강화유수 겸 진무사로 임명했다.[11]

한 달 뒤 대원군은 강화도에 군영을 건설하는 심도영조도감沁都營造都監[12]을 설치하고 진무사 겸 유수에 무신을 임명하도록 조치했다.[13] 진무영은 이후 각 부속부대 병력이 급증해 1874년에는 총 병력수가 3,500명에 달했다.[14] 그때까지 강화도는 오합지졸인 속오군束伍軍 400~500명이 지키고 있었으니 양적으로나 질적으로나 그 열 배에 이르는 대규모 병력이 조선 왕국 입구를 방어하게 된 것이다.[15] 게다가 진무영 병력 유지를 위해 대원군은 전국에서 '심도포량미'라는 군사용 세금을 거두고 서울 각 부대에 있던 대포와 화약을 진무영으로 이관시켰다.

1868년 독일 상인 오페르트가 대원군 아버지 묘인 충남 예산 남연군묘를 도굴하려다 발각됐다. 대원군은 전국 군사 요지에 조총을 쏘는 포군砲軍을 상설했다. 3,600명이 넘는 병력이 이들 부대에 편성됐다.[16]

강화된 군사력은 1871년 미군이 강화도를 침략한 신미양요 때 '결사항전'과 '장엄한 전멸'로 귀결됐다. 총 한 번 쏠 엄두도 못 내고 대장이 도망갔던 병인양요와 달리 신미양요는 쏠 총과 쏠 대포가 있었고, 그 총과 대포로 천하무적 미 해병대와 백병전을 치를 병력이 있었다. 비록 백 대 빵의 전력 차로 어이없는 전멸로 끝나버린 전투였지만, 그들이 강화도 갯벌에 뿌린 피는 장엄했다.

뒷날 친정을 선언한 아들 고종이 그 강병책을 이어받았다면 역사는 많이 달라졌을 터이다. 하지만 아들은 그나마 아버지가 구축해놓은 군사력을 철저하게 파괴해버리는 악행을 저질러버렸다. 이 복장 터지는 만행에 대해서는 뒤에 이야기하기로 하자.

군사 지휘권을 문반으로부터 돌려받은 무반은 자연스럽게 대원군을 지지하는 세력이 되었다. 훗날 이들은 친 대원군 세력으로 몰려 하루아침에 군 지휘권을 상실하고 문반 아래 직급으로 추락해버린다. 대폭 강화됐던 강화도 진무영 군사력 또한 하루아침에 아들 고종에 의해 사라져버렸다. 이 또다시 복장 터지는 일에 대해서도 뒤에서 상세하게 설명하기로 한다.

대원군, 진영논리를 부수다

대원군이 한 개혁 가운데 무엇보다 눈에 띄는 일은 인력 충원 방식이었다. 대원군 시대 10년 동안 세 정승과 각조 판서 취임자 139명 가운데 노론은 78명, 소론 34명, 남인 13명, 북인 13명, 종실 1명, 분류 불명 1명이었다. 비율은 노론 56.1%, 소론 24.5%, 남인 8.6%, 북인 9.4%이다.[17]

얼핏 보면 절대적으로 노론이 우위로 보이지만, 남인과 북인 비율은 소위 탕평책을 실시한 영·정조 때보다 월등히 높다.[18] 숙종 이후 철저하게 노론 중심으로 굴러가던 권력 구조를 파괴한 것이다. 대원군은 노론이 독점하던 고위직에 남인과 북인, 전주 이씨 친족과 무신을 대거 중용했다. 다시 말해서 대원군은 200년 가까이 진행되고 있던 노론 장기독재를 저지했다. 조선이라는 왕국을 이끄는 리더 세력을 일신한 것이다.

대원군은 당파는 노론이라도 박규수, 조두순, 김병국 같은 능력 있는 인력은 고위직에 중용했다.[19] 고종 등극 직후 없는 나라 살림에 전주 이씨 종친부 예산을 대폭 증액한 조치도 노론과 세도 정권으로부터 권력을 회수하기 위한 작업이었다.[20]

한계는 있었다. 아무런 정치적 기반 없이 권력을 잡은 탓에 대원군은 노론과 명문 세도가인 안동 김씨, 풍양 조씨 집단을 완벽히 제거하거나 퇴출시키지는 못했다. 하지만 그때까지 아무런 견제 없이 권력을 휘두르던 기존 세력을 긴장시키기에는 충분했다.

대원군, 만동묘를 부수다

기존 권력집단을 긴장시킨 가장 상징적인 조치는 서원과 만동묘萬東廟 철폐였다. 고종 등극 2년째인● 1865년 3월 29일 대원군이 조 대비를 통해 이렇게 명을 내렸다.

만동묘 제사는 이제부터 폐지하고 종이로 만든 신위와 편액은 창덕궁에

● 고종이 등극한 1863년은 '즉위년'이고 재위 햇수는 이듬해부터 계산한다. 이를 '유년칭원법(踰年稱元法 · 해를 넘겨 원년을 따지는 계산법)'이라고 한다. 단 세조, 중종, 인조 같이 직전 왕을 몰아내고 왕위에 오른 왕들은 등극한 그 해부터 재위 햇수를 따진다.

매국노 고종

있는 대보단 경봉각으로 옮겨라. 단, (현대 관보에 해당하는) 조보에는 이 사실을 싣지 말라.[21]

만동묘는 숙종 때인 1703년 노론 거두 송시열이 남긴 유언에 따라 그 제자 권상하가 충북 화양동계곡에 만든 사당이다.[22] 임진왜란 때 명군을 출병시킨 명나라 황제 신종과 명나라 마지막 황제 의종을 제사지내던 사당이다. '만동萬東'은 '만절필동萬折必東'을 줄인 말이다. 직역하면 '황하가 만 번 꺾어져도 끝내 동쪽으로 흐른다'는 뜻이다. 속뜻은, '조선이 어찌됐든 상관없이 명나라를 섬기겠다'는 뜻이다.[23]

만동묘는 사대주의를 극명하게 상징하는 사당이다. 하지만 문제는 사대주의가 아니었다. 본질적인 문제는 왕권에 도전하거나 아예 왕권 위에서 놀겠다는 노론의 오만방자함이었다.

일반 사대부는 황제에 대한 제사 권한이 없다. 그 권한은 오직 황제 직속 신하인 제후, 즉 조선 국왕에게만 있었다. 그럼에도 노론은 1704년 당시 국왕 숙종에게 보고도 없이 충청도 골짜기에 황제 사당을 만들고 제사를 지낸 것이다. 이 사실을 보고 받은 숙종은 두 달 뒤 창덕궁 후원에 임시 제단을 설치하고 황제에 제사를 지냈다. 그해 말 그 자리에 설치된 제단이 대보단大報壇이었다. '큰 은혜에 보답하는 제단'이라는 뜻이다.

숙종 당시에도 이미 노론은 '사민士民이 이미 두 황제를 향사하는데 조정에서도 한다면 곤란한 일'[24]이라며 만동묘 폐지는커녕 대보단 설치를 반대했다. 현대에 이르러 모스크바가 모든 사회주의자들의 '사상의 조국'이 됐듯, 만동묘는 노론 권력의 정신적인 지주요 고향이었다.

그 만동묘를 없애라고 어명이 떨어진 것이다. 대원군이 작심하고 내린 결정이었다.

김동인이 쓴 소설《운현궁의 봄》(1933)은 흥선대원군이 만동묘를 방문했을 때 머리를 조아리지 않았다가 구타를 당한 앙심이 만동묘 철폐로 연결됐다고 묘사했다. 매천 황현 또한《매천야록》에 비슷한 에피소드를 언급해놓았다.●

그런 일이 있었다고 하더라도 만동묘 철폐의 본질적인 이유는 아니었다. 만동묘를 위시해 전국에 설치된 서원書院은 '조선은 사대부士大夫의 나라요, 국왕은 제1사대부에 불과한 존재'라는 오만한 반反 왕권적 양반들의 아지트였다. 노론은 자기들 마음만 먹으면 왕 하나쯤은 마음대로 할 수 있다는 생각을 품은 집단이었다.

왕권을 무시하는 노론 집단을 약화시키기 위해 대원군이 날린 직격탄이 만동묘 철폐와 서원 철폐였다. 고종이 등극하고 만 1년 석 달 만에 대원군은 만동묘를 전격적으로 철폐했다.

다만 그 후유증을 감안해 한성 내 사대부들이 보는 신문 〈조보朝報〉에는 이 사실을 보도하지 말라고 덧붙였다. 조 대비는 또 "선정先正의 혼령이 알게 된다면 반드시 올바른 예법이라고 하면서 유감도 품지 않을 것이니 화양서원에 승지를 보내 제사를 지내게 하라"고 명했다. '선정'은 만동묘 설립을 유언하고 죽은 노론의 정신적인 지주 송시열이다. 그만큼 노론은 강하고, 질겼고, 힘은 무서웠다.

● 황현, 『매천야록』 1권 1894년 이전① 16.『만동묘의 폐지』: '대원군도 어렸을 때 화양동 서원을 갔다가 원유(院儒)에게 모욕을 당하여 늘 한을 품고 있었는데, 그가 정권을 잡은 후 그 원유를 잡아 죽이고 그 서원도 폐지하였다.'

매국노 고종

대원군, 서원을 부수다

만동묘 철폐가 노론의 코를 누르기 위한 폭탄이었다면 서원 철폐는 군사작전으로 치면 들판에 불을 질러 적을 소탕해버리는 청야淸野 작전이었다. 아예 노론이 발 디딜 공간 자체를 제초제 뿌리 듯 박멸해버린 것이다. 만동묘를 없애고 만 6년이 지난 1871년 3월 9일 조 대비가 하교했다.

> 한 사람에 대해 한 서원 외에 여러 곳 겹쳐서 설치된 곳은 예조 판서가 대원군에게 아뢰어 한군데씩을 제외하고 모두 철폐하라.[25]

1543년 경상도 풍기에 현감 주세붕이 백운동서원을 세운 이래 서원은 골칫덩이였다. 첫 서원 설립 후 100년이 안 돼 서원은 신흥 정치세력인 사림의 본거지로 변했고, 인조반정(1623) 이후 서인 아지트로, 숙종 이후 노론 아지트로 변신했다.[26] 남인과 소론도 마찬가지였다. 그러니까 서원은 같은 당끼리 무리를 지어 권력 쟁취를 꿈꾸는 지역당 사무소였다.

'서원은 향교를 업신여기며 문文을 숭상하는 뜻을 헛되게 하고 백성을 마음대로 부리고 조석으로 자기들끼리 원수가 되고는 하며 사치가 심했다.'[27] 학교는 향리 자제들이 술과 고기를 다투어 빼앗는 장소로 변했다. 또 '군적軍籍에서 이름을 빼는 곳으로 악용되니 교화에 아무런 도움도 주지 못하고 정치에도 해가 됨이 이보다 심한 것이 없었다.'[28]

송시열을 배향한 화양서원은 노론의 해방구였다. 화양서원이 발행한 문서 화양묵패華陽墨牌는 지방 수령도 거역 못하는 공인된 착취 도구였다. 회양묵패에는 '서원에 제사 비용이 필요하니 아무 날 아무 시간까지 얼마를 납부하라'는 문구와 검은 도장이 찍혀 있었다. 묵패는 착취와 토색질에 쓰여 힘없고 가난한 서민들을 괴롭혔다. 묵패를 받게 되면 민간이든 관가든 논밭을 팔아서라도 재물을 바쳐야 했고, 지시를 어기면 서원으로 끌려가 감금당하거나 형벌을 당해야 했다.[29] 봄, 가을이면 서원에서 제사가 벌어졌다. 서원 앞에는 제사를 빌미로 음식과 술을 파는 복주촌福酒村이 생겨났다. 이 복주촌까지 각종 국가 의무에서 면제됐다. 고종 때 공식적으로 파악된 통계로 조선 팔도 서원은 한 읍당 3군데 꼴인 909개소였다.[30]

> 서원을 창설할 때에는 매우 좋은 뜻으로 시작하였지만 오랜 세월이 흐르는 동안 날로 폐단이 심하였다. 수양을 쌓은 사람들도 지방에서 변란이 발하면 창을 메고 군대를 갔는데, 그 자손들은 쌀 100석만 쌓아 두면 교활한 마음이 생겨 훌륭한 집에 단청을 하고 쇠고기도 낭자하였다.
> 모든 일이 극에 달하면 변화가 생기는 것은 자명한 이치이다. 그러므로 서원 철폐령이 내린 것을 어찌 막을 수 있겠는가? 그 일이 대원군으로부터 나온 것이라고 해서 모두 비방할 일은 아니다. 유생들이 하루아침에 의지할 곳을 잃어 미친 듯이 부르짖으며 줄을 이어 대궐 앞에 엎드려 상소를 해댔으니 식자들은 그들을 비웃었다.[31]

그 서원을 대원군이 없애버린 것이다. 대원군 또한 정치인이었고, 노론으로부터 협조를 받아야 할 처지라 서원 철폐는 만동묘 철폐 이후 6년이 지난 후에야 이뤄졌다.

대원군, 삼정문란三政紊亂을 개혁하다

고종이 등극하기 1년 전인 1862년 8월 27일 철종이 회의를 주재했다. 안건은 전국을 휩쓸고 있는 민란에 대한 대책이었다. 무조건 진압한다고 될 일이 아니었다. 한 번에 뽑아내기에는 그 뿌리가 너무 깊었다.

1800년 정조가 죽고 순조가 등극했다. 정조 사돈이자 순조의 장인인 김조순은 세도정치의 시조였다. 정조는 죽기 직전인 1800년 6월 14일 김조순에게 아들을 맡아달라고 부탁했다. 인재를 가까이 하고 외척을 멀리 한다는 '우현좌척右賢左戚' 원칙을 스스로 파기하고 사돈에게 왕국을 맡긴 것이다.●

이후 안동 김씨와 풍양 조씨가 주도하는 세도정치勢道政治 시대는 엉망진창이었다. 그 시대 불의不義에 대한 기록은 《순조실록》에 적나라하게 직혀 있다.

> 왕이 침묵이 지나쳐 사무를 일체 신하에게 일임하고, 모든 보고서에는 '윤허한다[允윤]'로 결재하니 이해 구분과 공사 구별이 저절로 권병權柄, 힘 있는 자에게 돌아간다. 뇌물을 받는 문이 크게 열려 뇌물이 공공연히 거래되고 관직 하나, 과거 시험 하나에도 족당族黨이나 거실巨室이 아니면 곧 뇌물이 거래되는 지름길이다. 각 관청 창고와 금고는 문서 하나만으로도 멋대로 지출하며 서로 감싸주어 바닥이 나게 되었다.[32]

행정과 통치 시스템이 붕괴되고 모든 사무와 재정 처리는 협잡과 뇌물 경중에 따라 권력 있는 자가 휘두르는 시대가 됐다는 뜻이다.

정치판에서 자기들끼리만 벌이는 싸움이라면 구경하는 재미라도 있었겠으나, 그 피해가 만백성에 돌아가니 문제였다. 저들이 벌인 권력 투쟁은 백성이 가지고 있는 지원을 대가 없이 깅털할 기회를 놓고 벌이는

● 김조순, 『영춘옥음기(迎春玉音記)』, 『풍고집(楓皐集)』 별집, "내가 경을 몰랐다면 어찌 저 어린아이를 부탁하고 떠나겠는가[予若不知卿 豈以此遺幼相托而去乎]?": 김동욱, 『정조와 김조순의 밀담, '영춘옥음기(迎春玉音記)'』, 『문헌과 해석』 49권, 태학사, 2009 재인용

싸움이었다. 족당과 대가문 연합 정권인 세도 정권은 그 권력을 휘둘러 세금을 마구 거둬들였다. 세도정치는 그때까지 최악의 부패 행정으로 민생을 도탄에 빠뜨렸다. 국가와 백성이 아니라 이기적인 행복을 권력 행사 기준으로 삼은 권력자들이었다. 민란民亂은 피할 수 없었다.

1862년 늦여름 소집된 회의는 한 해 전 경상도 진주에서 터진 민란 대책회의였다. 임술년인 1861년 4월 29일 경상우도 병마절도사 백낙신은 다양한 명목으로 세금을 거둬들였다. 백낙신은 미리 6만 냥이라는 거액을 집집마다 배정한 뒤 세금을 거뒀는데, 심지어 농사지을 땅이 없는 집에도 세금을 거두는 백징白徵으로 농민들을 분노하게 만들었다.[33] 이를 시정해달라는 항의가 거듭 묵살되자, 항의하는 소를 올렸던 몰락 양반 유계춘은 이듬해 2월 14일 무력 투쟁을 결의하고 농민들을 모아 진주성으로 쳐들어갔다.

경상도 20개 군현, 전라도 37개 군현, 충청도 12개 군현과 경기, 함경, 황해는 물론 제주도까지 농민들이 들고 일어났다. 자연재해가 잇달아 기근과 질병이 만연하고 인구가 급속히 줄고 있는 판국에 명목 없는 세금까지 가혹하게 떨어지자 일어난 '전에 듣지 못한 변란', 임술민란壬戌民亂이다.

철종 세도 정권은 난을 진압하는 한편 세금을 합리적으로 조정하기 위해 회의를 열었다. 이들은 환곡제도를 폐지하고 토지 면적당 세금을 징수하는 '파환귀결罷還歸結'•을 의결했다. 하지만 그해 10월 파환귀결 원칙은 옛날로 돌아가고 삼정문란은 계속됐다.

임술민란은 환곡還穀제도 모순이 근본 원인이었다. 환곡은 춘궁기나 흉년 때 곡식을 빌려주고 추수 후 이자를 붙여 돌려받는 제도다. 원래는 빈

• 환곡을 없애고 토지 면적에 맞춰 세금을 매긴다는 뜻이다.

        매국노 고종

민 구제책으로 시작된 제도이나, 나중에는 백성들 의사와 상관없이 무조건 그 대여 곡식 양과 이자율이 결정돼 일방적으로 백성에게 내려왔다. 정부가 강제한 고리대금업과 다름없었다. 중앙정부에서 내려오는 지침은 지방 탐관오리에 의해 그 양과 이자가 더해지고는 했다. 19세기 들어 농민들은 이중삼중으로 세금을 수탈당하는 가련한 존재로 추락해 있었다. 삼정 가운데 환곡 문란이 가장 심했다.

토지 조사가 전혀 이뤄지지 않은 상태에서 토지 면적에 따라 매기는 토지세제 전정田政은 또 다른 수탈 동보였다. 현실을 부시한 세율에 농민은 절망했다. 그런 농민들에게 군역軍役 대신 부과되는 세금, 군포軍布가 또 하늘에서 떨어졌다. 양반들은 온갖 명목으로 군역에서 면제돼 있었고, 정부에서는 모자라는 군포를 일반 백성에게 덤으로 부과했다. 총액이 모자라면 죽은 자를 군역 명단에 올려 포를 뜯는 백골징포白骨徵布, 군역 대상이 아닌 15세 이하 아이들을 올려놓고 포를 부과하는 황구첨정黃口簽丁 같은 기상천외한 일들이 벌어졌다.

그런 경로를 거쳐 징수한 포와 돈은 지방관 주머니를 한번 거치고 중앙으로 납입됐다. 중앙에 도착한 세금은 세도가들의 주머니를 거치고 난 다음에야 정부 금고로 들어갔다. 나라는 나라대로 가난했고, 백성은 백성대로 피폐한 시대였다.

그 세금제도를 대원군이 싹 바꿔버린 것이다. 1871년 3월 25일 대원군은 군역이 면제인 양반들도 세금을 내는 호포제戶布制를 전격 실시했다. 다만 양반들 체민을 위해 양반은 자기 명의 대신 노비 이름으로 포를 내도록 했다.[34] "상하를 구분해야 백성들 뜻을 안정시킬 수 있다"는 둥 "왜 양반을 천민처럼 멸시하는가"라는 둥 격렬한 저항이 잇달았다. 대원군은 "양반들 스스로 욕되게 처사하지 말라"며 호포제를 강행했다.[35]

매천 황현은 호포제 실시를 1864년 갑자년이라고 기록했다. 앞서 말한 대로 갑자년 1864년에 시작된 '갑자유신'을 총칭하는 말이다.

군역에 뽑힌 장정들에게 군포를 받아들였으므로 그 폐단이 많아 백성들이 뼈를 깎는 원한을 갖고 있었다. 사족들은 한평생 한가하게 놀며 신역身役이 없었으므로 과거 명신들도 이에 대한 여론이 있었다. 그러나 세상 습속에 끌려 결국 이행되지 못하다가 1864년 갑자년 초에 대원군이 강력히 대중의 원망을 책임지고 귀천이 동일하게 장정 한 사람마다 2냥씩 바치게 하여, 이를 동포전洞布錢이라고 칭하였다.[36]

전정 또한 근본적인 개혁을 시도했다. 토지 조사사업인 양전을 실시해 전국 토지를 실질적으로 파악한 뒤 이에 맞춰서 전세를 재조정한 것이다. 비록 일부 지역에 그쳤지만 이는 지방관에게 경고성 조치로 작용해 탐관오리의 탐욕을 저지하는 데 일조했다.

철종 때 폐지됐다가 부활한 환곡은 원래 목적인 빈민 구제책으로 환원시켰다. 사창제社倉制라 불리는 이 제도는 큰 면 단위로 곡식창을 설치하고 그 지역에서 비교적 넉넉하고 평판이 좋은 사람에게 곡식 대여 관리를 맡기는 제도였다. 이 제도가 농민 생활 향상에 기여하지는 않았지만, 사창제는 최소한 탐관오리들이 부정을 저지를 여지를 대폭 감소시켜 중앙 재정을 안정시키는 효과까지 나왔다.[37] 백성의 세 부담이 대폭 줄어들었음은 물론이다.

대원군의 장성長城

세상이 보지 못했던 풍경이었다.

인사부터 세금까지, 국가 자원이 사적으로 낭비되던 기존 사회가 와해되기 시작했다. 정치권 내부에서는 인조반정 이래 250년 만에 처음으로 노론 독재가 무너지고 다양한 인재가 인력풀로 흘러들었다. 임진왜란과 병자호란 때도 문신文臣 지시를 따라야 했던 장군들이 국가 의사결정 과정에 처음으로 참여하게 되었다. 북벌을 기획한 효종 이래 처음으로 부국강병책이 정책 차원에서 입안돼 진행되기 시작했다.

백성을 영혼까지 괴롭혔던 세금도 개선되기 시작했다. 대원군 정권은 조선왕조 역대 정권 최초로 양반 계급의 세제 특혜를 회수해 일반 서민에게만 부과되던 납세 의무를 양반 계급으로 확대했다. 임진왜란 후 누적된 내부 모순을 정권 스스로 극복하려는 시도를 한 것이다. 그 시대는 이전 시대와 달랐다. 대원군은 장성長城을 쌓아올리고 있었다.

대원군의 실책: 경복궁과 당백전과 쇄국鎖國

문제는 왕권 강화를 위해 경복궁 중건이라는 낭비적인 토목공사를 벌인 사실이다. 대규모 토목공사에 들어간 국가 자원은 그대로 국력 소모로 연결됐고, 이는 대원군이 정권을 빼앗기는 빌미가 됐다. 또 문호 개방 선언을 눈앞에 두고 기존세력과 타협하는 과정에서 쇄국鎖國이라는 시대착오적인 정책을 택하기도 했다.

대원군이 벌인 갑자유신은 왕권 회복이 근본 목적이었다. 세도정치 70년 동안 형편없이 추락한 왕권을 회복하기 위해 사람을 갈아엎고 폭정과 가혹한 징세를 통해 그 사람들에게 충당됐던 국가 자원을 국가(왕실)로 집중시켰다. 여기에 새로운 왕의 권위를 더욱 강화하기 위해 벌인 사업이 임진왜란 때 불에 탄 경복궁 중건이었다.

임진왜란 때 불탄 조선왕조 법궁 경복궁. 대원군이 273년 만에 중건을 선언했다.

　나라가 부유하고 백성들 삶에 여유가 있었다면 복되고 찬란했을 사업
이었다. 하지만 대원군 스스로도 알고 있듯, 백성은 숨 쉴 여유조차 없었
고 나라는 가난했다. 정치적 기반이 없는 권력자였기에 공사 비용을 보
충하기 위해 세도 가문의 막대한 재산을 압수할 엄두는 내지 못했다. 그
런 상황에서 대원군은 무리한 토목공사를 강행했다.

　1865년 4월 2일 조 대비는 "대원군과 꼭 의논해 처리하라"는 조건과
함께 경복궁 중건을 명했다.[38] 그달 13일 경복궁 중건 작업이 시작됐다.

　3년 뒤인 1868년 7월 우여곡절 끝에 조선 법궁 기본 구조가 완성됐다.
그달 2일 조선 왕실은 1592년 임진왜란 발발 후 276년 만에 창덕궁살이
를 끝내고 경복궁으로 환궁했다.

공식적으로 경복궁이 완성된 날은 1872년 9월 16일이다. 이날 경복궁 공사를 위해 설치된 영건도감이 최종 보고서를 올렸다. 이에 따르면 총 공사 비용은 왕실 금고에서 낸 돈이 11만 냥, 염료 재료인 단목丹木이 5,000근, 염료 촉매제인 백반白礬이 3,000근이며, 종친들이 자발적으로 낸 돈이 34만 913냥 6전이었다. 또 백성이 '원납願納'한 돈이 727만 7,780냥 4전 3푼에 백미白米가 824석이었는데 총계하여 돈은 783만 8,694냥 3푼이고 백미는 824석이며, 단목은 5,000근이고 백반은 3,000근이었다.[39]

문제는 투입된 현금 784만 냥 가운데 백성이 '원납한' 돈이 728만 냥이었다는 사실이다. '원납願納'은 '자발적으로 내놓는다'는 뜻이다. 하지만 나라 꼬라지는 물론 개개인 사는 삶도 팍팍하기 짝이 없던 그때, 그 누가 자발적으로 돈을 내놓았겠는가.

백성으로부터 반강제 성금을 받을 정도로 비용 압박에 시달리던 대원군은 마침내 1866년 12월 기존 상평통보에 비해 명목 가치가 100배인 '당백전當百錢'을 주조해 통용시켰다.[40] 당장 조선 사회는 극심한 인플레에 시달리기 시작했다. 놀란 조선 정부는 불과 6개월 만인 1867년 5월 4일 당백전 유통을 중단했다.[41] 당백전은 이후로도 보조화폐로 사용되다가 1868년 사헌부 장령 최익현이 "사농공상 모두 피해가 되풀이돼 온갖 물건이 축나고 손상을 입었다"며 사용 금지를 청원해 역사에서 사라졌다.[42]

당백전 발행과 유통으로 인해 조선 경제는 완전히 거덜이 나버렸다. 당백전 사용이 금지되자 대원군은 청나라 화폐 청전淸錢을 들여와 유통시켰다. 청전 또한 상평통보보다 액면가는 높았으나 실질가치는 형편없었다. 나라는 뒤숭숭한데 대원군은 왕권의 상징 구축에 병적으로 집착해 국고를 낭비하고 초대규모 인플레를 초래했다. 참으로 결정적인 실책이었다.

당백전. 경복궁 중건 비용을 충당하기 위해 대원군이 발행한 돈이다. 실질가치가 명목가치의 100분의 1밖에 되지 않는 저질 화폐였다. / 국립중앙박물관

중건 공사기간 동안 프랑스군이 강화도를 침략한 병인양요(1866)와 미군이 역시 강화도를 침략한 신미양요(1871)가 터졌다. 두 전쟁 모두 프랑스와 미군이 퇴각하면서 종료됐다. 프랑스군과 미군 피해는 극히 미미했지만 조선 병력은 극심한 피해를 입었거나 아예 전멸했다. 대원군이 집권 초부터 양성해놓은 군사력도 산업혁명이 유럽을 무장시킨 대량살상무기 앞에서는 무기력했다.

'우리가 돈이 없지 가오가 없나'라는 말은 청빈한 공무원에게나 어울리는 말이다. 국가 지도자는 절대 입에 올려서는 안 될 말이다. 국가 지도자라면 나라를 부유하고 강하게 만들어야 할 의무가 있지 국가 '가오'를 앞세울 권리는 없다. 대원군은 그랬다. 가난한 나라 최고지도자로서 대원군은 가오를 택했다. 대원군은 이들이 퇴각한 사실을 '승리'라고 선언하고, 나라 문을 굳게 닫았다.

중요한 사실은 그 '가오'에 대한 집착으로 말미암아 흥선대원군은 조선을 평화적으로 개화開化하고 합리적인 교류 속에 조선을 부국강병하게 만들 기회를 놓쳤다는 점이다.

매국노 고종

흥선대원군 아내 민씨는 천주교도였다. 아들 명복(고종)의 유모 마르타 또한 세례 신도였다. 1864년 당시 프랑스 외방전교회 신부 베르뇌(Berneux · 조선명 장경일張敬一)가 밀입국해 선교를 하고 있었다. 그해 양력 8월 18일 베르뇌가 북경 외방전교회 조선교구 주교에게 보낸 편지에 따르면 대원군은 운현궁에서 신도인 전 승지 남종삼을 만나 "러시아인을 몰아내 주면 종교 자유를 주겠다"고 제안했다.[43] 흥선대원군은 천주교를 이용해 당시 두만강을 넘나들던 러시아를 견제하려 한 것이다. 모든 교류 가운데 가장 본질적이고 심원한 교류는 종교 교류다. 세계사적으로, 종교가 물꼬를 트면 이후 교역과 개항은 필연적이었다.

그런데 청나라에서 천주교 탄압사건이 발생하고 이를 빌미로 반 대원군파가 강력하게 이의를 제기했다. 황제국에서 서학을 탄압하는 데다, 자기네 정신적 지주였던 만동묘를 파괴당한 기존 권력층의 불만은 극에 달했다. 대원군은 이들과 타협하기 위해 천주교 탄압으로 입장을 바꿔버렸고 병인사옥이라는 학살극을 연출했다. 권력 유지를 위해, 대원군은 학살을 택하고 쇄국을 택했다.[44]

자기네 신부를 죽인 조선에 대한 복수극이 병인양요였다. 병인양요가 한창이던 1866년 9월 14일 대원군은 의정부가 회의를 열고 있는 동안 문서로 된 척화 4개조를 하달했다. 문서는 이러했다.

사람 인人 자 뒤에는 죽을 사死 자가 있는 법이고, 나라 국國 자 뒤에는 망할 망亡 자가 있는 법이다. 이는 옛적부터 하늘과 땅에 있는 법칙이다. 오랑캐 기 여러 나라를 침략하는 일도 옛적부터 있는 법칙이다.

대원군은 프랑스군과의 교전은 늘상 있어온 오랑캐와의 싸움이며, 국가는 언젠가 멸망할 운명을 안고 있으니 전쟁은 피할 수 없다고 주장했다. 이를 위해 대원군은 4가지 외교 운영 원칙을 제시했는데, 처음부터 끝까지 척화斥和, 즉 쇄국이었다.

첫째, 그 괴로움을 참지 못하고 화친을 허락하면 나라를 파는 것이다.

둘째, 그 독스러움을 참지 못하고 교역을 허락하면 나라를 망하게 하는 것이다.

셋째, 오랑캐가 경성에 다다랐을 때 수도를 버리면 이는 나라를 위태롭게 하는 것이다.

넷째, 만일 육정육갑六丁六甲으로 귀신을 부르는 괴술怪術로 적을 쫓는다 하더라도 이는 서학西學보다 폐단이 심할 것이다. 이 문서를 회람하고 그 실현에 최선을 다하라.[45]

대원군은 두 차례 양요를 겪으며 독자적인 무기 개발 작업을 진행했다. 사진은 대원군이 운현궁에서 제작한 대포 '운현궁별주명대포'. 왼쪽에 '동치13년(1874)'에 제작했다고 적혀 있다. / 총독부 유리건판(국립중앙박물관)

매국노 고종

1871년에 벌어진 신미양요는 결사항전과 척화 정신으로 무장한 전투였다. 장엄하고 잔인하게 전멸한 조선 군사 핏줄기 위에서 대원군은 5년 전 어전회의에 하달한 척화 4대 원칙을 전국 200군데 교통요지에 비석으로 새기라고 명했다.[46] 나라 문을 완전히 걸어 잠그는, 비장한 가오였다.

세상이 어찌 돌아가고 있는지 몰랐거나, 국내 정치적 입지를 다지기 위해 의도적으로 내세운 쇄국 의지였다. 대원군은 자기 권력 안정을 택했다. 그 자신이 어렵게 시작한 갑자유신 농사를 대원군은 스스로 망가뜨리기 시작했고, 조선의 미래에 먹칠을 하기 시작했다.

조선을 바꿀 수 있었던 갑자유신

대원군은 인사 개혁을 통해 노론의 힘을 약화시키고 만동묘와 서원을 철폐해 성리학적 질서 속에 안주하던 기성세력을 붕괴시키려 했다. 또 무장들을 등용해 문반의 힘을 약화시키고 세금 제도를 개혁해 민생을 구하고 양반의 경제기반을 무너뜨리려 했다. 이 모두가 500년 조선왕조사에서 처음 있는 일이었다.

모든 것을 다 빼앗기는 수모를 참고 있던 기존 권력자들은 대원군이 헛발질할 순간만을 기다리고 있었다. 헛발질의 시작은 경복궁 중건이고, 당백전 발행에 따른 급속한 경제 악화였다. 경복궁 공사를 제외한 나머지 분야에서는 유신 작업이 계속 진행 중이었다.

하지만 그가 권력을 잡은 10년은 개혁을 완수하기에는 너무 짧았다. 기존 권력자들에게는 너무나도 긴 고통의 세월이었다. 이윽고 때가 이르매, 그들은 참으로 매력적인 얼굴 마담 고종에게 손을 내밀었다. '권력을 제멋대로 휘두르는 당신 아비를 그냥 보고 있을 참인가.' 참으로 달콤하고 논리적인 질문 아닌가. 드디어 아들이 움직이기 시작했다. 1873년 겨울밤, 아들은 대원군의 수족手足들 앞에서 친정親政을 전격 선언하고 아버지를 운현궁에 가둬버렸다. 그날 밤, 대원군이 쌓고 있던 장성長城이 붕괴되기 시작했다.

2장

아들, 장성을 부수다

고종의 친정 선언
1873

종친 반열에 속하는 사람은 그저 명예직에만 임명하시고 녹봉이나 후하게 주시되
나라의 정사에 관여하지 못하게 하소서.[47]

- 1873년 11월 3일 호조참판 최익현, 대원군 퇴진을 요구하는 상소

1864년 운현궁에 열린 두 개의 문

새 왕이 탄생하고 만 1년 1개월이 지났다. 서기 1864년 음력 9월 22일 호조에서 고종에게 흥분된 보고를 올렸다.

"운현궁의 경근문敬勤門과 공근문恭勤門을 새로 세우는 역사가 지금 완전히 끝났습니다. 감히 아뢰옵니다."[48]

운현궁은 흥선대원군이 사는 집이자 등극한 지 열 달 된 새 왕이 태어난 생가다. 운현궁은 왕이 살고 있는 창덕궁에서 걸어서 10분이 채 걸리지 않는 곳에 있다. 고종이 왕위에 오르고, 그 운현궁에 대문 두 개를 신설했는데 그 작업이 완료됐음을 호조에서 보고한 것이다.

경근문과 공근문은 고종과 대원군 전용 문이다. 창덕궁 돈화문에서 금

위영을 거쳐 운현궁으로 가는 문이다. 조선 왕조에 전례 없는 임금의 살아 있는 아버지로서, 대원군은 왕에 버금가는 권력을 휘두르기 시작했다.

유례가 없는 일이었다. 왕족, 게다가 아무 관직도 없는 일개 왕족이 궁을 가마를 탄 채 출입하는 일은. 하지만 이하응은 왕의 친아버지가 아닌가. 그것도 조 대비와 연합한 막강한 권력자.

이후 대원군은 정치적 동지인 조 대비와 함께 국정을 아들 대신 운영했다. 실록과 승정원 일기에는 '대원위大院位'라는 관직이 여러 차례 나온다. 대원군은 법에 없는 직책 '대원위'로 나이 어린 왕을 대신해 나라를 통치했다. 앞 장에서 목격했듯, 대원위 시대에는 많은 일이 벌어졌고 그 일들은 대부분 조선왕조 역사에 전례가 없던 일들이었다.

1873년 11월 4일 심야회의

대원위 이하응이 조선을 지배한 지 10년에서 한 달 모자라는 1873년 11월 5일. 운현궁에 사는 대원위 전용 출입문 공근문이 전격 폐쇄됐다. 닫은 사람은 아들 고종이다. 세상 물정 모르는 열두 살 왕족에서 재위 10년을 막 넘길 참인 스물한 살짜리 당당한 최고 권력자로 성장한 아들이다. 아들은 아버지에게 임대했던 권력을 그날로 회수했다.

운현궁이 닫히기 하루 전인 11월 4일 밤, 이 스물한 살짜리 왕에게 대신들이 긴급 면담을 청했다. 궐 내 모든 업무가 끝나고 왕 또한 휴식을 취하고 있던 시각이었다. 면담은 왕의 침실인 경복궁 자경전에서 이뤄졌다. 경복궁은 임진왜란 때 의주로 달아난 선조에게 분노한 백성들이 방화한 이래 폐허로 남아 있었다. 이후 왕들은 경운궁(덕수궁)과 창덕궁에서 생활했다.

아들이 왕이 되면서 권력을 잡은 흥선대원군은 1865년 4월 13일 조 대비 입을 통해 경복궁 재건을 명했다. 지난 60년 동안 안동 김씨와 풍양 조씨 세도정치로 엉망진창이 된 왕권을 회복하고 그 권위를 대규모 토목 공사로 보여주겠다는 제스처였다. 재건 공사는 1872년 9월 16일 공식 완료됐다.[49] 번듯한 왕으로서, 고종은 그 법궁에서 생활하던 중이었다.

그 경복궁 침실에 대신들이 떼로 몰려왔다. 몰려든 사람은 시임대신時任 大臣과 원임대신原任大臣 전부였다. 시임대신은 현역 대신을, 원임대신은 현직에서 물러난 명예직 원로들을 뜻한다. 실록에는 이렇게 기록돼 있다.

> 시임대신과 원임대신을 접견했다. 대신들이 접견을 청했기 때문이다. 왕이 물었다. "무슨 급한 일이 있어서 깊은 밤에 청대를 하는가?"
> 영돈녕부사 홍순목이 대답했다. "신들이 최익현의 상소와 관련해 연명으로 차자를 올렸으나 윤허를 받지 못했습니다. 이에 마음이 답답하여 편히 있을 수가 없어서 밤을 무릅쓰고 접견을 요청하였습니다."[50]

그렇다. 자기들이 싫어하는 관리 하나를 고종에게 처벌해달라는 것이다. 관리 이름은 최익현이다. 최익현(崔益鉉·1833~1906). 위정척사파의 거두요, 을사조약이 체결된 이듬해 일흔세 살이라는 고령으로 의병을 일으켜 일본에 항거한 지조와 기개의 상징이다, 라고 교과서에서 배운 인물이다. 그가 이 전현직 대신들로 하여금 심야에 왕에게 면회를 신청하게 된 연유는 무엇일까.

폭풍 전야

경복궁 공사가 한창인 5년 전 1868년, 당시 사헌부 장령 최익현이 고종에게 상소를 올렸다. 핵심은 경복궁 공사를 중단하라는 것이다.

첫째, 토목 공사를 중지하소서. 아직 시작하지 않은 공사를 한결같이 모두 정지시킴으로써 백성들의 수고를 덜어주소서.

둘째, 백성들에게 세금을 가혹하게 거두지 마소서. 나라 재용財用이 고갈된 때 방대한 역사를 시작하였나이다. 이제 궁궐 내부는 대략 완공돼 왕께서 들어오셨으니 원납전 징수를 그치소서.

셋째, 당백전當百錢을 혁파하소서. 시행 2년 만에 사농공상이 모두 해를 입었는데, 그 피해가 되풀이되어 온갖 물건이 축나고 손상을 입었습니다. 모두 말하기를 '이 돈은 앞으로 없어질 것이다'라고 하는데, 집집마다 당백전을 반납하라 방榜만을 볼 수 있을 뿐 영구히 없앤다는 명을 들을 수 없으므로 여러 사람들의 의혹이 점점 짙어가고 있습니다.

넷째, 추위와 굶주림에 시달리는 백성들을 구제하기 위해 문세門稅를 금하소서.[51]

홍선대원군이 왕권 강화의 상징으로 삼았던 경복궁 중건 공사에 대한 비판이었다. 상소에 나와 있듯, 공사는 '나라 재용이 고갈된 상태에서' 진행된 대규모 토목공사였다. 대원군은 당백전을 발행하고 사대문 통행세를 거둬 그 비용을 충당했다. 원래 사대문 통행세는 중앙과 지방 군軍 확충 예산을 위해 신설된 세금이었다.

나흘 뒤 사간원 사간 권종록이 고종에게 최익현에게 유배형을 내려달라고 청했다. 그 요청이 의미심장하니, 실록을 인용해본다.

연전에 이항로李恒老가 대궐 공사를 정지하자고 하더니, 최익현은 그의 제자로 저도 모르는 사이에 속마음을 드러냈나이다. 유배하소서. 사람 된 도리와 신하 된 분수가 아니나이다.[52]

경기도 양평에 살던 노론 사대부 이항로는 중화와 오랑캐를 두부 썰듯이 구분하고 조선은 중화를 계승한 소중화라고 철썩같이 믿고 주장하는 화이론자였다. 이항로에게 청과 일본은 물론 바다에서 다가오는 서양 세력은 모조리 오랑캐일 뿐, 상대할 이유가 없는 존재들이었다.

그리고 이들에게 왕권은 그 누구도 대신할 수 없는 권력이었다. 왕만이 왕권을 행사하는 존재였고 자기네 같은 사대부는 그 왕권이 정상적으로 운영되는가 여부를 감시하고 견제하는 신성한 존재였다. 춘추대의春秋大義를 따지는 이 논리 뒤에는 왕과 사대부 세력이 공존하며 막대한 토지와 노비를 향유하는 경제적인 공동체 의식이 숨어 있었다.

그런 이들이 커튼 뒤에서 권력을 휘두르며 남인을 중용하고 노론 특권을 축소시키는 흥선대원군을 곱게 볼 수 없었다. 그 전위에 최익현이 있었다. 이들은 병인양요(1866) 때 프랑스군과 협상 자체를 거부하는 대원군에게 박수를 보내며 결사 항전을 주장했다. 하지만 대원군이 만동묘를 부수자 "있을 수 없는 일"이라며 결사반대했다.

그런데 이들을 대하는 고종 태도가 미묘했다. 최익현을 처벌하라는 권종록의 상소를 고종은 "지금에 와서 따질 필요가 무엇이 있는가?"라는 말로 거부했다. 고종은 다시 나흘 뒤 최익현을 정3품 돈녕부 도정敦寧府都正에 임명해버렸다.[53] 사헌부 장령이 정4품이니 사간원이 유배를 보내라고 한 관료를 오히려 승진시킨 인사였다. 열여섯 살 먹은 고종은 이미 이때부터 아버지 흥선대원군으로부터 권력을 회수하려는 욕심이 있었는지도 몰랐다. 최익현은 인사 조치 일주일 뒤 "아첨하는 사람들에 둘러싸여 자기 말이 두루 통하는 걸 즐기지 말고, 내가 올린 네 가지 조목을 깊이 유의해 반성하고 체험하시라"며 사표를 던져버렸다.[54]

그리고 최익현의 사표 파동 3년 뒤인 1871년 3월 9일 당쟁과 폭정의 근원인 서원 철폐가 전격 실시됐다. 철학적으로는 화서학파를 위시한 존 왕양이파, 경제적으로는 서원을 중심으로 자기네 이권을 뿌리내렸던 노론과 세도 정권 무리들이 결집하기 시작했다.

청황제의 친정과 고종의 사전포석

1872년 4월 4일 청나라에 다녀온 사신 민치상이 청나라 황제 동치제가 친정을 시작했다고 보고했다. 동치제는 1861년 다섯 살에 황제위에 올라 생모 서태후와 삼촌 공친왕의 섭정 속에 청나라를 통치하던 황제였다.

황제가 장막을 거두고 스스로 권력을 행사했다는 뉴스에 황제보다 나이가 네 살이나 많은 고종이 흥분했음은 당연하다. 고종은 "황제가 일에 마음을 쏟아 직접 온갖 기무를 처리하고 있어 모두들 우러르고 있다"는 민치상의 보고에 크게 고무됐다.[55]

그해 12월 16일 청나라 예부에서 '황제가 친정을 한다[皇上親政황상친정]' 고 정식으로 통보했다. 그러자 바로 그날 흥선대원군 형제인 이최응을 비롯한 종친 27명이 고종에게 존호尊號를 올리겠으니 받아달라고 상소를 올렸다.[56] 존호는 왕의 은덕을 찬양하는 명칭이다. 동치제 친정이 공식 통보되던 날과 때를 맞춰 고종에게 존호 가상 상소를 올린 것이다. 이를 주도한 이최응은 대원군 이하응의 형으로, 서로 사이가 좋지 않았다. 요컨대, 국왕인 조카의 권위를 급상승시킴으로써 이최응은 동생을 견제하려고 한 것이다. 고종은 처음에는 이를 거부했으나 사흘 동안 이어진 존호 가상 상소 끝에 허락했다. 12월 24일 고종에게 올라온 존호는 '통천융운조극돈륜統天隆運肇極敦倫'이었다.[57]

그리고 1873년 8월 연전에 최익현이 폐지하라고 요구했던 문세門稅를 과거 응시생과 작은 짐을 든 사람에 한해 면세하더니 두 달 뒤에는 한성 도 성에 있는 모든 문에 대해 통행세를 폐지했다. 10월 10일 고종이 명했다.

"갑자년 이후 각처에서 창시한 세금을 군수軍需에 붙이도록 하는 것은 당연한 일이나 지나치게 받아들인 것이 많아 민폐가 적지 않았다. 지금부터 도성都城의 문세는 철폐하라."[58]

한성 사대문 문세는 대원군이 갑자유신 때 군사력 증강을 위해 부과한 세금이다. 이후 경복궁 공사 경비 부족으로 상당액이 전용되기도 했지만 기본적으로 통행세는 강병强兵을 위한 목적세였다. 세금이 과하면 과세 표준을 줄이든가 아니면 세율을 조정하거나 원 징세 목적으로 징수하면 될 일이었다. 하지만 고종은 '폐지'를 택했다.

대륙에서 불어온 친정에 대한 유혹은 그렇게 반 대원군 세력을 결집시키고, 아들로 하여금 나라에서 아비 냄새를 탈취시키라고 잡아당기고 있었다. 아비가 세웠던 장성長城은 조금씩 무너지고 있었다.

문세 폐지 보름 뒤인 1873년 10월 25일 최익현이 작심을 하고 상소를 올렸다. 그때 최익현은 국왕 비서 격인 승정원 정3품 동부승지였다. 후대는 이 상소를 '계유상소癸酉上疏'라고 부른다.

대신大臣과 육경六卿은 아뢰는 의견이 없고 대간臺諫과 시종侍從들은 일을 벌이기 좋아한다는 비난을 회피하고 있습니다. 조정에서는 옛날 법을 바꾸고 있으며[政變舊章정변구장] 인재를 취하는 데에는 나약한 사람만을 채용하고 있습니다. 속된 논의가 떠돌고 정당한 논의는 사라지고 있으며 아첨하는 사람들이 뜻을 펴고 정직한 선비들은 숨어버렸습니다. 세금으로 인해

구한말 대표적 위정척사파 최익현.
거듭된 상소로 흥선대원군을 권좌에서
쫓아낸 계기를 만들어준 인물이다.
／ 국립중앙박물관

백성은 도탄에 빠지고 떳떳한 의리와 윤리는 파괴되고[彝倫斁喪이륜두상] 선비 기풍은 없어지고 있습니다.

나라를 위해 일하는 사람은 괴벽스럽다고 하고 개인을 섬기는 사람은 처신을 잘한다고 하고 있습니다. 그리하여 염치없는 사람은 버젓이 때를 얻고 지조 있는 사람은 맥없이 죽음에 다다르게 됩니다.

만약 전하 총애만 믿고서 벼슬 반열에 끼어 따라다니고 길가에서 떠들어대며 의기양양하게 자족하면서 아무것도 꺼리는 바가 없이 처신한다면 또한 사람들의 드센 비방과 무엄하고 불경스럽다는 주벌이 잇따라 일어나게 될지 어떻게 알겠습니까?[59]

'대신(정승)과 육경(육조판서)은 아무 개념이 없고, 곧은 말을 하라는 사간원과 사헌부는 쓸데없는 일만 벌인다' '개인을 섬기는 사람은 처신을 잘한다고 오히려 칭찬받는 세상이 되었다' '본분에 지나치고 벼슬 반열에 끼어 의기양양하게 아무것도 꺼리는 바가 없이 처신하는 자' 그리고 '그에게는 사람들의 드센 비방과 무엄하고 불경하다는 주벌이 잇따르리라'는 저주.

바로 아들인 국왕을 앞세워 혼자 권세를 누리고 있는 흥선대원군 이하응과 그 무리들을 가리키는 말이었다. 그 무리들 때문에 옛날 법이 바뀌고 있으며[政變舊章정변구장] 이로 인하여 떳떳한 의리와 윤리는 파괴되고[彝倫斁喪이륜두상] 있으니 그 주범인 대원군은 당장 물러나야 한다는 것이다.

실질적인 조선 왕국 권력 1호에게 던진 이 불손한 상소에 고종은 이렇게 답했다.

"가슴 속에서 우러나온 말이요 나에게 경계를 주는 말이니 매우 가상하다. 최익현을 호조참판으로 제수한다. 만일 이렇게 정직한 말에 대하여 다른 의견을 내는 사람이 있다면, 그자는 소인小人이다."

정3품 동부승지 최익현은 이 불경스러운 상소로 그 자리에서 종2품 차관으로 승진했다. 권력을 원하는 젊은 왕, 그리고 만동묘와 서원을 부수고 자기네에게 세금을 매겨대는 대원군 정권에 저항하는 노론세력이 드디어 공개적으로 동맹을 선언한 것이다.

다음날 좌의정과 우의정이 "개념 없는 우리들 잘못"이라며 사표를 냈다. 그 다음날 사헌부와 사간원 간부들이 "의견 없이 태만한 우리들이 잘못"이라며 스스로 처벌을 요구했다. 홍문관도 마찬가지였다. 승정원도 마찬가지였다.

사직이나 자기 처벌 요구는 조선왕조 조정에서 흔히 있는 일이었다. 이는 진짜 사직을 원하는 행위라기보다는 자기네와 관련된 상소에 대한 의례적인 요식행위였고 자기들은 결백하니 더러워서 관둔다는 무언의 항의 표시였다. 고종은 두 정승이 올린 의례적인 사퇴 의사는 반려했다. 그런데 사헌부, 사간원, 홍문관과 승정원에서 올린 처벌 요청에는 이렇게 답했다.

"상소문을 내려 보낸 지 며칠이 지났는데 아무 소리도 없다가 오늘 비로소 처벌을 요구하는구나. 알았다. 너희들을 파면한다."[60]

고종은 그 자리에서 대사헌 홍종운과 대사간 박홍수를 파면하고 자기가 점찍어뒀던 서당보와 홍훈을 각각 대사헌과 대사간에 임명했다. 왕권 행사를 시시콜콜히 간섭하는 두 기관은 물갈이를 하겠다는 신호였다.

또 그 다음날 육조판서들이 연명으로 상소를 했다. 상소에는 최익현에 대한 비아냥과 오만이 가득했다.

(최익현 상소에 따르면) 저희는 그럭저럭 가만히 앉아서 세월만 보내면서 영예와 총애를 탐하며 녹봉이나 축내고 있으니, 사람들이 비난을 하는 것이 오히려 늦었다고 할 것입니다. 벌을 내리시기 바랍니다.[61]

고종이 답했다. "선을 넘는구나." 판서들에게는 모두 감봉 처분이 내려졌다. 조정에 폭풍우가 휘몰아치고 있었다. 감봉 처분을 받은 판서들이 퇴청하고서 국장 급인 정3품 형조참의 안기영이 상소장을 고종에게 들이밀었다. "최익현이 높고 낮은 관리들을 일망타진하고 꼬리를 숨기면서 몰래 음흉한 기도를 실현하려 한다." 고종은 "무슨 말인지 모르겠다"며 안기영에게 유배형을 내렸다. 같은 날 성균관 학생들이 최익현을 성토하며 동맹휴학에 돌입했다.[62] 고종은 그 주모자를 색출해 유배를 보내라고

명했다.[63]

오만한 관료들은 고종에게 의외의 뺨따귀를 얻어맞아 정신을 차리지 못했고, 사태를 파악하지 못한 사람은 분통이 터질 지경이었다. 상황은 이상하게 돌아가고 있었다.

"모든 것을 원위치하시라": 노론의 대반격

마침내 10월 29일 최익현 상소에 동조하는 상소가 올라왔다. 고종이 사헌부 장령에 임명한 홍시형이 올린 상소였다. "최익현의 상소는 과연 정직하여 아침 햇살을 받아 우는 봉황과도 같다"로 시작하는 상소는 '명분을 바로잡고' '세금을 금하고' '청전淸錢을 금하자'는 정책 제안을 담고 있었다. 일곱 가지로 구성된 이 상소는 처음부터 끝까지 반 대원군적 정책으로 일관돼 있었다.

'명분'은 노론 질서 회복을 뜻했다. 홍시형은 "만동묘와 서원과 사당을 복원하여 춘추대의를 밝혀달라"고 주장했다.

'세금'과 '청전'은 대원군이 신설하고 도입했던 재정 정책이었다. 홍시형은 "호포제 실시로 벼슬아치나 선비, 하인이 똑같이 취급돼 상하 구별이 없어져 한탄스럽다"며 "호포를 혁파해 명분을 바로잡고 병역 의무를 바르게 하라"고 주장했다. 대원군이 박탈했던 사대부의 특혜를 돌려달라는 말이었다.

그리고 한 가지가 더 있었다.

"모든 벼슬을 명예 벼슬로 차함借銜함이 오늘과 같은 때는 없으니, 이를 막으소서."

차함借衝. 실제로 근무하지 않고 이름만 가지고 있는 벼슬을 뜻한다. 국가 재정을 좀먹는 허위 관직을 없애라는 건전한 건의로 보이지만, 뒤집으면 아무 벼슬도 권한도 없이 국정에 개입하는 그릇된 관행도 없애라는 말이다. 그런 차함 권력자가 누구인가. 바로 국왕 아버지, 아무 벼슬이 없는 권력자 흥선대원군 이하응이었다.

고종은 만동묘 부활을 제외한 다른 모든 건의를 받아들이고, "바른 말을 올리는 직책에 둘 만하다"며 갓 장령에 임명됐던 홍시형을 홍문관 부수찬으로 임명했다. 사헌부 장령은 정4품이요 홍문관 부수찬은 종6품이지만 홍문관은 명예가 높은 기관이었다. 게다가 홍문관 관직은 관례적으로 승진도 빠른 요직이었다.

조짐은 1년 전부터 조금씩 보였지만, 현실은 폭풍 같았다. 조정을 장악했던 대원군 세력은 정신을 차리지 못했다. 더 이상 고종은 장막 뒤에서 숨 죽이고 있던 어린 왕이 아니었다. 차근차근, 하지만 확실한 보폭으로 고종은 대원군이 쌓은 장성을 허물고 새로운 성을 쌓고 있었다. 그러다 11월 3일 마침내 신참 호조참판 최익현이 핵폭탄을 대기권 바깥으로 쏘아 올렸다.

최익현의 직격탄: 대원군을 쫓아내라

"신이 한번 올린 상소로 시비가 터져 나와 죄악이 더욱 밝아졌으니, 관두고 싶어도 관둘 수가 없게 됐나이다."[64]

대원군 정부를 난장판으로 만든 상소로 엉겁결에 호조참판이 된 최익현이었다. 이날 최익현은 자기가 올린 상소가 조정을 쑥대밭으로 만들었음을 다시 한번 확인했다. 그리고 "지난번 상소 가운데 자세히 말하지 못한 내용이 있다"며 몇백 배 강한 폭탄을 조정 한복판에 투하했다.

> 종친 반열에 속하는 사람은 그저 명예직에만 임명해 녹봉이나 후하게 주시고 국정에 관여하지 못하게 하소서.[65]

대원군을 은퇴시키라는 노골적인 요구였다. 동시에 최익현은 고종이 직접 하고 싶었던 말을 대신해주었다.

> 전하가 새롭게 정사를 총괄하면서 산만한 것을 정리하고 옳지 못한 것을 없애려고 하시니, 조용히 심사숙고하고 시원하게 생각을 바꾸시라.

전하가 새롭게 정사를 총괄하시니[殿下新總大政전하신총대정].
이 얼마나 기다리던 말이었던가. 열두 살 나이에 왕좌에 올라 한 번도 해보지 못한 '정사 총괄'이요 권력 행사가 아니었던가. 최익현은 고종이 이제나저제나 꺼내고 싶었던 그 단어를 시원하게 대신 내뱉어준 것이다.

노론의 깊은 뜻

고종을 위한 주장은 절대 아니었다. 최익현은 노론 해체를 일관되게 주장하는 대원군에 맞설 동맹군으로서 고종을 선택한 것이었다. 그 심저에는 '조선 국왕은 사대부들이 명나라 천자를 섬기는 통로인 제후에 불과하다'는 교조적인 사대주의가 깔려 있었다.

최익현이 올린 이 상소에서 첫 번째 그가 주장한 내용은 바로 만동묘

매국노 고종

부활이었다.

　우리나라 풀 한 포기, 나무 한 그루에도 모두 황제의 은혜가 깃들어 있으
니, 만동묘 제사를 회복하는 것은 성덕에 더욱 빛을 드러낼 일입니다.

　그런데 대원군이 없애버린 서원을 부활시키라는 다음 항목을 보면, 최
익현이 가진 생각은 반 대원군 세력의 결집이었지 고종에 대한 절대적인
복종이 아님이 명확하다.

　명나라 역사서인《명사明史》를 보면, 천하의 서원을 철폐한 것이 두 번 보이
는데 그에 따라서 왕실이 뒤집혔으니, 이것이 어찌 사람들이 원할 만한 일
이겠습니까? 삼가 바라건대, 속히 이미 내린 명을 환수하여 주소서.

　서원을 부활하지 않으면 왕실이 뒤집힌다는 경고다. 최익현을 앞세워
노론이 고종에게 기대한 이상理想은 애국이나 군주에 대한 충정과는 거
리가 멀었다. 그는 자기가 배운 바대로 성리학적 이상에 맞지 않는 모든
현상과 정책에 대해 반대한 것이다. 최익현은 대원군이 붕괴시키던 그
이상세계를 고종을 통해 구현하려 했고, 이를 위해 노론이 세를 불리는
아지트인 서원을 부활시켜주고 노론과 연합하지 않으면 친정이 쉽지 않
음을 대놓고 경고한 것이다.
　고종은 만동묘에 대해서는 재론하지 말라고 답을 내리고 상소를 받아
들였다. 그 또한 만동묘가 갖고 있는 위력을 너무나도 잘 알고 있었다. 나
만 고종은 상소문 가운데 누가 보더라도 노골적으로 국부國父를 비난하는
문장을 들어 최익현에게 유배형을 내리라 명했다. 뜻을 받아들이는 대신
친 대원군 세력에게 숨 쉴 구멍을 뚫어준 것이다.

그날 성균관 학생들은 동맹휴학을 풀고 교실로 복귀했다. 그 사이 친대원군 파인 영돈녕부사 홍순목●과 좌의정 강로, 우의정 한계원이 최익현에게 유배형은 가볍다며 중형을 요구했다. 고종은 거부했다.

이제 친정 선언만 남겨놓은 고종과, 그제야 사태를 파악하고 자기네 운명을 알게 된 대원군 세력 사이에 최후의 결투가 남아 있었다.

그날 밤, 퇴청했던 홍순목이 현직 대신은 물론 퇴직 대신들을 모두 이끌고 다시 궁궐에 들어와 고종에게 면담을 신청했다. 그때까지 대원군을 지지하는, 스스로를 지키기 위해 대원군을 지지한, 대원군 측근인 전현직 대신들이 고종의 대처 방식에 불만을 품고 야밤에 왕이 자는 침실로 쳐들어온 것이다.

심야의 반격과 대반전

늦은 밤 고종을 만난 대신들은 최익현에게 내린 유배형이 너무 가볍다며 본격적인 조사를 요구했다. 이들은 최익현을 국문해 극형에 처하지 않으면 "난신적자들이 꼬리를 물고 일어날 것"이라고 경고했다.

고종이 "그렇다면 최익현을 먼 섬으로 유배하겠다"고 답했다. 하지만 이들에게 필요한 조치는 최익현의 죽음이었다. 홍순목은 "최익현을 섬으로 쫓는 데 만족하려고 이 깊은 밤에 면담을 하지 않았다"며 "국문을 허락하지 않는 한 물러나지 않겠다"고 버텼다. 밤이 깊어갔다. 그러자 홍순

● 돈녕부는 왕실 친족을 관리하는 부서이며 영돈녕부사는 정1품인 그 부서장이다. 원로 정승이나 왕실 외척이 맡는다. 홍순목은 쇄국정책을 적극 지지한 친 대원군파다. 그 아들 홍영식은 1884년 갑신정변의 주역으로, 정변 실패 후 피살되고 홍순목은 자살했다. 홍순목이 살던 집은 갑신정변 때 칼을 맞은 고종 처남 민영익을 치료해준 미국 의사 알렌에 의해 광혜원이라는 왕립병원으로 사용됐다. 현재 서울 재동 헌법재판소 자리다.

매국노 고종

목은 "밤이 늦었으니 저희들이 따로 논의한 뒤 별도로 보고서를 올리겠다"며 퇴청을 준비했다.[66]

그 순간 고종이 일어서려는 대신들을 멈춰세우고 이렇게 선언했다.

"모든 사무를 짐이 직접 관장하겠노라."[67]

친 대원군파는 기겁했다. 한자로 다섯 글자에 불과한 선언이었지만, 폭탄이었다. 조 대비와 흥선대원군이 행사하던 권력을 성인이 된 왕이 직접 행사하겠다는 것이다. 열두 살에 왕위에 올라, 10년 동안 세상 돌아가는 물정을 다 지켜보고 제왕 수업을 받아온 왕이었다. 일 년 넘도록 조정에 불어닥쳤던 불길한 조짐이 현실화되는 순간이었다.

가드를 올리기도 전에 어퍼컷을 맞은 전현직 대신들은 "이미 친정을 하고 계시는데…"라고 떨떠름하게 응대했다. 이미 친정을 하고 있는데

1882년
서른 살을 맞은 고종.
/코넬대학교
디지털컬렉션

무슨 친정 선언이냐는 것이다. 공식적으로는 틀린 말은 아니었다.

7년 전인 1866년 2월 13일 조 대비는 수렴청정을 끝내고 고종 친정을 선언했다.[68] 조 대비는 "주상 나이가 혈기 왕성한 때에 이르러 모든 정사를 능히 도맡아 볼 수 있게 되었다"라고 했다. 고종은 한 차례 친정을 거부했으나 받아들여지지 않았다. 공식적으로 고종은 등극 3년 만에 이미 직접 권력을 행사하게 된 것이다. 그리고 공식 철렴撤簾●이 있은 지 한 달 뒤인 1866년 3월 21일 고종은 아버지 흥선대원군이 살고 있는 운현궁에서 여흥 민씨 민치록의 딸을 맞이하는 친영례를 치르고 창덕궁으로 신부를 데려왔다.[69] 어엿한 성인이 된 것이다.

그렇다면 공식적인 철렴과 비공식적인 친정 선언까지 7년 9개월 동안 권력은 누구에게 있었는가. 그가 바로 대원군이다. 만 8년 가까이 고종은 허수아비로 왕좌에 앉아 있었다. 그 사이에 대원군은 '함여유신咸与維新'이라는 이름으로 재야 시절 목격하고 들었던 망국 일보직전 나라 꼬라지를 갈아엎는 작업을 진행해왔다.

하지만 경복궁 공사에 대한 병적인 집착과 이에 따른 경제난은 그를 권좌에서 끌어내리는 결정적인 무기로 작용했다. 기득권을 하나둘씩 박탈당하고 있던 노론 세력은 이 경제 실책을 빌미 삼아 줄기차게 그 하야를 요구했다. 권력욕에 불타던 아들 고종은 그 노론과 연합해 마침내 아버지를 끌어내리고 스스로 권력을 차지한 것이다.

결별

● 나이 어린 임금이 자라서 정사를 볼 만하게 되자 발 뒤에서 그 어머니가 대신 정치를 하던 수렴청정을 폐지함.

매국노 고종

고종이 태어난 집이자 흥선대원군의 집무실이었던 운현궁.
1873년 고종 친정 선언과 함께 운현궁 문은 닫히고, 부자(父子)의 인연도 끊겼다.

권력을 회수한 아들 고종은 대신들 청을 받아들여 의금부에 최익현을
국문하라고 명했다. 11월 9일 의금부에서 "최익현이 죄를 시인하지 않으
니 장을 때려 자백을 받아야 한다"고 보고했다. 하지만 고종은 오히려 국
문을 중단시키고 최익현을 제주도로 유배시키라 명했다. 고종은 "여론에
따라 국문을 허락하긴 했으나, 무식한 시골 사람이 분수를 모르고 올린
상소이니 더 물을 죄가 없다"고 선언했다.[70]

하룻밤 만에 지축地軸이 각도를 바꿨다. 대신들이 옥박지르거나 고집을
피우면 뜻을 굽히는 만만한 왕이 아니었다. 결국 영돈녕부사 홍순목과
좌의정 강로와 우의정 한계원은 사직을 청하고 도성 밖으로 나가 돗자리
를 펴고 죄를 빌어야 했다. 고종은 이틀 뒤 이 세 사람을 파면해버렸다.[71]
그리고 한 달이 지난 12월 21일 고종이 명을 내렸다.

"오늘은 대원군 생신이니 도승지로 하여금 문안을 올리고 오게 하라."[72]

끝이었다. 왕은 더 이상 아들이 아니었다. 닫혀버린 운현궁으로 고종은

돌아갈 마음이 없었다. 운현궁에 있던 문은 하루아침에 닫혀버리고 10년 동안 막강한 권력을 휘둘렀던 대원군은 몰락해버렸다.

1873년 겨울밤 벌어진 친정 선언 이후 조선은 유령선처럼 허공을 떠돌았다. 유령선 선장이 된 아들은 아버지 대원군이 구축했던 장대한 장성을 남김없이 파괴하기 시작했다.

> 옛 제도에는 교령을 내릴 때 반드시 '왕이 이르되[王若曰왕약왈]'라고 서두를 붙였으나 10년 동안은 '대원위분부'라는 다섯 자를 사용하였다. 그 후 갑술년(1874)에 친정이 시작되면서부터 다시 옛 제도를 사용하였다.[73]

자, 이제 조선왕조 500년 동안 가장 과격하게 진행됐던 개혁이 무참하게 파괴되는 과정을 낱낱이 구경하기로 하자. 나라를 완전히 파괴한 다음 그 나라를 고물로 팔아 해치우는 아들을 머리부터 발끝까지 구경해보자. 다시 강조하지만, 인과관계는 단 1밀리미터의 오차도 없다. 모든 시작은 모든 끝의 원인이었다.

[주석]

1 황현,『매천야록』1권 1894년 이전③ 11.「대원군의 위세」, 국사편찬위원회(이하 생략)

2 『추안급국안』26,「1804 순조4년 죄인 이달우·장의강 등 신문기록」, 한국학중앙연구원, p.602: '富者
   取兼幷之利 貧者無所就食 或債貸行乞 甚至於爲盜賊之境(부자취겸병지리 빈자무소취식 혹채대행
   걸 심지어위도적지경).'

3 황현,『매천야록』1권 1894년 이전③ 11.「대원군의 위세」

4 김규락,『운하견문록(雲下見聞錄)』: 연갑수,「대원군 집정의 성격과 권력구조의 변화」,『한국사론』
   27, 서울대학교, 1992 재인용

5 1864년 고종 1년 1월 10일『고종실록』

6 1864년 고종 1년 1월 13일『승정원일기』

7 1864년 고종 1년 6월 26일『고종실록』

8 1865년 고종 2년 3월 28일『고종실록』

9 1865년 고종 2년 5월 26일『고종실록』

10 송근수,『용재한록(龍湖閒錄)』(한국사료총서 제25집) 4 996.「서양오랑캐가 강화도에 침입해 재물
   과 부녀자를 약탈하다(洋賊入江都掠奪財帛婦女事)」

11 1866년 고종 3년 9월 9일『승정원일기』

12 심도(沁都)는 강화도의 다른 이름이다.

13 1866년 고종 3년 10월 8일『승정원일기』

14 배항섭,「갑오개혁 전후 군사제도의 변화」,『한국문화』28집, 서울대학교 규장각 한국학연구원, 2001

15 배항섭, 위 논문: 농사를 짓다가 비상시 차출되는 속오군은 영조 이후 전쟁 위협이 사라지면서 천민
   으로 충원됐다. 게다가 대부분 베를 바치고 군역을 면제받는 유명무실한 군사 체계였다.(『한국민족
   문화대백과』, 한국학중앙연구원)

16 연갑수,『대원군 집권기 부국강병정책 연구』, 서울대학교 출판부, 2001, p.166

17 糟谷憲一,「大院君政權の權力構造: 政權上層部の構成に關する分析」,『東洋史研究』, 교토대학교, 1990

18 연갑수,『고종대 정치변동 연구』, 일지사, 2008, p.42

19 糟谷憲一, 위 논문.

20 1863년 고종 즉위년 12월 23일『고종실록』

21 1865년 고종 2년 3월 29일『고종실록』

22 『송자대전』부록 제12권「연보」

23 원래는『순자』「유좌편」에서 공자가 '의지가 굳은 사람'을 지칭한 말이다. 하지만 조선에서는 명에
   대한 절대적 충성심을 의미했다.

24 권상하,『한수재집(寒水齋集)』4권,「이치보에게 답함答李治甫」

25 1871년 고종 8년 3월 9일 『고종실록』

26 이하 서원 약사(略史)는 박종인 『대한민국정비록』(와이즈맵, 2019) p.70, 71을 요약한 것이다.

27 1657년 6월 21일 『효종실록』

28 남하정, 『동소만록(桐巢漫錄)』(1740), 원재린 옮김, 혜안, 2017, p.389: 서원에 등록되면 군역이 면제 됐다.

29 『한국민족문화대백과』, 한국학중앙연구원

30 정만조, 「한국 서원의 역사」, 『한국학논총』 Vol.29, 국민대학교 한국학연구소, 2007

31 황현, 『매천야록』 1권 1894년 이전① 16. 「만동묘의 폐지」

32 1819년 4월 8일 『순조실록』

33 1862년 4월 4일 『철종실록』

34 1871년 고종 8년 3월 25일 『고종실록』

35 1872년 고종 9년 12월 4일 『고종실록』

36 황현, 『매천야록』 1권 1894년 이전② 24. 「군역의 폐단」

37 이현희, 「흥선대원군의 정치개혁과 결과」, 『인문과학연구』 14권, 성신여자대학교 인문과학연구소, 1995

38 1865년 고종 2년 4월 2일 『고종실록』

39 1872년 고종 9년 9월 16일 『고종실록』

40 1866년 고종 3년 12월 1일 『고종실록』

41 1867년 고종 4년 5월 4일 『고종실록』

42 1868년 고종 5년 10월 10일 『고종실록』

43 강상규, 「대원군의 천주교 탄압에 대한 정치학적 고찰」, 『정신문화연구』 30권 1호, 한국학중앙연구원, 2007

44 박종인, 『대한민국정비록』, 와이즈맵, 2019, p.258

45 송근수, 『용호한록』 4(한국사료총서 제25집, 국사편찬위원회), 1994, 「운현궁에서 의정부 당상 회의 장에 보낸 회람 문서(自雲峴書送政府堂上坐起處輪示錄紙)」: '육정육갑'은 당시 한창 발호 중이던 동

46 학(東學)을 지칭한다.

47 1871년 고종 8년 4월 25일 『고종실록』

48 1873년 고종 10년 11월 3일 『고종실록』: '惟在親親之列者 只當尊其位 厚其祿 勿使干預國政유재친 친지렬자 지당존기위 후기록 물사간예국정.'

49 1864년 고종 1년 9월 22일 『승정원일기』

50 1872년 고종 9년 9월 16일 『고종실록』

51 1873년 고종 10년 11월 4일 『고종실록』

52 1868년 고종 5년 10월 10일 『고종실록』

53 1868년 고종 5년 10월 14일 『고종실록』

54 1868년 고종 5년 10월 18일 『고종실록』

55 1868년 고종 5년 10월 25일 『고종실록』

56 1872년 고종 9년 4월 4일 『승정원일기』

57 1872년 고종 9년 12월 16일 『일성록』

58 1872년 고종 9년 12월 24일 『고종실록』

59 1873년 고종 9년 10월 10일 『승정원일기』

60 1873년 고종 10년 10월 25일 『고종실록』

61 1873년 고종 10년 10월 27일 『고종실록』

62 1873년 고종 10년 10월 28일 『고종실록』

63 1873년 고종 10년 10월 28일 『고종실록』

64 1873년 고종 10년 10월 29일 『고종실록』

65 1873년 고종 10년 11월 3일 『고종실록』

66 1873년 고종 10년 11월 3일 『고종실록』: '惟在親親之列者 只當尊其位 厚其祿 勿使干預國政(유재친 친지렬자 지당존기위 후기록 물사간예국정).'

67 이상 1873년 고종 10년 11월 4일 『고종실록』

68 1873년 11월 5일 고종 10년 『승정원일기』에는 이날 상황이 명확하게 적혀 있지 않다. 오히려 이날 후반부 승정원일기는 아예 '결락'이라고 적혀 있다. 고종은 친정 선언에 대해 신하들이 이의를 제기 하자 아예 일기에 적지 말라고 선언했다. 하지만 전후 역사적 맥락은 이날 친정 선언이 실질적으로 이뤄졌다.

69 1866년 고종 3년 2월 13일 『고종실록』

70 1866년 고종 3년 3월 21일 『고종실록』

71 1873년 고종 10년 11월 9일 『고종실록』

72 1873년 고종 10년 11월 11일 『고종실록』

73 1873년 고종 10년 12월 21일 『고종실록』
    황현, 『매천야록』 1권 1894년 이전 ① 11. 「교령에 '대원위분부'를 사용」

2부
출항하는 유령선

1873~1882

3장

병정놀이

고종 친위부대 무위소와
사라진 진무영

고종이 강화도 진무영을 철폐하였다는 소문을 듣고 대원군은 가슴을 어루만지며
"이 군영이 국가에 무슨 해를 끼쳐서 그 장성長城을 파괴하는가?"라고 하였다.[1]

- 황현,《매천야록》

공인된 폭력, 병권과 금권

병약했던 청나라 황제 동치제는 1874년 12월 17일 사촌동생에게 황제 자리를 물려주고 한 달 만에 죽었다. 열아홉 살이었다. 그 사이 조선 26대 왕 고종은 10년에 걸친 섭정 장막을 스스로 거두고 권력을 차지했다. 하지만 자기 왕국이 나아갈 미래에 대한 비전은 없었다. 왕국 곳간을 채워 백성을 만족시킬 원대한 경제 계획도 없었다.

무엇보다 권력이 없었다. 오랜 기간 다져온 권력이 아니라 하룻밤 만에 전격적인 친정 선언으로 회수한 권력이 아닌가. 자칫하면 전격적으로 회수한 권력이 바위 틈 흐르는 물처럼 증발할 수도 있는 처지였다. 그렇다면?

선사 시대부터 역사 시대 그 어떤 시간대에서도, 권력을 휘두르기 위

매국노 고종

해서는 폭력과 자원이 필요하다. 동굴에 살던 원시인도 숲에 사는 늑대 무리도 우두머리는 가장 폭력이 강한 자였고 그 폭력을 통해 자원을 분배해줄 수 있는 자였다. 인간사회에서는 군사력과 경제력을 장악한 사람이 우두머리가 됐다.

고종은 친정 선언과 함께 기존 병권兵權과 금권金權 시스템을 자기 권력을 장악하는 방향으로 개조해나갔다. 개조는 전격적이었고 비가역적이었다. '비가역적'이라는 말은, 나라가 망할 때까지 권력 강화라는 일관된 방향으로 진행됐다는 뜻이다.

의문의 사건들과 고종의 복심

고종이 친정을 선언하고 한 달 만인 1873년 12월 10일 완공을 앞두고 있는 경복궁에 화재가 발생했다. 고종 집무실인 자경전 부근에서 시작한 불은 자경전 일부와 자미당, 순희당 같은 건물을 태우고 진화됐다. 고종은 새 집을 버리고 다시 창덕궁으로 이사해야 했다. 같은 날 정조가 묻혀 있는 수원 건릉 재실에 불이 나고 나흘 뒤 고종이 머물고 있던 창덕궁 수인문에 불이 났다.

친 대원군파 대신들 사표 파동은 고종에게 권력이 얼마나 얻기 힘든 일인지 잘 알려줬다. 그런 고종에게 화재 사건은 고종을 왕으로 인정하기 싫다는 반 고종파의 경고처럼 들렸다.

열두 살 먹은 철부지는 아니었기에, 고종은 항복할 생각이 없었다. 오히려 고종은 이 물리적인 저항 신호를 자기 권력을 강화하는 계기로 적극 활용했다.

이듬해 4월 5일 고종은 대신들과 차대次對2를 주재하며 운을 던졌다.

"우리나라는 군사가 정예하지 않다. 대국은 이와 같지 않다."[3]

이에 대해 영의정 이유원은 "언제나 군사는 양식이 넉넉지 못해 걱정"이라며 "병력 증원은 군사예산[軍資군자]을 마련하는 것이 필수적"이라고 답했다. 그달 12일 고종은 또다시 병력 증원 문제를 꺼냈다. 이유원은 "호조와 병조 회의 결과, 군량미가 7,000석이나 부족한 실정"이라며 군사 증원이 불가능하다고 보고서를 올렸다.[4]

고종의 의사 결정 패턴은 망국亡國 때까지 40년 동안 동일했다. 그는 자기 의견이 있더라도 이를 처음부터 제시하지 않고, 반드시 신하들 입에서 나온 의견을 좇는 형식으로 주장을 관철시켰다. 스스로 의견을 내기보다는 관료들의 의견을 마지못해 따르는 식으로 정책을 결정하고는 했다. 관료들에게 의견을 물을 때는 이미 뒤로 모든 계산을 마치고, 모든 상황을 다 파악하고, 모든 결과를 다 예상하고, 그리고 그 결과물이 자기 권력 유지 및 강화에 도움이 되는지 여부를 판단하고 난 다음이었다. 고종은 보통사람이 아니었다.

고종의 욕심: 친위부대 무위소

그리하여 4월 12일 차대에서 '고종 본인은 군사력을 강화하고 싶은데 대신들은 예산 부족이라 어렵다고 보고했다'는 상황이 만들어졌다. 그리고 4월 25일 어전회의에서 마침내 고종이 본심을 드러냈다. 끝없이 내리는 봄비 이야기로 시작된 회의가 끝날 무렵, 고종이 불쑥 이렇게 명했다.

"궐내闕內에 수직守直하는 군병軍兵이 400명밖에 되지 않아서 매번 부족하다고 염려해왔다. 몇 명쯤은 증원하는 것이 좋겠다. 그러나 반드시 접대할 비용을 마련할 방도를 세워야 할 것이다."[5]

궁궐 수비대 규모를 늘리라는 명령이었다. 영의정 이유원이 "재원을 확보한 다음에 논할 일"이라며 이의를 제기했다. 고종이 즉각 대안을 제시했다.

"각영各營의 군병 가운데서 몇 명을 차출하여 궐내 가까운 곳에 입직하게 하면 어떻겠는가?"

다른 부대에서 병력을 차출해 궁궐 수비대를 구성하자는 말이었다. 이유원은 "부대 창설과 다른 이야기이니, 충분히 가능하다"고 답했다.

고종은 이미 수비대 설치 문제에 대해 실무적인 조사까지 끝낸 상태였다. 고종이 말을 이어갔다. "호조(재무) 문서를 검토해보니, 타 부대에서 수비대에 병력을 파견하면 추가로 들 비용이 군량미밖에 없다."

비용 문제는커녕 수비대 설치 문제도 처음 알게 된 영의정은 그저 "사실인 듯하다[似果然矣사과연의]"고 답할 수밖에 없었다. 기선을 제압했음을 확인한 고종은 이렇게 말했다. "선혜청宣惠廳에 쌀 재고가 1만 석이 있다."

선혜청은 토지에 붙는 세금, 대동미를 관리하는 기관이다. 그런데 군포를 관장하는 균역청과 환곡을 관장하는 상평청 또한 선혜청 소속이다. 그러니까 조선왕조 세금을 총괄하는 거대한 금고다. 고종은 그 금고에서 궁궐 수비대를 유지할 비용까지 이미 파악해둔 상태였다. 이제 고종의 수비대 창설 의지는 그 누구도 막을 수 없었다.

5월 25일 차대에서 삼군부를 지휘하는 지삼군부사 이경하가 각 부대에서 100명씩 차출해 다섯 당번으로 무위소를 운영하겠다고 보고했다.

영의정 이유원이 또 이의를 제기했다.

"신은 경제를 다스리는 재능이 없어 곡식과 돈을 마련할 수 없습니다."[6]

고종은 예산 부족을 꺼내는 영의정 말을 일축해버렸다. 이유원이 "선혜청의 청전淸錢 5만 냥을 추가로 책정하면 할 수 있을 것"이라고 대답하자 왕은 선혜청 비축미 1,000석과 호조에 있는 포량미砲糧米[7] 700석으로 군량미를 충당하라고 지시했다.

그리고 고종은 무위소 병정들이 착용해야 할 군복에 대해 구체적인 지시를 내렸다. 우의정 박규수가 또 이의를 제기했다. "참으로 황송하오나 혹시라도 이 일을 거창하게 벌이는 것이 없겠습니까? 밖에서도 모두 의심하고 있습니다."

고종이 말했다. "일을 거창하게 벌일 리가 없다. 바깥에서 괜히 의심하는 것이다."

잠시 침묵을 지키던 영의정이 호조판서 김세균에게 물었다. "호조에는 책정할 돈이나 쌀이 있습니까?"

자, 호조판서의 대답이 매우 의미심장하니, 그 부분을 '궁서체로' 경청해보자.

"호조가 매년 마땅히 받아들이는 돈은 53만 냥에 불과하고 마땅히 지급할 돈은 45만 냥이어서 나머지가 7, 8만 냥일 뿐인데, 수시로 지급할 돈을 어떻게 보충해야 할지를 모릅니다. 매년 줄어드는 세입이 이미 10만 냥에 가

매국노 고종

까우니 이번에 책정하는 것은 방도가 없을 듯합니다. 쌀은 작년 조목으로 말하면 그 수량이 11만 5,000석이고 마땅히 지급할 것이 10만 6,000석인데, 수시로 지급한 부분이 산입되지 않았기 때문에 오히려 부족한 문제가 있습니다."

무슨 말인가. 1874년 현재 조선 왕국 예산이 세입은 53만 냥이며 세출은 45만 냥이라는 뜻이다. 그리고 매년 그 세입이 10만 냥씩 감소 추세에 있었다는 뜻이다. 현물인 쌀은 11만 5,000석이 입고되는데, 줄고해야 할 쌀이 10만 6,000석이며 게다가 장부에 기록되지 않은 수시 출고분 또한 많다는 뜻이다.

그 재정 상황에서 고종은 '타 부대에서 병사를 차출해' 파수부대를 만들겠다고 했고, 대신들은 파수부대가 아니라 고종의 친위부대가 아닌가 의문을 제기한 것이다. 며칠 전 그 경제 상황을 이유로 군비 증강을 반대한 대신들에게, 고종은 기다렸다는 듯이 '경제가 어려우니 전반적인 군비 증강 대신 궁궐 수비대만 소규모 보강'하라는 협상안을 제시했고 대신들은 꼼짝없이 고종의 협상카드를 받아먹고야 말았다. 이제 고종은 자기 마음대로 수를 던지는 완전한 승자였다.

보름 뒤 6월 9일 열린 차대에서 영의정 이유원은 "나는 서생書生이라 군사도 재화도 모르지만, 어쨌든 제발 재정을 아는 신하, 군사를 거느린 신하들에 의지하시라"고 고언을 던졌다.[8] 그리고 이유원은 "최근 신문고申聞鼓를 치는 사람이 꼬리를 물고 이어진다"며 백성들 불만이 높아지고 있다고 고종에게 우회적으로 눈치를 줬다. 그러자 고종이 말했다.

"대궐문을 엄중하게 지키지 않기 때문이다."

말이 통하지 않는 지도자였다. 이유원은 "불길한 혜성이 며칠 전부터 나타났으니, 이는 대신 직분을 다하지 못한 탓"이라며 구두로 사표를 던져버렸다. 고종은 가부를 대답하지 않았다.

그리하여 1874년 6월 20일 고종을 친위하는 궁궐 수비대, 무위소武衛所가 공식 출범했다. 그때까지 수비대 이름은 파수군把守軍이었다. '파수꾼'의 그 파수군이다. 화재를 예방하고 치안을 유지하는 정도로 기능하던 그 파수꾼이 이제 '힘'으로 주군을 '호위하는' 무장부대로 변신한 것이다.

"매번 이런 식이니, 황공하옵니다 그려"

처음 고종이 병력 증강 문제를 제기한 이유는 '국방력 강화'였다. 그런데 결론은 친위부대 창설이었다. 고단수 회의 주재방식에 허를 찔린 대신들은 분통을 터뜨렸지만 달리 방법이 없었다.

6월 20일 '무위소'라는 명칭을 부여받은 이 조직은 7월 8일 기마대 238명을 비롯한 훈련도감 463명을 차출 받았다. 사흘 뒤 금위영과 어영청으로부터 각각 183명과 181명을 차출 받아 순식간에 정예 군사 828명을 거느린 대규모 부대로 몸뚱이가 커졌다.[9] 지금으로 치면 2개 대대(900명)에 이르는 부대다.

500명으로 예정했던 무위소 규모는 800명이 넘었다. 7월 15일 정기 차대에서 대신들이 이의를 제기했다.

영의정 이유원이 입을 열었다. "무위소를 만드신 뜻은 시위(侍衛·국왕 호위)와 한어(捍禦·국왕 방어)와 궁금(宮禁·궁궐 수비)을 위해서일 뿐이었습니다. 그런데 지금 보면 맡지 않은 직임이 없고 거행하지 않는 일이 없으니, 이것보다 큰 일이 없을 정도입니다."[10]

훗날 황제가 된 고종 어가행렬. 경운궁(덕수궁) 대안문으로 황제 행렬이 나온다.
오른쪽에 보이는 벽돌건물이 대한제국 군사 최고기관 원수부다. / 국립민속박물관

고종이 답했다. "단지 숙위만을 위한 것이다. 어찌 다른 일을 하기 위한
것이었겠는가."

이유원이 대답했다. "매번 이런 식으로 답을 받으니 황공무지로소이다."

우의정 박규수가 또 고종에게 말했다. "임금께서는 반드시 크게 벌이
지 않겠다고 말씀했지만 요즘 보니 무위소가 큰 부대를 이루게 됐습니
다. 그런데 왜 이런 일을 임금 혼자서 알고 있으면서 신하들에게는 물어
보지를 않습니까. 왜 실무자를 직접 불러서 일을 처리하시는지요. 대소경
중을 막론하고 제반 명령의 출납은 승정원을 통해야 합니다."

고종이 무위소 문제를 처리하는 과정에서 대신들은 철저하게 소외됐
다. 왕은 여러 이유를 들어 반대하는 대신들을 우회해 직접 실무자들을
불러 신설 부대 문제를 처리해온 것이다. 그 과정에서 소외된 '국무총리

실'은 대규모로 편성된 친위부대에 대해 극도의 불만을 표시했다. 고종은 "일을 편리하게 진행하기 위함이지 다른 뜻은 없다"고 대답했다.

하지만 고종은 자기 말처럼 실무적인 지도자는 절대로 아니었다. 궁궐 파수꾼임을 내걸었던 무위소는 고종의, 고종을 위한 괴물로 변해갔다.

괴물로 변한 무위소

1877년 봄날 고종은 무위소에게 전군을 통솔하는 권한을 부여했다.

> 우부승지 박용대에게 전교하기를, "무위소는 숙위宿衛를 전담할 뿐만 아니라, 일반 군무[戎務융무]에 관계되는 모든 사항을 통속하지 않아서는 안 된다. 지금부터 세 개의 영營을 더 설치하고, 총사령관[提調제조]은 도통사가 당연직으로 맡되 임명은 구두로 한다. 기존 중앙부대인 용호영龍虎營과 총융청摠戎廳도 일체 겸하여 관할하라고 분부하라" 하였다.[11]

이로써 대원군이 창설했던 실질적인 군 최고사령부 삼군부는 이름만 남고, 고종은 명실상부한 조선 전군 원수가 되었다. 궁궐 파수꾼이며, 바깥 의심은 거짓이라고 공언했던 그의 말은 혀에서 사라졌다.

무위소가 신설되던 1874년 7월 14일 고종은 각 군영 지휘관의 직속부대인 표하군과 운송부대인 복마군 전 병력을 무위소로 이속시켰다. 그 해 9월까지 이미 훈련도감과 금위영, 어영청에서 추가로 차출된 병력 총합이 1,270명이었다. 기존에 있던 궁궐 숙위대 용호영 병력 600명을 합치면 이미 신설 후 몇 달 만에 2,000명에 달하는 대병력으로 확대된 것이다. 고종은 무위소 내부에 별도로 장예청이라는 궁궐 파수 전담부대를 창설

1904년 촬영된 고종 사진. 스코틀랜드 화가 콘스탄스 테일러의 《Koreans at Home》에 실린 사진이다.
이 책에는 테일러가 그린 인물과 풍경노 들어 있다. / 미국의회도서관

했다. 무위소 확대는 끝없이 이어졌다. 1879년 8월 29일 북한산성을 방위하던 경리청 병력을 상급부대인 총융청에서 빼내 무위소로 가져갔다.

그리하여 '궁궐 파수대'로 시작된 무위소는 1880년 현재 총 병력 4,399명, 장교와 부사관 각 356명, 32명에 수송부대, 취악대 등 부속부대를 제외한 전투 병력만 2,371명에 이르는 막강 군단으로 변모했다.[12] 그것도 국왕 직속으로.

그 무위소는 한성에 흐르는 각 개천 준설공사를 주관하고, 돈을 발행하고, 군수품 제작용 대나무와 쌀, 돈, 나무, 옷감 상납을 관리하는 비 군사적 행정에까지 개입해 그 관리들을 처벌하는 권한까지 행사했다.[13] 1876년 11월 경복궁에 또 불이 나자 화재에 사라진 어보와 도장을 무위소에서 주조했고, 창경궁 수리, 산성 성곽 보수, 소나무 벌채 감시도 무위소 소관 사항이었다. 지방부대 감찰 또한 무위소 소관이었다. 그리고 1880년 12월 20일 고종은 유명무실화된 삼군부 소속 부대 별초군 200명을 무위소로 이속시켰다.[14]

그러니까 토목공사부터 조폐공사까지, 무위소는 그야말로 무소부재無所不在요 무소불위無所不爲, 없는 곳이 없었고 하지 않는 것이 없었다. 영의정 이유원과 우의정 박규수가 의심했던 그대로, '맡지 않은 직임이 없고 거행하지 않는 일이 없는' 괴물을 고종은 단독으로 창조해낸 것이다. 게다가 이들은 "무기는 날카롭고 기예는 뛰어나지만 사적인 싸움에 능수이며 사법기관과 마을을 평지를 밟듯 쉽게 드나들고, 매음굴과 술집을 군부대로 여기며 저희들끼리 서로 공격해 죽이는 데까지 이르는" 오만방자한 집단이었다.[15]

고종을 위한, 고종의 군사

그럼에도 불구하고 나라는 부국富國하지 못했고 강병强兵하지 못했다. 뒷장에 설명하겠지만, 그때 나라 꼬라지는 거지였다.

똑바로 된 거지 나라 지도자라면 궁궐 따위는 뒤로 넘기고 부국富國을 최우선 국정지표로 삼았어야 마땅하다. 조선은 임진왜란 후 자그마치 300년 동안 경복궁을 폐허로 방치하고 살아온 나라가 아닌가.● 고종은 그런 정상적인 사고방식을 가진 지도자가 아니었다.

고종은 그 무위소에 필요한 경비는 아낌없이 지원했다. 1874년 신설된 무위소 병력에 필요한 군모와 군복, 주거지 지원은 호조의 1순위 업무였다. 1876년 6월 군기시(무기고) 병력에게 지급할 갑옷 8부 가운데 2벌은 무위소에 지급했다. 군기시는 선혜청으로부터 갑옷과 투구 구입비용을 빌려 이를 메꿨다.

부국을 2차 순위로 돌리더라도, 강병은 했어야 마땅했다. 하지만 고종이 만든 무위소는 A부터 Z까지 고종을 위한, 고종의 병력이었다. 그 병력을 메꾸기 위해 중앙과 지방군은 군복을 살 돈이 없어서 헤매는 신세로 전락해버렸다. 강병이 될 리가 만무했다.

대원군이 구축해놓은 지방과 중앙 군사는 급속도로 위축돼갔다. 1875년 11월 15일 경기감사 민태호는 "(군사 요충지인) 인천, 부평, 통진에 군수물자를 조달할 방법이 전무하다"고 보고했고, 영의정 이최응은 "총융청의 화약과 군기시의 총기를 절반으로 줄이겠다"고 보고했다.[16] 1년이 지난 1876년 10월 29일 훈련도감이 고종에게 이렇게 보고했다.

● 1592년 임진왜란 개전 초기, 당시 국왕 선조는 한성 함락 직전 신하들과 북쪽으로 도주했다. 그때 분노한 한성 주민들이 경복궁에 불을 질러 이후 대원군이 중건할 때까지 경복궁은 풀밭이었다.

군악대를 선두로 행진 중인 대한제국 군대. / 국사편찬위원회

"훈련도감 군사 수가 전보다 많이 줄어 각 영에 입직할 군사를 배정하기 어렵습니다. 남영(南營·창덕궁 돈화문 앞에 있는 부대)에 입직한 군사 40명 중에서 10명을 줄이려고 합니다. 감히 아룁니다."

한 달 뒤 훈련도감에서 또 보고가 올라왔다.

"본국의 군사 수효가 전보다 감소하여 지방 각 영에 입직할 인원을 배정하기가 어렵습니다."

지방이든 중앙이든, 군부대에 하루하루 부대 정원을 채울 수가 없어서 근무가 불가능하다는 보고였다. 비현실적일 정도로 곤혹스러운 보고에 전군 통수권자인 고종은 아래와 같이 대답했다.

"알았다."**17**

보고만큼이나 비현실적이고 곤혹스러운 대답이었다. 대책은 전무했다.

무너진 장성長城, 진무영

극심한 반대를 무릅쓰고 설치한 친위부대는 더 비현실적인 상황을 만들어냈다. 부대 신설 비용을 메꾸기 위해 대원군이 설치했던 강화도 수비대 진무영鎭撫營을 대폭 축소해버린 것이다.

1874년 7월 28일 고종은 측근인 조병식을 강화유수에 임명했다. 조선왕국, 나아가 대한제국 앞날을 캄캄하게 만든 인사 조치였다. 조병식은 문신이다.

대원군 시절인 1866년 10월 16일, 대원군은 무신인 강화도 진무영 사령관 진무사를 강화유수를 겸하도록 조치했다. 그러니까 강화도라는 '조선의 인후咽喉'를 방어하기 위해 진무영 군사는 물론 강화도 행정까지 군인이 통제하도록 한 것이다. 그 덕에 진무사는 강화유수인 동시에 삼도수군통어사라는 해군총사령관 직까지 겸하는 막강한 무장이 되었다.

군인이 문신직을 겸하는 이 제도를 외등단外登壇이라고 한다.**18** 그런데 고종은 1875년 진무영 외등단 원칙을 없애버리고 당시 진무사였던 무신 신헌으로부터 강화유수 권한을 박탈하고 측근 문신을 강화유수로 바꿔버린 것이나. 나아가 삼도수군통어사 지위는 진무영 하부 군영인 교동진 병마첨절제사로 격하시켰다.

그리고 이듬해 진무영 예산으로 사용하던 강화도 인삼세 가운데 4만 냥을 무위소로 이관시켜버렸다. 인삼세는 1881년 11월까지 전액 무위소

1907년 8월 1일 대한제국 군대 해산 장면. 1907년 7월 19일 헤이그 밀사 사건으로 고종이 강제 퇴위되고,
8월 1일 통감부는 "일본군이 있으므로 군대는 필요없다"며 제국군대를 해산시켰다. / 국사편찬위원회

로 이관됐다. 1871년 대원군은 또 호조에서 거두는 철물 가운데 왕실 금
고인 내수사로 보내던 철물을 진무영으로 보내도록 했는데, 이 또한 고
종은 내수사 소유로 환원시켜버렸다. 하여, 1881년 11월 현재 진무영 각
군영 경비와 병사들 봉급은 10개월 넘게 밀려 있었다.[19] 결국 1882년에
는 군량미 부족으로 인해 진무영 병력이 절반으로 감축됐다.

심지어 기존 국왕 호위부대인 어영청 또한 쪼그라들었다. 대원군 시대
인 1872년 어영청이 보유한 조총은 3,868자루였는데, 무위소 설립 후인
1875년에는 3,750자루로 감소해 있었다. 화약은 4만 6,624근에서 3만
1,980근, 탄환은 116만 6,798개에서 24만 5,430개로 급감해 있었다.[20]

1877년 4월 4일 청나라로 떠났던 사신들이 돌아왔다. 이들을 만난 자
리에서 고종이 사신들에게 이렇게 물었다.

고종: "한인들은 아직도 명나라를 생각하고 있다고 하던가?"

매국노 고종

사신 심승택: "지금도 울분을 품고 있습니다."

그러고 사신이 "현지에서 신문을 보니 '러시아에서 고려高麗 북쪽 국경
에 포대를 설치하였으니 필시 미국과 전쟁을 벌일 텐데, 깊이 쳐들어올
염려가 있다'고 적혀 있었다"라고 보고했다.

그러자 고종이 이렇게 대답했다.

"우리나라가 가난하고 힘이 없으니 어찌하면 좋겠는가."[21]

왜 가난했는지, 왜 힘이 없는지 그가 몰랐다면 천치였고 알았다면 정
신에 문제가 있었음이 틀림없다. 망하고 흔적도 없이 사라진 지 200년이
넘은 사대 본국 명나라 안부가 먼저였으니, 이 또한 정신에 문제가 많은
풍경이었다.

이미 그때는 일본이 메이지 유신을 거쳐 조선에 정식 조약 체결을 요
구하던 상황이었다. 박규수는 "제후국인 조선은 사대 본국인 청나라와만
외교를 맺어야 한다"는 조정 대신들 논쟁을 말없이 지켜보았다. 그리고
박규수가 재야로 물러난 대원군에게 편지를 썼다.

'일본이 포를 한 번 쏘고 나면 문서를 받고자 해도 받을 방법이 없을 터입
니다.'[22]

1875년 8월 일본 군함의 포격

그런 상황에서 넉 달 뒤인 8월 21일 일본 군함 운요호가 강화도를 포
격한 것이다. 일찌감치 근대화 작업을 진행하고 있던 일본이, 그 근대화

일본 군함 운요호가 공격한 강화도 초지진.
지금도 그 피격 흔적이 남아 있다.

의 성과물인 군함을 몰고 조선에 나타나, 자기네가 1853년 미국 페리 함
대에 당했던 그대로 포를 쏘며, 조선에 개국을 강요한 것이다.

　세계 제일 프랑스 함대와 혈전을 벌이고(1866년 병인양요) 신흥 무적함
대인 미군 해병대와 사생결단을 벌였던(1871년 신미양요) 강화도 조선 수
군은 단 한 척짜리 군함에 궤멸되고 말았다. 강화도 입구 초지진을 포격
당한 영종첨사 이민덕은 즉시 도주하고 35명이 전사했다. 조선 정부는
교전 및 교전 종료 사실을 사흘 뒤에 보고받았고 그 사실을 차마 중국에
보고하지도 못했다.[23]

　이듬해 1월 조약 체결을 요구하는 일본 측 보고를 받는 어전회의에서,
고종 면전에서, 판중추부사 박규수가 이렇게 말했다.

매국노 고종

"만약 안으로 나라를 굳건히 다스리고 밖으로 힘을 키울 정책을 다했다면 부국강병을 이루었을 터이다. 어찌 감히 서울을 넘보며 방자하게 굴게 되기에 이르렀는가? 분하고 억울함을 이길 수가 없다."[24]

가뜩이나 문약한 나라, 조선이었다. 그래도 대원군이 만들어놓은 장성이 버티고 있었기에 프랑스군과 미군은 목적 달성을 하지 못하고 돌아갔다. 그 나라가 군함 한 척에 목구멍을 뚫리고 말았다. 목구멍을 지키던 군사는 조락하여, 모두 군기가 빠진 채 도망가고 만 것이다. "국가에 무슨 해를 끼쳐서 그 장성長城을 파괴하는가?"라던 대원군의 탄식은 그 예언이었다.

불행하게도 친정 직후 병권 장악을 통해 권력을 유지하려던 고종의 야심은 망국 직전까지 일관되게 발산됐다. 대원군의 그림자를 다 지워버리려는 첫 발자국은 군사 개편이었고, 그 작업은 끝까지 유지됐다. 매천 황현은 이렇게 기록했다.

이때 대원군이 설치한 것은 좋고 나쁜 것을 막론하고 모두 개혁하였다.[25]

아무리 위선적인 독백이어도, 스스로 '나라가 가난하니 어찌하겠나'라고 반성했다면 가난 탈출을 위한 정책을 먼저 시행하고 다음에 자기 안위를 구했어야 했다. 하지만 그 권력자는 권력 유지와 확대를 위해 가난 자체를 수단으로 이용했다. 말하자면, 고종은 욕심에 굶주린 기생생물 같았다. 기생충은 숙주를 절대 죽이지 않는다. 숙주가 생명이 끊기는 순간 기생충 또한 생명이 끊긴다. 그래서 기생충은 숙주가 생명을 유지하는 데 필수불가결한 장기는 건드리지 않는다. 그런데 고종은 '숙주를 절대 죽이지 않는다'는 기생충의 기본 생존 원칙을 무시했다. 권력 유지라는 이기적인 탐욕이 모든 생존 원칙을 앞섰다.

모든 시작은 모든 끝의 원인이다. 고종의 끝도 고종의 시작에서 시작되었다.

착취를 견딜 수 없을 정도로 백성을 괴롭혔던 고종의 경제 정책, 그 시작은 대원군이 도입했다가 실패로 돌아간 청전淸錢 폐지였다.

4장

돈놀이

청나라 돈 청전淸錢 폐지

"일체를 돈으로 바꿔야 한다."**26**

一體作錢 可也

공포영화 같았던 화폐개혁

완벽한 정책은 없다. 완벽한 개인도 없다. 완벽한 권력도 없다. 정책 오류를 즉각 시인하고 대안을 준비하면, 그 권력은 장구長久하다. 진화하는 것이다. 권력의 진화와 함께 권력을 떠받치는 공동체 또한 진화한다. 완벽하지 않은 정책, 하물며 엉터리 정책을 끝까지 폐기하지 않고 밀어붙이면 공동체는 붕괴되고, 그 권력에 반기를 든다.

고종이 친정 선언과 함께 시도한 병권 장악 조치는 비가역적이었다. 1907년 권력을 대신들에게 빼앗기고 황제 자리에서 물러날 때까지 고종은 자기 안위와 과시욕을 채우기 위해 병권을 쥐고 있었다. 초기에 시작된 친위부대에 대한 병리학적인 집착은 나라가 고물이 될 때까지 계속됐다.

권력 장악에 필요한 두 번째 자원, 금력金力도 마찬가지였다. 아버지 대

매국노 고종

원군의 그늘에서 벗어나기 위한 두 번째 조치는 청나라 돈, 청전淸錢 폐지였다.

　아집에 빠진 무능한 권력이 마치 공포영화처럼 공동체를 붕괴시키는 과정을 본다. 청전을 둘러싸고 고종이 벌인 행각은 무식과 무능과 아집과 이기심의 절정이다.

　경제 정책을 시행하려면 그 긍정적 효과와 부정적 영향을 사전에 파악하고 있어야 한다. 그런데 고종은 아무것도 파악하지 않았다. 무능하고 무식했다. 청나라 돈 사용 금지가 무슨 뜻인지 몰랐다는 말이다. 하루아침에 단행한 화폐개혁으로 공동체가 완전히 붕괴됐음에도 고종은 금력에 대한 집착을 멈추지 않았다. 나라가 망할 때까지. 공동체가 붕괴되건 말건 상관하지 않은 탐학한 권력자라는 뜻이다. 나라가 망가지든 말든, 그는 부자였으니까. 가슴 속을 하얗게 비우고서 심호흡을 한번 하고 기분 좋은 일을 상상하며 이제 함께 읽어보도록 하자.

권력을 위한 두 번째 공인된 폭력, 금권金權

의정부 계 왈, "당백전이 이미 철폐돼 옛 돈과 새 돈이 두루 섞여서 유포되고 있습니다. 들건대 시중 상점에 청전[小錢소전]이 쌓여 있는데, 그 출처가 매우 다양하다고 합니다. 어떤 연고로 유출됐는지 알 수 없으나 청전은 법으로 그 유통이 금지돼 있어 헛되이 쇠붙이 불리는 재료로나 쓰이고 있으니 이는 아무 가치가 없는 일입니다. 이 청전을 전격 통용시키면 공사 거래가 넉넉하게 될 방법이니 이 뜻을 한성과 지방에 널리 알려 편히 사용하게 하소서" 하니, 윤허하였다.[27]

경복궁 중건을 필생 사업으로 추진하던 대원군은 증가하는 비용을 감당하지 못하고 당백전을 발행했다. 당백전이 순식간에 국가 경제를 거덜내버리자 대원군은 6개월 만에 당백전 주조를 중지하고 청전淸錢을 공식화폐로 포함시켰다. 1867년 6월 30일 일이다. 청전은 청나라 동전을 뜻한다. 위 인용된《일성록日省錄》원문의 '소전小錢'이 바로 그 청전이다.

대개 청전은 대원군이 최초로 도입해 유통시킨 돈으로 알려져 있다. 하지만 역대 조선 정부는 이 청전을 도입해 생활화폐로 사용하려는 시도를 거듭해왔다. 상평통보를 직접 만드는 것보다 청나라 동전 수입 비용이 덜 들었다. 효종 때는 대동법을 시행했던 김육이 1,500냥을 개인적으로 수입해 통용 시험을 한 적도 있었다.[28] 이후에도 공식 유통은 금지됐지만 청전은 암암리에 밀수입돼 시중에 유통돼 왔다. 무엇보다 청전은 그 실질가치에 비해 명목가치가 높아서 수입업자들 사이에 인기를 끌었다. 액면가 10원짜리를 5원에 사서 10원짜리 물건과 바꾸는 식이니, 이익은 당연했다.

돈이 궁한 대원군이 그 청전 유통을 양성화한 것이다. 당백전처럼 실질가치가 백분의 일도 되지 않는 돈 주조가 실패한 뒤에도 경복궁 공사는 물론 군사력 강화를 위해 또 다른 악화惡貨 유통을 선택한 것이다. 당백전이나 청전이나 부작용은 마찬가지였다.

경복궁을 중수할 때 돈이 부족하여 1866년 봄에 다시 당백전을 발행하였다. 그러나 물가가 앙등하고 위조범도 많이 발생하여 이듬해 폐지하였다. 그리고 정묘년(1867)에 청나라 소전小錢을 사용하였는데 물가가 다시 뛰어올랐다.[29]

물가가 오르면 소시민 삶은 고단해진다. 재화는 한정돼 있는데 가격은 올라가니 서민은 괴롭다. 그런 때면 권력자가 내놓는 캐치프레이즈는 비슷하다. '국민의 윤택한 삶을 위하여'.

1873년 11월 권력을 장악한 고종은 이듬해 1월 6일 그 청전 폐지를 전격 단행했다.

"청나라 돈을 당초에 통용한 것은 그렇게 하지 않을 수 없는 일이었다. 하지만 날이 갈수록 물건은 귀해지고 돈은 천해져 지탱할 수가 없다. 백성들 상황을 생각하면 비단 옷과 쌀밥도 편안하지 않다. 이제부터 청나라 돈 통용을 전부 혁파하고 모든 세금은 상평통보로 거두라.[30]

육조판서는 물론 의정부 정승들과 단 한 마디 상의도 없었다. 민간에 일상적으로 통용되는 화폐를 단칼에 없애버리는 어마어마한 경제 정책을, 금융 담당 부서와 일체 논의 없이, 당장 오늘부터 실시하라고 명령한 것이다. 이유는 '백성을 위해서'였다.

대원군 지우기: '백성을 위하여'

이미 친정 선언 전에 한성 사대문 통행세를 폐지시킨 왕이었다. 그때 명분도 "백성들에게 폐단을 끼치는 바가 적지 않아서"였다.[31] 친정 선언 전날 강 연안 주민들에게 거두던 연강세沿江稅 또한 "백성들에게 큰 폐단이 된다"며 폐지를 명했다.[32] 연강세를 폐지하고 한 달 뒤 영의정 이유원이 물었다.

"옛 세금과 새 세금을 같이 폐지합니까? 예부터 시행하던 세금 또한 지나치게 거두는 폐단이 없지 않다고 합니다."

'옛 세금'은 고종 등극 전부터 거두던 세금을 말하고 '새 세금'은 고종 등극 이후 세금을 말한다. 영의정이 옛 세금제도에도 문제가 많다고 지적했음에도 불구하고, 고종은 "옛 세금과 새 세금은 당연히 구별해야 한다"며 신설한 세금만 없애라고 명했다. 그러자 이유원이 한 마디 더 이의를 제기했다.

"강화江華에서 거둬들인 세금으로 군자금에 보충하여 쓰는 양이 많습니다."

그러자 고종이 답했다.

"강화도에 이 세금이 없어진다 해도 군자금은 여유가 있을 것 같다."[33]

고종은 "나라에만 이롭고 백성에게 해가 된다면[利於國而害於民리어국이해어민]" 없애야 한다고 덧붙였다.[34] 강화도 연강세 또한 폐지됐다. 이게 무슨 뜻인가.

대원군이 새로 만든 세금은 민폐의 원인이니 모두 없애겠다는 뜻이다. '백성에게 해가 된다'고 고종이 지적한 세금은 이를 뜻했다.

사대문 통행세, 연강세 특히 강화도 연강세는 대원군이 신설한 세금이었다. 고종이 세금을 혁파하고 나아가 청전 폐지 정책을 들고 나온 근본적인 이유는 바로 이것이었다.

세금이 됐든 군사가 됐든 화폐가 됐든 대원군이 만든 모든 제도를 민폐의 근원으로 규정하고 제거함으로써 스스로를 성군聖君으로 돋보이게 하려는 정치 공작. 그게 고종의 최종 목적이며 목표였다. 그에 따르는 백성과 공동체 삶의 변화는 고종이 알 바가 아니었다. 그런데 고종은 영리하지도 못했고 정교하지도 못했다.

1874년 1월 6일 청전 폐지령 내린 날

청전 폐지령을 내린 직후 의정부가 이렇게 보고했다.

"백성을 위한 성상의 뜻이니 누군들 우러러 받들지 않겠습니까. 그런데 필요한 경비가 모자라게 되는 것도 생각하지 않을 수 없습니다. 호조와 선혜청, 각 군영에 알려서 한성과 지방 관용물품 수요와 관리들 봉급을 일단 조사부터 하도록 하겠습니다."[35]

그때 조선은 민간 거래는 물론 정부 예산 출납과 세금 징수까지 청나라 돈으로 이뤄지고 있었다. 조선 왕국 군주가, 이 같은 국가 경제 상황에 대해 전혀 파악하지 못한 상황에서 돈을 없애버린 것이다. 대원군 흔적 제거가 최종 목적이었으니, 이는 예견된 일이었다.

일주일 뒤 1월 13일, 드러나는 고종의 무능

고종이 대신들과 정기회의인 차대를 열었다. 우의정 박규수가 작심하고 고종에 말했다.[36]

"(이제까지) 청전을 갑자기 폐지하지 못한 것은 국가 재정[公貨공화]이 모두 청전으로 쌓여 있어서 한번 혁파한 후에는 보충할 계책이 없기 때문이었습니다. 그런데 이번에 내탕고에 쌓인 돈을 어떻게 해야 할지 계산하지 않고 시원하게 하루아침에 혁파하셨습니다. 참으로 지난 역사에 드문 성대한 일이니 부녀자와 노인 어린이 할 것 없이 모두 우레 같은 함성을 질렀습니다. 그러나 재정은 밑천이 없고 민간 물품은 유통되지 못하게 되었으니 근심이 절급합니다."

"민폐의 근원을 청산한다"며 화폐개혁을 단행했던 고종이, 긴장하기 시작했다. 생각해보지도 않은 이야기였다. 박규수가 말을 이었다.

"지금 관아에 있는 청전은 300만 냥을 웃돕니다."

국고에 수납된 청전이 300만 냥이라는 뜻이다. 며칠 전 고종 말 한 마디에 사라지고 만 나랏돈이 300만 냥이라는 뜻이었다. 9년 뒤인 '1883년도 양력 10월 마지막 주' 물가 기준으로 따진다면, 300만 냥은 쌀 4,500만 섬을 살 수 있는 돈이다.•

고종이 물었다.

"호조와 선혜청 및 각사, 각영에 우리 돈은 얼마나 되는가?"

• 1895년 갑오경장 이전 조선 정부에는 근대적 의미의 예산 편성이 없었다. 물가 통계도 기록이 없다. 그런데 1883년 음력 10월 1일(양력 10월 31일) 창간된 『한성순보』는 매주 「시직탐보(市直探報)」라는 제목으로 미전(米廛)과 어물전(魚物廛)과 면자전(綿子廛) 판매품을 조사해 물가 동향을 게재했다. 대상 품목은 상·중·하급 쌀과 콩, 북어와 미역, 면화 등이다. 창간 첫날 게재된 「시직탐보」에 따르면 상급 쌀은 한 되에 5전 5푼이었다. 열 되가 한 말이고 15말을 한 섬으로 계산하던 당시 계산법에 따르면 1883년 양력 10월 31일 현재 상급미 한 섬은 82냥 5전이다. 그런데 4년 뒤인 1887년 양력 8월 8일 현재 상급미 한 되 가격은 1냥 2전으로 두 배 가까이 올랐을 정도로 당시 인플레이션이 극심했으니, 이를 감안해서 추정해야 한다.

매국노 고종

호조판서 김세균이 답했다.

"왕릉 관리비와 어보(왕실 도장) 제작, 그리고 궁녀들이 궐을 출입할 때 착용하는 문안패問安牌 제작 인건비 1만 1,500냥을 빼고 쓸 수 있는 돈이 800냥입니다."

호조는 국고 담당 부서다. 그 부서가 보유한 재산이 800냥. 최소 300만 냥을 보유하고 있던 조선 왕국이 고종 혀 놀림 한 번으로 일주일 만에 800냥짜리 거지로 전락해버린 것이다.

정상적인 뇌 회로를 가진 지도자라면 이쯤에서 화폐개혁은 철회하거나 최소한 유예기간을 두고 연기했어야 마땅하다. 고종은 그런 리더가 아니었다. 지금부터 벌어지는 일은 더 이해할 수 없는 일들이다.

졸지에 가난해진 군주가 물었다.

고종 : "어찌해야 하는가."
영의정: "호조의 일용 잡비도 조치할 계책이 없나이다."

그러자 고종은 민간에서 유통되는 상평통보 양을 물었다. 이유원은 "적어도 1,000만 냥은 웃도나 근래 많이 줄었을 것"이라고 답했다. 고종이 희색을 띠며 의기양양하게 영의정에게 말했다.

"연전에 평안도에서 경복궁 지으려고 신설했던 결두전37으로 환곡을 갚은 사람들이 있었다. 지금 재정이 어려우니 이 지방 관리들에게 명을 내려서, 환곡에 대한 이자만 아니라 원금까지 다 거둬서[拔本발본] 올리도록 하라."

환곡은 봄에 종자 씨앗을 빌려주고 가을에 그 종자와 이자를 곡식으로 거두는 제도다. 고종은 적자 재정을 메꾸기 위해 이자는 물론 종자까지 상평통보로 싹 징세하라고 명했다. 호조판서 김세균이 즉각 이의를 제기했다.

"원금까지 징수해버리면 당장은 다행이지만 앞으로 경비가 염려됩니다."

그러자 고종이 또 계책을 내놨다.

"지난번 평안도 곡총穀摠●을 보니, 미처 기록해 넣지 않은 환곡이 있었다."

지방에서 보고한 곡식 장부에서 국고로 이관되지 않은 수량이 있으니, 이를 돈으로 바꾸면 된다는 말이었다. 우의정 박규수가 즉각 반대했다.

"평안도의 환곡 폐단은 해가 갈수록 심해졌습니다. 곡총은 한성에 있는 관청에서 옛날 방식으로 기록하는 것으로, 허깨비 문서에 불과합니다. 주상께서 열람한 그 곡총에는 실제로는 곡식이 단 한 포대도 없습니다."

고종이 답했다.

"나는 곡식이 있는 줄 알았다."

고종은 "아직 청전을 쓰지 않는 함경도와 가까운 평안도, 그리고 한성

● 조선시대 중앙의 각 관청과 황해도의 각 기관에 대한 곡물의 배정 또는 용도에 관하여 기록한 병풍식 서첩.(『한국민족문화대백과』)

매국노 고종

주변 고을로부터 즉각 상평통보를 징세하라"고 명했다.

나흘 뒤 1월 17일, 고종의 끝없는 고집
다시 정기회의가 열렸다. 의제는 재정 문제였다. 고종이 말했다.

"사창社倉에 보관 중인 환곡은 돈으로 바꿀 수 있겠는가?"

사창은 대원군이 각 지방에 설치한 곡식 대여기관이다. 굶주린 백성과 농사지을 종자가 없는 백성에게 저리로 곡식을 빌려주는 구호기관이다. 그 사창에 비축된 곡식을 돈으로 바꿔서 국고를 채우자고, 그 나라 국왕이 대신들에게 말했다. 또 영의정 이유원이 이의를 제기했다.

"사창이 설치된 지 얼마 되지 않는 데다가, 병인년 별비곡[丙寅別備還병인별비환]이 섞여 있어 어렵습니다."

고종이 단호하게 말했다.

"손 댈 수 있는 것은 손을 대야 한다."[38]

병인년 별비곡은 고종 3년인 1866년 5월 10일 지방 관리들 농간으로 환곡이 감소하자, 대원군이 이 폐단을 막기 위해 30만 냥을 각도에 내려보내 마련한 환곡 종자돈이다. 그때 대원군은 "억만년토록 영원히 이 뜻을 바꾸지 말라"고 다짐을 받았다. 그 명을 직접 의정부 정승들에게 내린 사람은 고종 자신이었다.[39]

이유원이 "손 댈 수 있는 것을 가려서 올리겠다"고 답하자 고종은 "참으로 좋은 방법"이라고 화답했다.

이어 고종이 명을 내렸다.

"일체를 돈으로 바꿔야 한다. (사창 제도의) 본의가 백성과 나라를 위한 것이었는데, 도리어 고질적인 폐단이 되었다."

이번에도 명분은 '백성과 나라'였다. 그러자 이유원이 말했다.

"환곡은 수재나 가뭄 같은 뜻밖의 일에 대비하기 위한 것인데, 곡식을 모조리 돈으로 바꿔버리면 원대한 계책은 아닌 듯합니다."

고종이 말했다.

"지난번 회의 때 우의정 박규수가 말하지 않았는가. 평안도는 군량미 10만 석을 빼고는 곡식 장부가 다 허위라고. 이따위 곡식을 놔둬서 뭘 하겠는가."

이유원은 단호했다.

"비록 종이쪽지밖에 없는 빈 문서일지라도 곡총의 명색名色은 없앨 수가 없습니다."

고종은 집요했다. 뒤져서라도 곡식을 찾아내 돈으로 바꾸겠다는 것이다.

매국노 고종

"만약 진짜로 곡식이 저장되어 있다면 어찌 좋지 않겠는가."

고종은 애처로울 만큼 집요했다.

"참으로 백성들에게 이롭다면 나라 재산에 손해가 나더라도 무슨 해로움이 있겠는가."

다시 사흘 뒤 1월 20일, 포기하지 않은 왕

청전 철폐를 선언하고 2주일이 흘러갔다. 1월 20일 회의석상에서 고종이 말했다.

"오늘까지 입고된 상평전이 100만 냥이다. 쓸 수 없게 된 청전 200만 냥을 보충할 방도가 없어 민망스럽다. 나라에 쓸 경비가 없고 민간에서 거둘 수도 없으니, 환곡을 돈으로 바꾸는 수밖에는 도리가 없다."[40]

일주일 전까지 800냥밖에 없던 조선 돈을 100만 냥으로 불려놓았으니, 그 징세 과정에서 벌어졌을 온갖 소동과 강압은 상상을 초월했을 것이다. 그럼에도 불구하고 국고에 있는 300만 냥 가운데 200만 냥은 고종 스스로 폐기해버린 쓸모없는 돈이었다. 또 그럼에도 불구하고 고종은 농업국가 조선에서 종자로 삼을 환곡을 돈으로 바꿔 재정 적자를 메꾸겠다고 계획하고 있었다.

고종: "호조가 쓸 곳이 매우 넓어서, 경복궁 공사는 고사하고라도 시어소時御所[41]도 수리할 곳이 많은데 참으로 도리가 없다."

영의정 이유원: "나라에 3년 먹을 저축이 있어도 방도가 없을 것인데, 눈앞의 소용도 계책이 없으니, 어찌 답답하지 않겠나이까?"

고종은 포기하지 않았다.

"호조에 상평전이 있어야 매사에 힘을 펼 수 있게 되느니라."

후폭풍, 가난의 나락

고종은 '백성을 위한 조치'이니 팔도에 있는 환곡을 모두 돈으로 바꿔 정부 예산으로 사용하고자 했다. 백성 구휼 정책인 환곡을 폐기 수준으로 축소시키고 곡식을 상평통보로 환수해 국고로 회수하려 한 것이다. 백성을 위한? 청전 철폐로 벌어진 충격적인 재정 적자를 메꾸려는 조치에 불과했다.[42]

무용지물이 된 청전 200만 냥은 이후 돈이 다급해진 지방 관청의 구조 요청 신호로 속속 지방 관청으로 재배정됐다. 1월 19일에는 광주에 8만 냥이, 5월 7일에는 평안도로 20만 냥이 배정됐다. 이듬해 7월 29일에는 수원으로 국고 3만 냥과 수원 예산에 남아 있던 2만 냥이 배정됐다. 1874년 200만 냥이던 정부 청전은 7년 뒤인 1881년 '44냥'으로 감소하고 이후에는 기록에 남아 있지 않다.[43] 그 7년 동안 민간에는 청전 사용을 금지하고 정부는 필요할 때마다 급전으로 200만 냥을 꺼내 사용한 것이다.

물가는 물가대로 폭등을 거듭했다. 백성은 상평통보를 어떻게든 구해 세금을 메꿨다. 지방 관리들은 그 상평통보를 자기 주머니나 지방 관아 곳간에 쌓아두고 청전으로 세금을 중앙정부에 바쳤다. 중앙정부가 청전 수납을 거부하면 지방 관청은 관할 백성에게 또 세금을 징수했다. "왜 상

당오전. 대원군이 유통시킨 청전을 폐지한 뒤
급전직하한 재정난 타개를 위해 고종은 결국
실질가치가 명목가치의 5분의 1도 되지 않는
당오전을 찍어내 민생 파탄을 야기했다.
/ 국립중앙박물관

평통보로 징세를 하고 나라에는 청전으로 납부를 하는가?"하고 고종이
의아해 할 정도로 조세제도는 혼란스러웠다.[44]

도성 문세를 비롯해 각종 세금을 일거에 탕감하거나 제도 자체를 없애
면서 재정은 더욱 힘들어졌다. 대원군이 그 세금을 신설한 이유는 강병強
兵이었다. 특히 강화도 병력과 무기 증강을 통해 안보를 강화하기 위함이
었다. 순식간에 조선은 사용처는 있는데 사용할 돈은 없는 막장 조세 행
정국가로 전락했다. 그 재정을 메꾸기 위해 지방에서는 각종 잡세를 신
설해 거둬들였다. 이를 지켜보던 영의정 이유원이 말했다.

"재물이 모이는 곳은 원망이 일어나는 곳이니 왕께서는 절대 재물을 만들
어낼 생각을 하지 마십시오. 어쩔 수 없는 경비로 인해서 원망을 사면서까
지 재물을 마련해야 할 일이 있더라도, 신하가 한다면 모르겠지만 지존至尊
지위에서는 절대로 하면 안 됩니다. 죽음을 무릅쓰고 우러러 아뢰는 말씀
입니다."[45]

예순한 살 먹은 원로대신이 던진 말은 조언인 동시에 예언이었다. 그
때 스물세 살이던 젊은 고종은 이후 쉰다섯 살에 대한제국 황제자리에서

쫓겨날 때까지 재물을 탐하며 살았으니까. 그 화려한 탐욕 전말은 뒤에 자세하고 불쾌하게 적기로 한다.

그리고 이유원은 고종이 수시로 행하는 선심 행정에 대해 고언을 던졌다.

"탕감하는 정사는 자주 시행하면 안 됩니다. 주자朱子가 말하기를, '탕감의 혜택은 아래로 돌아가지 않는다' 하였으니, 실로 사리에 맞는 격언입니다."[46]

참으로 맞는 말이었다. 백성을 위한 탕감 정치(세금 철폐 조치)와 화폐개혁으로, 백성의 삶은 고단해져갔다. 정부는 정부대로 가난 속으로 걸어 들어갔고, 백성은 두 번씩 세금을 내며 가난해졌다. 시장은 돈 부족으로 거래가 끊겼고 물가는 급등했다. 재정 적자는 각종 세금을 신설해 메꿨다. 이 악순환을 시작하고 완성한 사람이 고종이었고, '백성의 복지를 위하여' 아무 논의 없이 결정한 청전 폐지의 결과였다. 백성을 위하겠다는 위민爲民 정치의 실체는 자기가 '매사에 힘을 펼 수 있게' 쓸 돈을 확보하려는 불건전한 재정 정책이었다.

무능과 무지와 이기심

영의정 이유원이 선심 행정과 조세 정책에 고언을 던지던 그날, 비가 내렸다. 1875년 3월 25일이다. 아들이 권력을 아버지로부터 전격 회수한 지 만 1년 반 정도가 지난 때였다.

이날 회의는 전날 고종이 대신들을 불러 창경궁 후원에서 즐긴 꽃놀이로 시작했다. 이어 영의정 이유원이 "내차비(內差備·궁궐 노비)들 숙소에 비가 새니 수리가 필요하다고 건의했다. '수리'라는 말이 나오자 고종이 기다렸다는 듯이 말했다.

"경복궁 세 전각을 수리하는 일을 그대로 내버려둘 수 없기에 날을 택하여
공사를 시작하게 하였다."[47]

경복궁 중건은 흥선대원군이 시작한 일이었다. 그 공비를 감당하지 못
해 당백전을 찍어냈고, 당백전이 문제가 되자 이를 폐지하고 도입한 화
폐가 청전이었다. 그 청전이 또 문제가 되자 '백성을 위하여' 청전을 폐지
한 사람이 고종이다.
　나라가 파산 일보 직전에 있는데 그 고종이 한 동안 중단했던 경복궁
중건 공사를 재개하겠다는 것이다. 기가 막힌 영의정이 말했다.

"현 재정 상태가 매우 궁핍하여 경비를 어떻게 마련해야 할지 모르겠습
니다."

고종의 대답은, 과연 고종다운 걸작이었다.

"경비를 의정부에서 알아서 조치하지 않는다면 어떻게 일을 해나가겠
는가."

공사는 자기가 명령하겠으니, 그 비용은 삼정승이 알아서 조달하라는
뜻이다. 책임을 신하에게 미루는 이 지도자의 답을 들은 순간, 늙은 영의
정이 "절대 재물을 만들어낼 생각을 하지 말라"고 충고한 것이다. 그러자
고종이 답했다.

"근년에 궁궐 공사로 재물을 마련하기 위해 원망을 산 적이 많았다."

'근년'은 대원군 시대를 뜻하고, 원망은 당백전과 청전 폐해를 뜻했다. 자기는 경복궁 공사에 간여하지 않았고, 모든 잘못은 아버지 대원군 책임이라는 비겁한 대답이었다. 우문과 현답이 이어졌다.

영의정: "지금 호조에 남아 있는 돈이 몇 만 냥도 되지 않는다. 이웃나라가 알게 해서는 안 될 일이다."
고종: "호조는 본래 재정을 담당하는 곳인데 어찌하여 이렇게까지 텅 비게 되었단 말인가?"
영의정: "낭비한 곳이 없는데도 저절로 이렇게 되고 말았다. 신이 우려하고 탄식하는 바다."

이웃 청과 일본이 알면 위험해질 수도 있을 정도로 국가 재정은 열악했다. 그러자 고종은 "도대체 누가 이런 낭비를!"하고 묻는다. 그런데 이 고종이 또 이렇게 묻는다.

"일찍이 들은 바에 의하면 뜻밖으로 쓸 일이 생기면 10만 냥에 달하는 재물이라도 호조와 선혜청이 어렵지 않게 마련했다. 그런데 근래에는 어찌하여 지난날과 같지 않은가?"

뇌가 없는 사람 같았다. 재정 악화를 불러온 정책이 세금 탕감 및 철폐 그리고 화폐개혁이었다. 고종 스스로가 그 정책을 입안하고 시행시키지 않았던가. 치적에 대해서는 자기 것이요, 악행에 대해서는 남 일처럼 말하는 '유체이탈 화법' 또한 그의 전형적인 사유체계였다. 이유원이 명쾌

"THE PROUD OWNER OF WHAT LOOKED LIKE A WHOLE CITY BLOCK OF REAL MONEY—MONEY ENOUGH TO SINK A SHIP, MONEY PILED IN HEAPS AND HEAPS"

A "CASH" TRANSACTION IN KOREA

러일전쟁 종군기자인 로버트 던이 서울에서 150달러를 바꾸고 받은 엽전꾸러미.
1904년 6월 4일 미국 주간지 〈콜리어스〉에 실린 사진이다. / Harthi Trust

하게 답했다.

"지난날에는 곡식 장부가 넉넉하였기 때문에 여유가 있었지만 지금은 그
렇지 않습니다."

나흘 뒤 대신들은 "굳이 강행하더라도 경복궁 전각 공사는 옛 모습을
'복원'하는 수준으로 하라"고 건의했고, 고종은 "조금은 위치도 바꾸고
모양도 바꿔야 한다"며 지루할 정도로 자기 고집을 꺾지 않았다.[48]

정부 재정을 위기로 몰아넣은 장본인이 고종이었다. 그런데 그는 원인
을 정확하게 파악하지 못했을 뿐 아니라 아무런 대책 없이 '왕실 위엄을

위해' 경복궁 공사를 계획하고 그 책임을 의정부에 전가했다. 이 대화는 국정 운영을 총괄해야 할 고종의 무책임한 자세, 그리고 그가 정책 수립과 정치 활동 과정에 무엇을 최우선시하고 있는지 분명하게 보여준다.[49]

사악함, 그 결과

1874년 청전 폐지 직후 고종은 친위부대로 신설한 무위소에는 우선적으로 예산을 배정했다. 그해 5월 고종은 무위소에 두 차례에 걸쳐 청전 10만 냥을 지급했다. 6월에는 또 군복 구입 예산으로 10만 냥을 지급했다. 8월에는 상평통보 4만 냥을 지급했다. 11월에는 곳간이 텅 빈 호조로부터 5만 8,400냥을 무위소로 넘겼다. 이듬해에는 연강세가 폐지된 강화도 진무영의 유일한 돈줄인 인삼세 가운데 4만 냥을 무위소로 배정해버렸다.[50]

그리고 아버지 대원군의 패착이라던 그 경복궁 공사를 재개한 것이다. 정책 결정과 시행 목적이 무엇인지는 이제 명백하다.

고종은 경제와 재정에 대해서 지식이 없었다. 그런데 그가 벌인 언행에는 무능과 무식보다 더 심각한 이기심과 탐욕이 읽힌다. 오직 자기만을 위한 작은 그림에 열중해 공동체를 위한 큰 그림을 외면하거나 지워버리는. 불행하게도, 그 정책 방향과 무책임과 이기심은 망국亡國의 그날까지 스케일을 업그레이드하며 증폭됐다. 고종은 무능력한 지도자가 아니라, 사익을 위해 국가를 희생시키는 사악한 지도자였다.

친정 선언 약 1년 전인 1872년 12월 4일(양력으로는 1873년 1월 2일), 호조판서 김세균이 고종에게 이렇게 보고했다.

"지금 중앙과 지방의 각 창고들을 보면 거의 다 차서 저장할 데가 없습니다. 신이 경희궁 숭정문 밖을 살펴보니 터가 널찍하여 충분히 창고를 지을 만하였습니다. 내년 봄에 여기에 새로 200칸 건물을 지어 곡식을 저장하게 하되, 호조와 선혜청에서 융통하여 묵은 곡식은 쓰고 햇곡식은 저축[51]하는 것이 좋겠기에 우러러 아룁니다"하니, 윤허하였다.[52]

사대문 안에 곡식창고를 신축할 정도로 부유했던 나라 살림은 2년 만에 거덜 나고 말았다. 대원군이 진행한 모든 징책은 전격적이고 무차별적으로 철폐됐다. 조선의 목구멍, 강화도 군영은 붕괴됐다. 국방은 약화되고 재정은 악화되고 나라와 백성은 빈곤해졌다. 원인은 권력 장악을 위해 모든 것을 희생시킨 사악함에 있었다. 그 사악함은 대원군이 구축한 장성長城들을 붕괴시키고 말았다. 고종은 망국 때까지 장성을 재건하지 않았다.

1881년 마침내 국고에 남은 청전이 44냥으로 줄었다. 이듬해 이후에는 국고에 청전 보유량이 기록되지 않는다. 그리고 이듬해 1882년 6월 한성 왕십리와 이태원에 사는 하급 군인들이 반란을 일으켰다. '임오군란壬午軍亂'이다.

청전 철폐가 야기한 재정난과 친위부대에 집착한 이기적인 군인 차별이 결합해 폭발시킨 군인들의 저항이다. 무려 13개월 동안 월급을 받지 못한 하급 군인들이 벌인 저항이었고 권력에 대한 고종의 사악한 집착이 만든 반란이었다. 고종이 심혈을 기울이던 친위부대 무위소 또한 이로 인해 붕괴됐다. 자기 안위와 권력에 눈이 멀어 자기 무덤을 파들어 간 것이었다.

임오군란 때 청나라 실권자인 북양대신 이홍장은 조선 정부 요청으로 조선에 파견한 진압군으로부터 이런 보고를 받았다.

'조선 국고에는 1개월치 비축분도 없다.'[53]

친정 선언 9년 만에 벌어진 참극이었다. 불행하게도 그 참극은 1막으로 끝나지 않고 끝없이 이어졌다. 주연은 고종이었다. 조연, 아니 공동 주연은 고종의 척족 민씨閔氏들이었다.

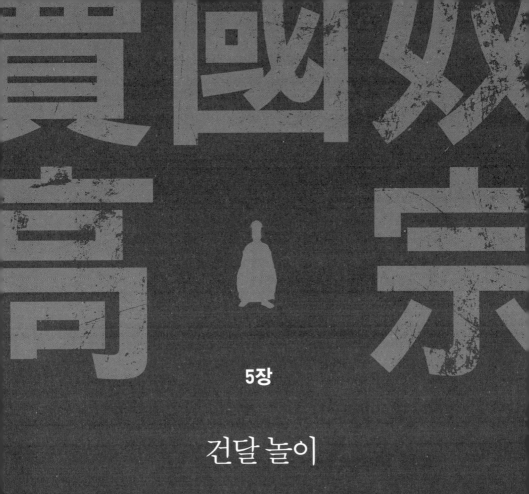

5장

건달 놀이

우글대는 민씨들

계해년 1623년에 인조반정 공신 무리들이 '왕실 혼인을 놓치지 말자[勿失國婚물실국혼]'
'학자를 추천하여 장려하자[崇用山林숭용산림]'고 약조하였다.
왕가와 결혼한 것은 호화스러운 수레와 기름진 말과 외척 고관으로 부귀를 누리기 위한
일일 뿐만 아니었다. 중전과 친하여 아무 때나 궁궐에 출입하면서 궁내 움직임을 엿보고
주상의 뜻에 영합하여 이익을 보려하며, 치밀하게 모의하여 은총을 굳게 할 수 있었다.
또한 사돈, 외척으로서 요직을 담당하고 주상을 호위하는 임무를 맡았으니 이것이
권력을 누리면서 놓치지 않은 방법이었다.[54]

1906년 국무총리를 거부한 여흥 민씨 민영규

1906년 양력 5월 28일 고종은 중추원 찬의 민영규를 대광보국숭록대
부로 봉작을 올렸다. 중추원은 1895년 갑오개혁에 의해 설치된 국왕 자
문기구다. 찬의는 그 소속 관리인데, 원래 의관이라 불리다가 1905년에
찬의로 개칭됐다. 봉작 승급과 함께 고종은 민영규를 의정대신에 임명했
다. 의정대신은 옛 영의정에 해당한다. 그런데 다음날 민영규는 "땅에 엎
드려 두려워 떨며 아뢸 바를 모르겠다"며 이를 거부했다.

고종은 "명을 듣고 벌떡 일어나 나올 것이지, 옛 재상들이 으레 몇 번
씩 사직 상소를 올렸던 일을 답습하지는 않으리라 생각했다"며 입궐을
재촉했다.[55] 그 사이에 이런 대화가 오갔다.

경기도 여주에 있는 감고당. 8세 때 서울로 상경한 민씨가 훗날 왕비로 간택된 집이다. 원래 서울 인사동에 있었는데 지금은 여주 민비 생가터로 이건돼 있다.

고종: "유서 있는 경의 집안은 대대로 충정忠貞을 돈독히 해 왔고 나라와 기쁨과 슬픔을 함께하였느니라."[56]

민영규: "신의 집안은 대대로 두터운 은혜를 흠뻑 입었는데 족보를 두루 뒤져보니 맡지 않은 관직이 없다고 이를 만합니다."[57]

무슨 말인가. 여흥 민씨 집안은 고종 치하에서 세대를 이어가며 고위 공직 생활을 했으며, 민영규 본인이 자랑한 대로 이들은 '맡지 않은 관직이 없을 정도로' 두루 고위직을 역임했다는 뜻이다. 공존과 공생. 그게 고종과 그 척족 여흥 민씨 생존 법칙이었다. 자꾸 자기 말을 흘려듣는 이 사돈집 사내에게 고종이 한 마디 더 했다.

"혹 폐단이 극도에 달하여 나라 구석구석까지 모두 병들어 손쓸 수가 없다고 생각한다면 그렇지 않다. 천하에 할 수 없는 일은 없으니 오직 정신을 써서 힘써 하지 않는 것일 뿐이다."[58]

이 대화가 오간 날이 1906년 6월 3일이다. 9개월 전인 1905년 11월 제2차 한일협약, 즉 을사조약으로 대한제국 외교권이 일본에게 넘어가고 나라가 껍데기만 남은 상태였다. 고종이 '천하에 할 수 없는 일은 없다'고 달래기에는 그가 만들어놓은 나라 꼬라지가 처량했다. '나라 구석구석까지 병들어 손 쓸 수 없는 상태가 아니라'고 우기기에는 고종 스스로 민망한 상황이었다.

한 가지가 더 있다. 나라가 거덜이 났는데, 저 황제는 무슨 생각으로 '대대로 충정을 돈독히 해 온' 자기 사돈 집안에 국정을 맡길 궁리를 했다는 말인가. 새로운 이념과 새로운 기술로 무장한 개혁파가 득실대고 있는데, 고종은 그들을 외면하고 자기 혀와 같은 척족을 자기 옆에 앉히려고 애원을 하고 있었다.

거덜 난 나라 황제 고종이 거듭 재촉했음에도 민영규는 끝까지 의정대신 직을 받으려 하지 않았다. 고종이 네 번씩이나 입궐하라고 해도 막무가내였다. 결국 고종은 뜻을 포기하고 6월 12일 민영규에게 황실 고문직인 궁내부 특진관 보직을 내렸다. 그리고 그달 23일 민영규에게 "조용하고 바르며 규범을 지켰고 계책이 대단하고 명망이 뛰어나게 높다"며 훈2등 훈장을 하사했다.[59]

냉정하고 집요하게 황명을 거부한 민영규는 4년 뒤 조선총독부로부터 '조선귀족령'에 따라 자작 작위를 받았다. 나라가 사라지고 두 달 뒤인 1910년 10월이다.

이 민씨들 이야기다. 고종 아내 민씨의 친척, 그러니까 고종의 척족戚族이다.

지도자와 고종, 권력과 비전

국가 지도자에게 필수요소는 비전vision이다. 그 자신이 떠맡은 국가가 나아갈 방향을 제시하고, 이에 맞는 자원을 확보하는 작업이 지도자 임무다. 국가를 현상유시하고 자기 권력을 강화하는 데 만족하는, 혹은 이를 목적으로 삼는 지도자는 지도자가 아니다.

바깥으로는 조선 왕국이 처음 맞는 위기가, 안에서는 자칫하면 국가 공동체가 와해될 수 있는 위기가 벌어지고 있었다. 그럴 때일수록 지도자는 비전이 필요했다. 그 비전을 함께 정책화하고 실천해나갈 고급 인력이 필요했다. 인력 충원 기준은 능력이어야 했다. 능력은 비전을 실천할 능력과 지도자의 전횡과 미숙함을 견제하고 보충해 모순을 해결할 수 있는 능력이어야 했다.

고종과 고종 정권은 어떠했는가? 고종이 꿈꾸던 비전은 어이없게도 부강한 국가가 아니라 왕권이 극대화된 국가였다. 급변하는 국제 정세에 대처하고 폭증하는 국내 사회적 모순을 해결하려는 뜻은 '진혀' 없었다. 그에게 국가는 본인의 권력 유지와 행사, 강화를 위한 무대에 불과했다. 고종은 친정을 시작하면서부터 왕권 강화의 의지를 숨김없이 드러냈다. 재위기간 동안 그 의지가 단 한 번이라도 약해졌거나 꺾인 증거는 찾기 어렵다. 고종의 모든 정치 행위는 권력을 강화하고 왕실의 위신을 높이려는 의지에 의해 추동됐다.[60]

고종에게 인력 충원 기준은 능력이 아니라 권력 강화에 도움이 되는가 여부였다. 그때까지 아버지 대원군에게 쏠려 있던 인력 구조를 철거하고, 고종은 갓 차지한 권력을 강화하는 데 필요한 참모들로 주위를 가득 채웠다. 국가 발전과 방어에 필요한 인재가 아니라 고종에 대한 충성파가 고종 아래 속속 결집했다.

집권 초기 고종이 세웠던 이 기준은 정권 말기까지 불변이었다. 시작 때 고종이 정권을 채웠던 그 참모들은 나라가 망할 때까지 본질적으로 바뀌지 않았다. 고종이 불러들인 관료들은 마치 건달들이 자기 '나와바리 (구역)'를 강화하고 확대하듯, 스스로 권력을 확대하며 나라를 갉아먹어 갔다.

되살아난 250년 전 밀약

병권과 경제권을 장악하는 과정에서 고종은 불안감에 시달렸다. 이들 제도를 갈아치우는 내내 이를 반대하는 세력이 등장해 돌부리처럼 발바닥을 찌르는 것이다. 권력 시스템 곳곳에 남아 있는 친 대원군 세력이 호시탐탐 젊은 국왕이 가는 길에 모래와 자갈을 뿌려대고 있었다.

군사제도와 화폐제도를 갈아엎은 고종이 다음으로 착수한 작업은 사람 갈이였다. 경륜을 기반으로 젊은 왕에게 직언을 해주던 원로와 곧은 사람들은 조정에서 몰아냈다. 대개 그런 사람들은 지난 대원군 집정 10년은 물론 그 이전부터 국정을 다루던 사람들이었다. 이들 대신 고종은 자기 수족처럼, 혀처럼 행동할 수 있는 사람들을 주변에 채웠다.

그리하여 친정 1년이 지난 1875년, 마침내 그가 권력을 행사하는 데 필요한 맞춤형 정권이 탄생했다. 사람들은 그 정권을 '고종 정권'이라고 부르지 않고 '민씨 정권閔氏政權'이라고 부른다. 왕만 고종일 뿐, 실제로 권력을 휘두른 자들은 민씨라는 뜻이다. 다시 말해서 민씨왕조라는 뜻이다.

이는 1623년 인조를 앞세운 서인西人 정권이 염원한 외척 독재의 역사적 완성이기도 했다. 선조 이후 임진왜란과 광해군 재위기간 권력을 빼앗겼던 서인은 그때 두 가지 밀약을 맺었다. '왕을 장악하기 위해 왕비를 서인 문중에서 배출한다'고, '그때까지 권력에서 소외됐던 재야 서인들을 관리로 중용한다'고.

이후 역대 왕비들은 대개 서인 문중에서 나왔다. 서인이 노론과 소론으로 갈라진 뒤에는 집권세력인 노론 가문에서 왕비를 냈다. 심지어 대원군 또한 여흥 민씨 노론 가문과 결혼을 했다.

그리고 노론은 '숭용산림'이라는 밀약 그대로, 송시열로 상징되는 노론 독재를 구가했다. 인조 당시로 치면, 그때까지 권력에서 배제됐던 서인 세력에서 인력을 충원하겠다는 집요한 밀맹을 이어간 것이다. 장악한 권력을 영속화하기 위해 서인세력은 집단으로 행동했다.

'사방에서 유학자의 옷을 입은 자들이 모두 선생이나 제자를 칭하며 한꺼번에 나아갔다. 모두들 한데 모여들어 서로 따뜻하게 보살피고, 영광과 명성을 공경하고 사모해서 끓는 물이나 불 속에 들어가 죽더라도 피하지 않았다.'[61]

하여 노론은 인조는 물론 탕평책을 내건 영조와 정조 때도 정권을 장악했다. 이후 철종까지 이어진 세도정치는 노론 권력의 연장이었다. 안동 김씨와 풍양 조씨는 노론 중에서 특히 왕실 외척 출신이었을 뿐 노론이라는 사실은 변함이 없었다.

조선 후기 권력사회의 치유 불가능해보였던 그 기저질환을 대원군은 감히 수술대에 올렸다. 250년 동안 소외됐던 남인을 중용해 그 황폐한 정치판에 영양분을 공급한 것이다. 그런데 아들 고종은 그 영양분을 마치 드라큘라가 피를 빨아먹듯 빼내버리고 조선 정부 고위층 혈관을 다시 노론으로 채워버렸다.

인조반정에서 정확하게 250년이 지난 1873년 고종은 친정을 선언하고 스스로 그 외척과 노론을 불러들였다. 역사 속에서 그들을 소환한 사람은 고종이었지만, 결과적으로 고종은 그들에게 장악 당했다.

조정에는 다시 노론과 민씨 성을 가진 건달들이 우글거렸다. 권력에 중독된 노론과 민씨들은 나라 이름이 대한제국으로 바뀌고 제국이 망할 때까지 조정에서 나가지 않았다. 즉위하던 날 "나는 인조仁祖의 직계 후손"[62]이라고 선언했던 고종에게 준비된 미래였다.

도전받는 왕권과 권위

병권兵權과 금권金權을 장악하기 위해서는 믿을 수 있는 측근이 필요했다. 국왕과 측근세력이 연합해 군사력과 경제력 장악이 이뤄지면 그 자원을 공유하며 권력을 더욱 강화할 수 있었다. 고종에게는 바로 그 측근세력이 필요했다. 왕명을 거스르지 않는 순한 양들이 필요했다.

문제는 권력을 휘두르는 데 절대적으로 필요한 '권위權威'가 역대 왕들에게는 있었고 고종에게는 없었다는 사실이다. 친정을 선언하던 바로 그 순간까지도 고위 관리들은 그를 왕으로 인정하려들지 않았다. 오죽하면 심야에 잠들어 있는 왕을 그들이 궐문을 박차고 들어가 깨우지 않았는가.

전격적이고 패기 넘치는 친정 선언이었다. 하지만 고종에게는 권력 기반이 없었다. 첫 1년은 투쟁의 연속이었다. 대원군으로부터 권력을 회수한 고종은 대원군이 심어놓은 인력을 그대로 활용했다. 한꺼번에 사표를 받은 세 정승에 영의정은 소론 이유원, 우의정에는 노론 박규수를 임명했다. 좌의정은 공석으로 남겼다. 이유원은 유일하게 대신 경력이 있는 사람이었다. 박규수는 노론이었지만 과단성 있는 정책 실행 능력과 내외직 경력이 많은 관료였다. 모두 대원군으로부터 신임을 받았던 관료들이었고 정치적 경험과 경륜을 보고 임명한 정승들이었다.

아들 고종에게는 문제적 인물들이었다. 이미 보았다시피, 이들은 고종이 밀한 각종 성책에 여러 가지 합리적인 이유를 들어 지속적으로 반대를 했다. 고종이 야심차게 내놓은 군사조직인 무위소 설치도 반대했고 강화도 군영인 진무영 개편도 반대했고 경복궁 재중건도 반대했다. 청전 폐지 또한 반대했다. "감격의 눈물이 줄줄 흐르니 삼가 명을 받들겠다"며 고종에게 충성을 맹세했던 박규수도 그러했다.[63] 이뿐만 아니었다.

1874년 10월 종6품 무관인 부사과副司果 이휘림이 경기도 양주에 은둔한 흥선대원군을 복귀시키라고 상소를 올렸다. '변경에서 말썽이 그치지 않고 외적이 틈을 노리고 있으니' 대원군이 필요하다는 것이다.[64] 고종은 "고약한 말이 온 종이에 가득하다"며 이휘림에게 평안도 위원군渭原郡으로 유배 명을 내렸다.

한 달 뒤인 1874년 11월 대원군 복귀를 요구하며 영의정 이유원을 탄핵하는 상소가 올라왔다. 상소문에는 "전하 명령은 시행되지 않고 법과 명령은 해이해졌으며 백성 생활은 어려워졌다"고 적혀 있었다. 영의정 이유원에 대해서는 "품성이 강퍅하고 처신이 간교하며, 뱀, 살무사의 독으로 사람을 만나면 문득 물고 파리, 개처럼 작은 이익에도 악착 같은 자"라고 적혀 있었다.[65] 형식적으로는 영의정을 비난하고 있지만 숨어 있는 타깃은 고종 본인이었다. 이유원은 즉각 사표를 던졌다. 상소문을 올린 손영로는 추국을 받았다.

왕권을 흔드는 일은 계속 이어졌다. 1875년 3월 21일 반反 국왕적 내용을 담은 상소가 올라왔다. 고종은 즉각 상소를 올린 유생 4명을 유배 보내라고 명했다.[66] 석 달 뒤 같은 내용으로 또 상소가 올라왔다. 분노한 고종은 이들을 의금부 조사 없이 바로 참형에 처하라 명했다. 그러자 의금부에서 "조사 없이는 처벌 불가"라고 이를 거부했다.[67] 며칠 뒤 의금부 간부들이 "국왕도 법은 어길 수 없다"고 연명으로 거부 의사를 다시 밝혔다. 세 정승과 홍문관 관리들도 만장일치로 거부에 동조했다.[68] 고종은 승정원 대신과 의금부 관리를 해고했다.

하지만 이미 왕권을 크게 침범당한 뒤였다. 고종은 '호구'로 전락할 처지에 놓여 있었다. 확고부동하게 자기 권력을 지원해줄 근위세력이 절실했다.

그리하여 고종이 선택한 것이 대원군이 야심차게 억눌러놓았던 자기 척족인 여흥 민씨와 노론老論 세력이었다.

다시 지켜진 밀약1: 숭용산림과 노론

결국 1874년 9월 박규수가 사표를 던졌다. 두 달 뒤 이유원 또한 사표를 던지고 낙향했다. 고종은 그 빈자리를 반 대원군파인 큰아버지 이최응(좌의정 및 영의정)과 노론 김병국(우의정)으로 채웠다. 서원 철폐와 호포제로 대원군에 반기를 들었던 '노론'을 파트너로 재등용한 것이다. 고종은 이들을 육조판서에 고루 등용하며 권력 기반을 다져갔다.

대원군이 다져놓았던 인적 구조는 과거로 돌아갔다. 고종이 친정을 선포한 이래 망국 때까지 이조판서 직에는 남인과 북인은 단 한 명도 임명되지 않았다.[69] 노론은 크게 늘었다. 호조판서 직도 마찬가지로 남인과 북인은 단 한 명도 임명되지 않았다. 호조는 국가 재정을 담당하는 주요 부서다. 고종은 이 부서장을 노론인 안동 김씨 김세균과 여흥 민씨 민치상에게 맡겼다.

이조, 호조와 함께 권력 중심인 병조 또한 남인과 북인은 없었다. 고종은 군사권을 지휘하는 병조는 종친 전주 이씨에게 맡겼다. 대원군 시대에는 무신도 병조판서에 임명이 됐었지만 고종은 이를 철저하게 문신에 한정했다.

노론을 중심으로 왕권을 견제하는 권력구조야말로 대원군이 증오하고 파괴해왔던 시스템이었다. 고종이 살 수 있는 생태계는 대원군을 지지하는 남인과 북인이 배제돼야 했다. 노론 우위가 심화된, 대원군 시대 이전으로 회귀한 수구적인 권력구조였다. 대원군 프레임을 벗어나려는 아들 고종 시대에, 남인과 북인의 완벽한 몰락은 필연적이었다.

노론이 정권을 장악했다는 사실은 그 정권의 미래가 일찌감치 결정됐다는 뜻이다. 성리학적 세계관으로 포장된 권력욕은 변혁보다는 현상 유지를 희구하게 만든다. 인조 이후 조선 왕국은 그 노론적 세계관이 지배해왔다. 그리고 구한말, 대원군에 일격을 당하고 별러왔던 노론은 더 강력하고 더 집요하게 현상 유지를 희구했다. 노론 가운데에는 박규수 같은 온건개혁파도 있었지만 절대 다수는 변혁을 악으로 여기고 개혁을 죄로 여기며 권력에 안주하고 있었다. 그 무리들이 고종을 포위하고 있었고.

다시 지켜진 밀약2: 노론보다 더한 연맹, 여흥 민씨

1866년 3월 21일 운현궁에서 고종이 친영례를 치르고 새 신부를 궁궐로 데려왔다.[70] 새 신부는 훗날 대한민국 시대에 '명성왕후'로 인기몰이를 한 열다섯 먹은 왕비 민씨다. 그 민비가 생물학적으로, 정치적으로 급성장해 마침내 '물실국혼勿失國婚'의 원대한 장기독재 비전을 확정적으로 현실화한 것이다.

'여흥민씨세보'에 따르면 여흥 민씨는 고려 중엽 송나라에서 귀화한 사신 민칭도閔稱道가 시조다. 여흥 민씨는 이후 고려 국혼國婚 4대 명문가로 융성했다.[71] 1392년 고려가 멸망했어도 가문은 멸망하지 않았다. 새로운 왕국 조선 첫 국왕 태조 이성계가 자기 다섯째 아들 방원을 장가보낸 가문이 여흥 민씨 가문이었다. 그리고 실질적인 조선 마지막 국왕 고종이 장가든 집안 또한 여흥 민씨였다. 세간에 민자영이라고 알려진 여흥 민씨 민치록의 딸이다.● 심지어 고종 아버지 이하응이 장가든 집 또한 여흥 민씨였으니, 시대와 권력 구도를 초월한 막강한 집안이었다.

그 한가운데에 왕비 민씨, 민비●가 있었다. 민비는 대원군과 정쟁 과정에서 오빠 민승호를 끌어들여 정치기반으로 삼았다. 그 같은 항렬인 형제 승호, 겸호, 규호, 태호 무리들도 속속 관직에 등용됐다.

민씨, 고위직을 장악하다

고종이 친정 직후 신설한 친위부대 무위소는 군사조직 겸 무소불위의 권력기관이었다. 무위소에서 시작해 통리기무아문(1880), 통리군국사무아문(1882), 내무부(1885)까지 고종이 직접 지휘한 직속 권력기구 수뇌부는 대부분 민씨들이었다. 이들은 엄연하게 존재하던 국가 최고 의사 결정기관 의정부를 뛰어넘어 고종 복심을 수행하는 실질적인 권력자였다.[72]

● '민자영'이라는 이름은 소설 『운현궁의 봄』(김동인, 1933) 속에 창작된 이름이며, 왕비 민씨 본명은 알려진 바가 없다.

● 고종 비 여흥 민씨에 대해 '명성황후' '민비' 같은 여러 호칭이 혼재한다. 이 책에서는 당시 사대부와 지식인 사이에서도 사용한 '민비'와 '왕비 민씨'를 혼용하기로 한다.

1882년 임오군란 때 구식 군인들을 분노하게 만들었던 월급 담당관청은 선혜청이었다. 그해 세금과 쌀을 다루는 선혜청장은 선혜청 예산을 각출해 칙사 접대용 예산 7,000냥과 왕실 혼인비 12만 냥을 따로 떼냈다. 정작 구식 군대 병사들 월급은 13개월을 밀린 끝에 썩은 쌀로 지급했다. 6월 5일 이를 항의하는 하사관급 4명이 옥에 갇혔다. 병사들은 대개 왕십리와 이태원에 살고 있었고, 급료로 먹고사는 직업군인들이었다. 이튿날 이들이 처형된다는 소문에 왕십리사람들이 늙은이 어린이 할 것 없이 모두 입성했다.[73]

왕실에 선혜청 공금을 떼주고 군인에게 썩은 쌀을 지급한 선혜청 당상이 여흥 민씨 민겸호였다. 이들이 사대문 안에 있는 민씨네 집들을 다 불태우고 궁궐로 가서 민겸호를 살해했다. 군란 직후 주춤했던 민씨들의 요직 중용은 그해 말 민씨 척족 거두인 민태호와 그 아들 민영익이 각각 내무아문 독판과 통리교섭통상사무아문 협판에 임명되면서 더 가속도를 내며 진행됐다.[74]

이후 민씨들은 선혜청을 비롯한 이조, 호조, 병조와 형조 즉 인사와 재정, 군사와 치안, 사법, 형사 같은 이권과 권력을 휘두르는 부서장으로 활동하면서 국가 권력을 좌우했다.[75] 임오군란, 갑신정변, 갑오개혁(1894) 같은 왕권이 약화된 계기 때마다 고종은 민씨들과 잠시 거리를 뒀고, 세상에서 이들을 잊을 만큼 시간이 지나면 민씨들을 반드시 다시 불렀다.[76]

민씨 세력은 1885년 고종이 설치한 '내무부' 시대가 되면서 급증했다. 내무부 수장인 독판은 민병석, 민응식, 민영상, 민영준, 민영소, 민두호, 민영환 등이었다. 1880년대 중앙과 지방 관직에 진출한 민씨는 260명 정도였다.[77] 이들 민씨는 조선 정부의 공식적인 인사권을 가지고 있던 의정부가 아니라 국왕 고종이 중비(中批·특채)를 통해 임명된 사람들이었다.[78] 한성판윤 민영익, 홍문관 부수찬 민치헌, 광주 유수 민치서(이상 1885년)부터 안무사 민종묵(1892)까지 소위 '꽃보직'에 임명된 민씨들은 대부분 고종이 의정부를 거치지 않고 특채한 척족들이었다. (이들이 왜 중앙정부만 아니라 지방 관직까지 앞다퉈 진출하려 했는지 궁금하다면, 미리 다음 장을 읽어보시길 바란다. 다음 장 제목은 '부패腐敗'다.)

1883년 음력 8월 20일, 임오군란 이후 당시 사실상 최고의결기구인 통리군국사무아문이 이용사, 군무사, 감공사, 전선사, 농상사, 장내사 6사 체제로 개편됐다. 이 가운데 장내사 독판에 민씨 척족 거두 민태호閔台鎬가 임명됐다. 장내사는 6사 전체 사무를 총괄하는 수석 부서로, 장내사 독판은 수독판首督辦이라 불렸다.

민영익 아버지 민태호. / 국사편찬위원회

민영익. / 국사편찬위원회

 그 수독판에 임명된 사람이 민태호였다. 역시 민비와 같은 항렬 먼 오
빠다. 민태호는 돈을 만드는 주전당상, 고주처관리, 전환국관리사무는 물
론 개성유수, 선혜청당상, 공시당상 등 국가재정에 관한 요직을 독점함으
로써 국가의 재정권을 '완전히' 장악했다.[79] 민태호는 1884년 갑신정변
때 개혁파세력에 의해 살해됐다.
 민씨 척족세력 핵심인물인 민영익, 민겸호, 민치상, 민태호, 민종묵, 민
영목, 민영환, 민영상, 민응식, 민병석 들은 모두 고종이 신설한 기구를 장
악했다. 고종이 시도했던 개화정책 기관 가운데 민씨가 참여하지 않은
곳은 우체국인 우정국, 뽕나무를 기르는 잠상국, 전보를 보내는 전보국
정도였다. 특히 민태호의 아들 민영익은 근대 교육기관인 육영공원을 빼
고는 진 기관 핵심 직책에 보직을 맡고 있었다. 과연 그가 이렇게 과중한
업무를 제대로 수행할 수 있었는지는 의문스러울 정도다.[80] 능력은 철저
하게 배제하고, 오로지 고종 본인이 신뢰할 수 있는 '소수'만 요직에 배치
한 것이다.

소수에게 집중된 권력은 감시될 수 없다. 감시받지 않는 권력은 부패한다. 부패를 유지하기 위하여, 독점된 권력은 변혁을 거부하고 현상 유지를 택한다. 권력을 사유화하면 벌어지는 보편적인 현상이다. 민씨 척족 정권이 그러했다.

이 같은 고종의 인사 방식은 망국 때까지 단 1센티미터짜리 변경도 없이 그대로 이어졌다. 지도자라면 나라가 휘청할 때마다 제정신을 차리고 공동체의 발전에 대한 능력과 의지와 비전이 있는 자를 기용해야 마땅했다. 하지만 고종은 그런 정상적인 지도자가 아니었다. 오직 권력 유지, 기준은 하나밖에 없었다. 부국강병은 본질적으로 불가능했다.

그리고 매천 황현이 이렇게 쓴다. 《오하기문梧下紀聞》 1892년 기록이다.

이 무렵 세상에서는 민씨들 가운데 세 사람을 도둑놈으로 지목했다. 서울의 민영주라는 도둑놈, 관동의 민두호라는 도둑놈, 영남의 민형식이라는 도둑놈이 바로 그들이다. 두호는 영휘의 아비이고, 영주는 영휘의 사촌 형이며, 형식은 영휘의 서자다.[81]

또 황현이 이렇게 쓴다. 이 또한 고종이 친정을 선언하고 19년이 흐른 1892년 기록이다.

일반적으로 민씨 성을 가진 사람들은 하나같이 탐욕스러웠다. 그런 민씨들이 전국 큰 고을의 수령 자리를 대부분 독차지했다. 평안도 관찰사와 삼도수군통제사는 이미 10년 넘게 민씨가 아니면 차지할 수 없었다. 그 가운데서도 저 형식이라는 놈은 고금에 다시없는 탐관오리였다. 오죽했으면 백성들이 그를 '악귀'라고 불렀을까? 그것도 모자라 '미친 호랑이[狂虎광호]'

매국노 고종

노론의 정신적 고향인 만동묘. 대원군이 갑자유신의 일환으로 전격 철폐했던 만동묘는
훗날 노론의 정치적 지원을 받은 아들 고종에 의해 부활했다.

라고 부르기도 했다. 그가 사람을 산 채로 씹어 먹을 만큼 포악하다는 표현
이었다.[82]

모든 시작은 모든 끝의 원인이었다. 고종이 불러들인 민씨들은 대한제
국이 망할 때까지 온 백성을 숙주로 삼아 국부國富를 착취했다. 고종 본인
도 그 숙주에 함께 기생했던 공생체에 불과했다. 노론이 주로 판서 같은
고위직을 채운 반면 민씨들은 주로 실무부서 수장에 임명됐다. '실질적
인' 권력을 휘둘렀다는 뜻이다.

오로지 권력 장악을 위하여, 고종은 대원군이 구축한 장성을 파괴했
다. 군사력을 허물어뜨렸다. 무능과 무지와 고집으로 경제를 허물어뜨렸
다. 그 그릇된 정책으로 권력을 유지하기 위해 인재를 외면하고 철저하

게 척족에 의지했다. 공동체에 대한 도덕적 채무의식이 없을 때 권력은 부패한다. 부패를 막기 위해 감시와 견제를 한다. 감시와 견제권까지 장악한 고종-민씨 척족 정권은 감시, 견제가 불가능했다. 주체할 수 없는 권력으로 인해, 공동체는 주체할 수 없을 정도로 부패해갔다. 망가져가는 나라에서 그 권력자들이 생존할 수 있는 법칙은 부패밖에 없었다. 공동체의 붕괴와 권력의 부패가 악순환됐다.

1 황현, 『매천야록』 1권 1894년 이전④ 12. 「강화도 무위영의 철폐」: '雲峴聞撤武衛營 撫膺日 是營何 害於國 而并自壞長城也(운현문철무위영 무응왈 시영하해어국 이병자괴장성야)'. 황현은 이 글에서 강화도 '무위영'의 철폐라고 기록했는데 이는 '진무영(鎭撫營)'의 잘못이다.

2 고위 관료와 사간원, 사헌부, 홍문관 관리가 매월 6회 국왕과 만나는 회의.

3 1874년 고종 11년 4월 5일 『일성록』: '我國士卒甚不精銳大國則必不如此(아국사졸심부정예대국즉 필불여차)'

4 1874년 고종 11년 4월 12일 『일성록』: 최병옥, 「조선조 말의 무위소 연구」, 『軍史』 21호, 국방부전 사편찬위원회, 1990 재인용

5 1874년 고종 11년 4월 25일 『고종실록』

6 1874년 고종 11년 5월 25일 『승정원일기』

7 대원군이 '강화도 진무영' 유지를 위해 만든 군량미.

8 1874년 고종 11년 6월 9일 『고종실록』

9 최병옥, 앞 논문.

10 1874년 고종 11년 7월 15일 『승정원일기』

11 1877년 고종 14년 4월 9일 『승정원일기』

12 배항섭, 『19세기 조선의 군사제도 연구』, 국학자료원, 2002, p.125

13 최병옥, 앞 논문.

14 배항섭, 앞 책, p.131

15 1887년 고종 24년 3월 29일 『고종실록』 「장령 지석영의 상소」

16 1875년 고종 12년 11월 15일 『승정원일기』

17 1876년 고종 13년 10월 29일, 11월 28일 『승정원일기』

18 1866년 고종 3년 10월 16일, 10월 30일 『고종실록』

19 배항섭, 「갑오개혁 전후 군사제도의 변화」, 『한국문화』 28집, 서울대학교 규장각 한국학연구원, 2001

20 강세구, 「운양호사건에 관한 고찰」, 『軍史』 15호, 국방부전사편찬위원회, 1987

21 1877년 고종 14년 4월 4일 『승정원일기』

22 박규수, 『환재집』 11권 「대원군에게 답하는 편지[答上大院君]」 1875년 5월: '若到彼之發一砲聲以後 則雖欲受書 其爲辱國更無餘地(약도피지발일포성이후 즉수욕수서 기위욕국경무여지)'

23 강세구, 앞 논문.

24 1876년 고종 13년 1월 20일 『고종실록』: '如果盡內修外攘之方 致國富兵强之效 則豈敢來窺畿甸 恣行 恐嚇 誠不勝憤惋矣(여과진내수외양지방 치국부병강지효 칙기감래규기전 자행공혁 성불승분완의)'.

25 황현, 『매천야록』 1권 1894년 이전④ 12. 「강화도 무위영의 철폐」

26 1874년 고종 11년 1월 17일 『승정원일기』

27 1867년 고종 4년 6월 3일 『일성록』: 議政府啓言 當百錢向旣撤鑄矣 新舊參互見方流布 而聞小錢之積 置市肆者 由來甚多云 雖未知緣 何流出 而以其法禁所在 徒歸吹鍊鑄器之資者 還涉無謂 今若一體通 用 公私去來亦有紓力之方 以此意 請知委中外俾 得從便行用 允之.

28 1650년 6월 25일 『효종실록』

29 황현, 『매천야록』 1권 1894년 이전① 21.「당백전 주조와 청전 사용」

30 1874년 고종 11년 1월 6일 『고종실록』

31 1873년 고종 10년 10월 10일 『고종실록』

32 1873년 고종 10년 11월 3일 『고종실록』

33 이상 1873년 고종 11년 12월 1일 『고종실록』

34 1873년 고종 11년 12월 1일 『승정원일기』

35 1873년 고종 11년 1월 6일 『고종실록』

36 이하 내용은 1874년 고종 11년 1월 13일 『승정원일기』 기록이다.

37 토지 면적당 매긴 세금.

38 1874년 고종 11년 1월 17일 『승정원일기』

39 1866년 고종 3년 5월 10일, 12일 『고종실록』

40 1874년 고종 11년 1월 20일 『승정원일기』

41 경운궁(덕수궁). 임진왜란 때 경복궁이 한성 주민 방화로 파괴되고, 달아났던 선조가 환궁하면서 경 운궁에 임시로 머물 때 이를 시어소時御所라고 했다.

42 김성혜, 「고종 친정 직후 청전 관련 정책과 그 특징」, 『역사연구』 22호, 역사학연구소, 2012

43 김성혜, 앞 논문.

44 1874년 고종 11년 2월 5일 『승정원일기』

45 1875년 고종 12년 3월 25일 『승정원일기』

46 같은 날 『승정원일기』

47 같은 날 『승정원일기』

48 1875년 고종 12년 3월 29일 『승정원일기』

49 김성혜, 앞 논문

50 배항섭, 『19세기 조선의 군사제도 연구』, 국학자료원, 2002, p.133

51 '묵은 곡식을 인출하고 햇곡식을 저장': 이를 '환색換色'이라고 한다.

52 1872년 고종 9년 12월 4일 『고종실록』

53 중앙연구원 근대사연구소 편, 『청계중일한관계사료 제3권』 문서번호 554, 1990: 김종학, 「국=가와 국/ 가: 왕권을 둘러싼 정치투쟁과 대한제국」, 『개념과 소통』 20호, 한림대학교 한림과학원, 2017 재인용

54 남하정, 『동소만록』(1740), 원재린 옮김, 혜안, 2017, p.302

55 1906년 고종 43년 음력 윤4월 6일, 8일(양력 5월 27일, 28일) 『승정원 일기』

56 1906년 고종 43년 윤4월 9일(양력 5월 31일) 『승정원일기』

57 1906년 고종 43년 윤4월 12일(양력 6월 3일) 『승정원일기』

58 1906년 고종 43년 윤4월 12일(양력 6월 3일) 『승정원일기』

59 1906년 고종 43년 양력 6월 23일 『고종실록』

60 김종학, 「국=가와 국/가: 왕권을 둘러싼 정치투쟁과 대한제국」, 『한림대학교 개념과 소통』 20호, 한림대학교 한림과학원, 2017

61 남하정, 『동소만록』(1740), 원재린 옮김, 혜안, 2017, p.302

62 1863년 고종 즉위년 12월 13일 『고종실록』

63 1873년 고종 10년 12월 10일 『고종실록』

64 1874년 고종 11년 10월 20일 『고종실록』

65 1874년 고종 11년 11월 29일 『승정원일기』; 박진철, 「고종의 왕권 강화책 연구(1873~1897)」, 원광대학교 사학과 박사학위논문, 2001, p.49 각주 144

66 1875년 고종 12년 3월 21일 『고종실록』

67 1875년 고종 12년 6월 18일 『고종실록』

68 1875년 고종 12년 6월 22일 『승정원일기』

69 김성혜, 「고종 친정 직후 정치적 기반 형성과 그 특징(1874~1876)」, 『한국근현대사연구』 52호, 한국근현대사학회, 2010

70 1866년 고종 3년 3월 21일 『고종실록』

71 김명숙, 「여흥민씨가승기략을 통해 본 17~18세기 여흥 민문의 형성과 가문 정비」, 『한국사상과 문화』 46권, 한국사상문화학회, 2009

72 김숙연, 「1880년대 민씨척족정권의 정치적 성격」, 이화여대 사학과 석사논문, 1990

73 김종원, 「임오군란 연구」, 『국사관논총』 44집, 국사편찬위원회, 1993

74 연갑수, 「갑신정변 이전의 국내 정치세력의 동향」, 『국사관논총』 93집, 국사편찬위원회, 2000

75 김숙연, 「1880년대 민씨척족정권의 정치적 성격」, 이화여대 사학과 석사논문, 1990

76 박진철, 「고종의 왕권강화책 연구」, 원광대학교 사학과 박사논문, 2001, p.56

77 장영숙, 「고종의 정권운영과 민씨척족의 정치적 역할」, 『정신문화연구』 31권, 한국학중앙연구원, 2008

78 장영숙, 앞 논문.

79 한철호, 「統理軍國事務衙門(1882~1884)의 組織과 運營」, 이기백 선생 고희기념 한국사학논총 간행위원회 편, 『韓國私學論叢』 제2권(서울: 일조각, 1994) p.1531: 김종학, 「개화당의 기원과 비밀외교: 1879~1884」, 서울대학교 정치외교학부 박사논문, 2015 재인용

80 김숙연, 앞 논문: 따라서 고종이 일정 기간 시도했던 개화와 개방정책 또한 본질적으로 현실성이 없었다.

81 황현, 『오동나무 아래에서 역사를 기록하다』(이하 『오하기문』) 首筆 甲申, 김종익 옮김, 역사비평사, 2016, p.92: 민영휘에 관해서는 다음 장에 자세하게 나온다.

82 황현, 앞 책, p.93

3부
조선을 고물로 만들다
1882~1894

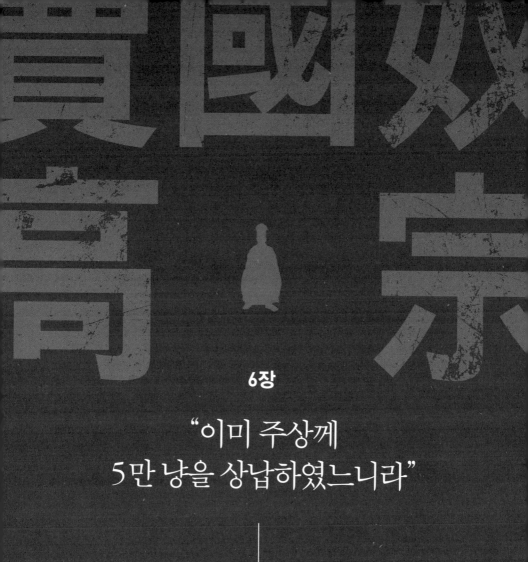

6장

"이미 주상께
5만 냥을 상납하였느니라"

부패
腐敗

서상욱徐相郁은 민영환閔泳煥의 장인이다.[1]
민영환은 오래 전부터 고종에게 군수 한자리를 제수해 달라고 하였는데,
하루는 고종이 "장인이 아직도 군수가 되지 못했는가?"라고 하였다.
그 후 고종은 "내가 거의 잊을 뻔했다"라며 서상욱을 광양군수에 제수하였다.
민영환이 집에 돌아가서 기뻐하며 "오늘 상께서 장인에게 군수 한 자리를 허락해 주었으니
은혜에 감명을 받았습니다"라고 하자, 그의 어머니가 웃으며 이리 말하였다.
"네가 이렇게 어리석으니 너도 황제의 외척이냐? 상이 어찌 한 자리를 제수하여
너에게만 후하게 하겠느냐? 내가 이미 5만 냥을 상납하였느니라."[2]

미친 호랑이

고종은 아버지 대원군이 쌓은 장성을 철저하게 무너뜨렸다. 장성은 크게 세 가지였다. 군사력과 경제와 인적 자원. 친위부대 무위소를 만들기 위해 고종은 강화도를 비롯한 지방 부대와 중앙에 있던 기존 부대를 대폭 축소시켰다. 그 결과 1875년에 강화도를 공격한 일본 군함 운요호에 조선군은 무참하게 침몰했다. 대원군이 도입했던 청전을 아무런 대책 없이 폐지하자, 대원군 시대와 비교할 수 없는 절망적인 가난이 찾아왔다. 대원군이 구축 중이던 반 세도정치적 인력구조 또한 고종에 의해 파괴됐다. 노론이 정계에 복귀했고 척족인 민씨가 그 가운데에 포진했다. 앞장에서 황현이 말한 것처럼, 민씨들은 '미친 호랑이'처럼 포악하고 탐욕스럽게 나라를 집어삼키기 시작했다.

가난한 군인들의 반란, 임오군란

고종-민씨 연합세력이 스스로 증식해가는 과정에서 첫 제물은 가난한 군인들이었다. 1882년 6월 왕십리에 살던 구식 군대 하급군인들이 13개월 동안 월급이 밀려 있었다. 항의 끝에 이들이 수령한 한 달 치 봉미俸米 봉지를 열어보니 봉지 속에는 모래가 들어 있었고 섞여 있는 쌀은 죄다 썩어 있었다. 군인과 가족들이 창칼을 들고 궁궐에 난입해 폭동을 일으켰다. 이들은 무위소 신설과 함께 대폭 축소된 훈련도감 소속 군인들이었다.

1881년 6월 고종은 일본군 교관 호리모토 레이조堀本禮造를 초빙해 신식 군대인 '별기군'을 창설했다. 고종은 이 별기군에게 군복부터 월급까지 특혜를 주며 이들을 대우했다. 무위영에 대한 고종의 관심은 급속도로 줄어들었고, 이후 구식군대에 대한 대우는 형편없이 낮아졌다. 생존을 위협할 정도로 낮아진 대우에 하급 구식 군인들이 반란을 일으킨 것이다.

별기군은 민씨 세력 실력자였던 민겸호가 주도하고 있었다. 그리고 군인 월급을 담당하는 관청은 선혜청이었고, 선혜청 총책임자는 바로 그 민겸호였다. 이들은 즉각 '왕십리 일동이 모두 협력하여 늙은이 어린이 할 것 없이 모두 입성入城했다.'³ 민겸호는 "주동자를 잡아 포도청에 가두

신식 군대인 별기군. 고종과 민씨 정권은 청나라 편제와
일본 편제를 수용해 신식군대 별기군을 운용했다.
고종은 이들을 우대하고 구식군대를 차별해 임오군란을 초래했다.
/국사편찬위원회

고 그를 곧 죽이겠다"고 선언했다. 군중들은 칼로 땅을 치며 "굶어 죽으나 법으로 죽으나 마찬가지니 죽일 사람이나 하나 죽여서 원을 씻겠다"고 고함을 질렀다.[4]

6월 9일 수천 명으로 불어난 주민과 군인들이 민겸호 집으로 쳐들어가 순식간에 집을 부수고 평지로 만들었다. 금은보화를 모조리 태워버렸는데, 비단과 구슬이 타서 불빛은 오색을 띠고 인삼과 녹용과 사향 등의 냄새가 몇 리 밖까지 풍겼다.[5] 그날 또 다른 민씨 실력자 민태호를 비롯해 수많은 민씨들 집이 불탔다.

폭동 소식을 들은 왕비 민씨는 "무위영 포군을 불러 진륙殄戮시키면 뭐가 어렵겠는가"라고 말했다.[6] 그 말을 전해들은 반란 세력은 민비 또한 타도 대상에 포함시켰다.

6월 10일 반란군은 창덕궁으로 들어가 민겸호를 죽이고 경기감사 김보현 또한 죽였다. 민비는 도주했다. 반란군이 끌어들였던 흥선대원군에게 반란군들이 말했다. "오직 한 사람만 처단한 뒤[區處一人然後구처일인연후] 모든 민씨들을 다 죽이고[盡殺諸閔진살제민] 새 세상을 만들어 함께 태평성대를 만들자."[7] 왕비 민씨는 충청도 장호원에 있는 친척 오빠 민응식 집으로 달아났다. 그 사이에 군사들에 의해 지도자로 추대됐던 흥선대원군은 난 진압과 함께 청나라로 끌려갔다

임오군란을 진압한 부대는 조선군이 아니라 청나라 부대였다. 왜 청나라인가. 그때 청나라에 출장 중이던 어윤중과 김윤식이 "대원군이 사주한 반란"이라고 판단하고 이홍장에게 파병을 요청한 것이다. 더 본질적인 이유는 조선에는 이들 무장 반란을 진압할 군사가 없었다는 사실이었다. 반란군이 창덕궁에 난입했을 때, 궁에는 고종이 그리 애지중지했던 무위영 병력은 단 한 명도 보이지 않았다.

민비가 달아났던 장호원. 훗날 고종이 행궁을 지으려다 만 흔적이 남아 있다.

모든 민씨들을 다 죽인다: 진살제민[盡殺諸閔]

왜 민씨들을 '다 죽인다'고 이를 갈았는가. 민겸호와 민창식은 살해당했다. 민태호는 중상을 입었다. 겸호, 태호, 창식, 규호, 두호, 영익, 치서, 치상, 영목 따위 민씨 집들이 불탔다. 죽고 없는 민치상은 신주를 쪼개버렸다. 구중궁궐에 사는 왕비와 사대문 도성 안에 사는 그 일가를 성저십리(성곽 바깥 구역) 토굴에 사는 빈민들은 일면식도 없겠거늘, 도대체 그들은 왜 저 민씨들을 저리도 증오했을까.

1874년 세자가 탄생한 이후 궁중 기도와 제사[祈禳기양]에 절제함이 없어 팔도 명산까지 나가 제사를 올렸다. 고종도 마음대로 놀이와 잔치를 즐겨 (참석자들에게) 상을 줄 경비가 모자랐다. 왕과 왕비가 하루에 천금을 소모하니 왕실 돈만으로는 지탱이 되지 않아 호조와 선혜청 공금을 공공연히 가져다 썼다. 재정을 관장하는 사람들은 감히 거절을 할 수 없었다.

1년도 안 되어 대원군이 10년 동안 쌓아 둔 저축미가 다 동났다. 이로부터 관직을 팔고 과거 합격증을 파는[賣官賣科매관매과] 폐단이 발생하기 시작했다.[8]

고종과 민비가 결혼한 지 자그마치 8년 만에, 훗날 대한제국 2대 황제 순종이 된 왕자 이척李坧이 태어난 것이다. 꼭 왕자 탄생 때문만은 아니었지만, 고종과 민비 그리고 민씨 척족에게 관심사는 국가가 아니라 자기네 연합세력의 안위와 행복이었다.

민씨들이 집권한 뒤로 풀무치 떼가 농작물을 모조리 먹어치우는 재난이 발생해 계속 흉년이 들었다. 여기에다 거듭된 무절제한 씀씀이가 겹쳐 국고와 식량을 관리하는 관청 관리들은 모두 빈 창고를 지킬 뿐이었다. 그래서 매달 지급해야 할 병사들 급료를 걸핏하면 빼먹은 지가 벌써 몇 해째 이어져 원망과 욕설이 자자했다.[9]

아버지 대원군은 경복궁 중건 공사와 이로 인한 당백전과 청전 유통 같은 실책과 과오를 남겼다. 하지만 대원군은 조선 봉건사회를 충격적으로 개혁하는 쇄신정책으로 사회 체질 개선과 부국강병의 기반을 닦았다.

건강한 사회 체제와 정치 구조는 장기적으로 왕권 강화에 도움이 된다. 대원군이 시도했던 서원 철폐, 군사력 강화와 신속한 의사 결정과 결단력은 아들 고종이 자기 정치 자원으로 활용할 수 있는 자산이었다. 하지만 고종은 그런 원대한 비전 대신 단기간 획득한 권력을 강화하고 그 권력을 즐기는 길을 택했다. 최단기간에 왕권을 강화할 수 있는 길은 민씨척족과 연합이었다.[10]

물질적 탐욕과 부패, 다시 말해서 국가 자원에 대한 사적인 집착은 부패로 이어진다. 고종에게는 공사公私 구분 의식, 즉 국가와 왕실 나아가 개인을 구분할 의사가 전혀 없었다. 《고종실록》, 《승정원일기》 같은 공식 기록은 물론 《매천야록》 같은 동시대 문헌에는 공公을 철저하게 제물로 삼아 사적 이익을 취한 고종-민씨 연합세력에 대한 언급이 셀 수가 없다.

한정된 국가 자원 더군다나 겹치고 겹친 실책으로 껍데기만 남은 조선의 국가 자원을 사적으로 취해버렸으니 이 행위가 바로 부패腐敗요, 그 결과는 가난과 그들을 다 죽이고 말겠다는 분노였다.

황현이 기록한 민씨들의 행각

1910년 경술국치 직후 자결한 매천 황현은 이들 민씨와 고종이 벌인 사적 유희를 자세하게 기록해놓았다.(황현은 전라도 구례에 살고 있었고, 따라서 구체적인 사실 관계는 오류가 있을 수 있다.)

개화 이래 세계 여러 나라를 맞아들이고 또한 상대국에 전권공사를 파견

구한말 역사를 꼼꼼히 기록한 매천 황현.
/ 문화재청

했다. 그 비용이 해마다 헤아릴 수 없을 만큼 많이 들었다. 그러나 세자의
복을 비는 기도에 따른 하사 물품 비용은 갈수록 늘어만 갈 뿐 줄어들지 않
았고 진귀한 보물과 기이한 노리개가 대궐 계단에 흘러넘쳤다.[11]

임오군란과 갑신정변을 겪으면서 밤에 사고가 일어날까 두려워하여 매일
밤 궁중에 전기등 수십 개를 아침까지 환하게 켜 놓았다. 전기등 하나 값이
엽전 3,000꿰미나 되었다. 그 외 자질구레한 낭비는 이루 다 말할 수 없었
다. 국고는 이미 바닥났으며 달리 비용을 마련할 수단도 없었다.[12]

고종은 밤만 되면 전등을 켜 놓고 광대들을 불러 새로운 노래를 부르라고
했다. 이번 곡은 '아리랑타령'이라고 했다. 타령이란 말은 곡조를 길게 빼
는 노래를 세속에서 일컫는 말이다. 원로대신 민영주는 광대들을 거느리
고 오직 아리랑타령만 전담하고 있으면서 그 우열을 논하여 금은으로 상
을 주었다. 이 놀이는 1894년 일본 장수 오도리 게이스케大鳥圭介가 대궐을
침범한 후에 중지되었다.[13]

고종은 놀기를 좋아하여 밤마다 잔치를 베풀고 음란한 생활을 하였다. 광대와 무당과 소경들도 노래를 부르고 거드름을 피웠다. 대궐에는 등불을 대낮처럼 훤히 밝히고 새벽이 되도록 놀다가 4~5시 내지 7시경이 되면 휘장을 치고 어좌에 누워 잠을 자고 오후 3시나 4시에 일어났다. 이런 일을 날마다 반복하므로 나이 어린 세자는 습관이 되어 아침 햇살이 창가에 비추면 두 사람 옷을 붙들고 "마마, 잠자러 가요?"하고 졸라댔다.[14]

임오군란 때 충청도 장호원으로 도주했던 왕비 민씨는 그곳에서 창렬이라는 무당을 만났다. 이 무당이 "무사히 환궁한다"고 예언을 했고, 예언대로 군란은 진압되고 민비는 환궁했다. 그때 이 무당을 궁궐로 들여보내고 그녀에게 '진령군'이라는 군호와 재산을 나눠주었다. 그리고 진령군을 찾아온 이유인이라는 사내 또한 고종과 민비로부터 총애를 받았다.

고종은 이 무당을 위해 혜화동에 관운장 사당인 북묘北廟를 지어줬다. 1884년 갑신정변 때 고종은 이 북묘로 피신해 목숨을 건졌다. 세간에는 "밤에 무당이 한 말이 아침에 어명으로 내려온다"는 말이 퍼졌다. 북묘에는 뇌물로 관직을 청탁하는 무리들이 끊이지 않았고 민비를 추종하는 무리들의 소굴이 되었다.[15] 이들은 금강산 일만이천 봉마다 쌀 한 섬씩 바치면 세자가 무병장수한다는 소문을 퍼뜨려 국고를 소진시켰으니, 이

고종과 민비가 무당 진령군에게 만들어준 북묘.
/총독부 유리건판(국립중앙박물관)

게 앞에 나온 황현의 '세자 탄생과 국고 탕진' 이야기다.

1893년 7월 사간원 정언 안효제가 진령군 목을 베라고 상소문을 올렸다. 승정원에서 상소 접수를 거부했다. 상소 내용이 귀에 들어가자, 고종 부부는 8월에 안효제를 추자도로 유배형을 내렸다. 1894년에는 전 형조 참의 지석영이, 또 4년 뒤인 1898년에는 전 시독 김석룡이 이들을 처단하라고 상소를 올렸다. 고종은 지석영에게는 "내 원래 참작한 것이 있다"고 애매하게 답했고[16], 김석룡에게는 "지위에 어울리지 않는 상소"라며 답을 거부했다.[17]

민씨들이 벌인 부패행각은 끝이 없었다. 그 가운데 가장 심한 하나를 고르라면, 민영휘다.

민영휘 본명은 민영준이다. 민영휘는 세금을 강제로 거두거나 뇌물을 긁어모으며 임금과 불가결한 관계를 유지하며 권력을 전횡한 지 오래되었다. 전국의 모리배가 그에게 몰려들었으므로 인심이 들끓었다.
크고 화려한 집, 음란하고 사치스러운 첩들, 호기를 부리는 하인들은 세도가 생겨난 이래 처음 보는 것들이었다. 논밭에서 거둬들이는 소작료가 100만 석이나 되는데 조선, 중국, 일본 세 나라에서도 손꼽히는 갑부로 중국 신문에 실려 세상에 알려졌다. 이 또한 추하기 짝이 없다.[18]

민영휘는 춘천에 새로 유수留守 자리를 만들어서 자신의 아비인 두호를 앉히고, 임금이 서울을 떠나 피란하거나 거둥할 때 머물 숙소로 쓸 것이라며 행궁을 지었다. 두호라는 위인은 어리석고 천박할 뿐만 아니라 흉악하고 악독한 데다 욕심이 끝이 없었다. 두호가 유수로 부임한 지 몇 년 지나지 않아 강원도 백성들은 먹고살기 힘들어져 가족이 뿔뿔이 흩어지는 사태가

민영휘. /조선귀족열전

줄지어 일어났다. 백성들은 두호를 '민 쇠갈고리'라고 불렀다.[19]

진령군을 참수하라는 안효제 상소를 '화를 내며' 거부한 사람도 이 민영휘였다.[20] 민영휘는 1889년과 1890년 평안도 관찰사로 있으며 가혹한 세금으로 악명을 떨쳤다. 그때 거둔 세금으로 고종에게 금송아지를 바쳤다. 고종은 그를 철저하게 신임하고 국정 운영을 일임했다. 재물을 긁어모으는 데 관련된 모든 일은 민영휘가 주관했다.[21]

민영휘와 같은 항렬 형제인 민영주閔泳柱는 이 민영휘 덕분에 천하의 도둑으로 대성공을 거뒀다.

민영주가 워낙에 망나니인지라, 과거에 붙어도 그 성질을 아는 고종이 불합격시키고는 했다. 민영휘가 이를 걱정해 주일공사로 일본으로 떠날 때 고종에게 이리 말했다. "민영주를 사람을 만들려면 과거에 급제시켜 그를 얽어매야 합니다." 1887년 민영주가 과거에 붙었다. 불과 1년 만에 민영수는 종6품 규장각 직각直閣까지 승진했다. 직각이 망하는 것은 민영주가 임명된 후 극도에 달하였다.[22]

완장 찬 망나니가 더럽힌 것은 관직만이 아니었다. 여느 민씨들과 마찬가지로 민영주는 세상을 더럽히기 시작했다.

민영주는 유생 시절부터 법을 무시하면서 사적으로 사람들 주리를 틀고 거꾸로 매다는 등 온갖 악형을 가했다. 날마다 많은 돈을 긁어모아 임금 수준의 호사를 누렸다. 과거에 급제했어도 거칠고 약독한 성품은 조금도 달라지지 않았다. 사람들은 영주를 가리켜 '민 망나니'라고 불렀다. 우리나라 사람은 사형 집행인을 속된 말로 '망나니'라고 불렀는데, 대개 이루 말할 수 없이 악하고 천한 자를 표현하는 말이다.[23]

민영휘는 1894년 동학전쟁이 터졌을 때 타도 대상 1호였다. 농민들은 "민영휘을 축출하여 다시는 정사에 간섭하지 못하게 하지 않으면 몸이 갈라지고 뼈가 부서지더라도 영원히 해산하지 않겠다"고 선언했다.[24] 동학농민군이 전주를 함락할 무렵 고종과 함께 청나라 군사 청병을 주도한 사람도 바로 이 민영휘다[25]. 2년이 지난 1896년에도 조선 팔도 어린이나 하인까지 '조선의 말로를 기강이 문란한 경지로 몰고 간 자가 민영휘'라고 입에 담고 있을 정도였다.[26]

1907년 대한제국 마지막 황제 순종으로부터 정1품 규장각 제학에 임용된 민영휘는 3년 뒤 나라가 사라지고 조선 총독부로부터 자작 작위를 받았다. 그는 '조선 고금 몇백 년 내에 처음 보는 큰 부자였고, 1935년 죽을 때 총재산이 부동산 1,000만 원을 포함해 1,200만 원 정도였다.'[27] 1907년 당시 대한제국 정부가 일본에 지고 있던 빚을 갚자며 대구에서 국채보상운동이 시작됐을 때 대한제국이 일본으로부터 도입해 누적된 차관 총액이 1,300만 원이었으니, 한 나라 차관 총액에 버금가는 갑부였다.

직접 뇌물을 거둔 최악의 부패 군주

고종은 돈놀이를 사돈에게만 맡기지 않았다. 지방관에게 고정된 월급이 없는 조선왕조는 가렴주구가 일상화된 착취 방식이었다. 하지만 군주가 앞장서서 매관매직을 통치자금 조달 방법으로 삼은 왕은 오직 한 명, 고종뿐이다. 황현은 이렇게 기록했다.

이때 한 해 걸러 증광시를 치르고 한 달 걸러 응제시(임금의 특별시험)를 치렀다. 그리고 식년과는 두 번씩 치러 10분의 9는 모두 동전으로 거래되었다. 경기도 길가 마을에서 먼 시골 마을까지 젊은 선비부터 백정들에 이르기까지 과거를 보느라 분주해 생업을 끊은 사람들도 있었다. 마치 풍에 걸린 미치광이 같이 보였다.

서울에 있던 부유한 상인들은 상납할 과거 대금을 내기 위해 주야로 돈을 거두어 바치느라 난리를 만난 것과 같았다. 이때 급제자를 더 늘리라는 어명이 떨어졌다. 민응식이 민망히 여겨 그 폐단을 고종에게 말하였다. 그러자 고종이 말했다.

"잔말 말라. 조선 말기에 마을마다 급제자가 나고 집집마다 진사가 난다는 말을 듣지 못했는가. 그게 대운★運이라는 것인데 짐이 과거를 팔지 않으면 그들이 대운을 건질 더 좋은 방법이 있겠는가?"[28]

민영휘가 평안도 관찰사로 부임하기 전 관찰사는 남정철이었다. 민영휘가 금송아지를 바치자 고종이 얼굴빛이 변하며 꾸짖기를, "남정철은 참으로 큰 도둑이로군. 관서에 이렇게 금이 많은데 그가 혼자 독식을 했단 말인가?"라고 하였다.[29]

1887년 민영소와 민영환이 입궐했다. 민영환이 자기가 추천해 경상감사가 된 김진명의 일본산 명주 50필과 황저포 50필을 진상했다. 고종이 얼굴을 붉히며 옷감을 용상 아래로 던져버렸다. 민영소가 전라감사 김규홍의 진상물을 바쳤는데, 춘주 500필, 갑초 500필, 백동 5합과 기타 물건도 많았다. 고종이 희색을 띠며 말했다. "변신의 예가 당연히 이 정도는 돼야 하지 않겠는가. 김규홍은 참으로 나를 사랑하는 사람이다." 민영환은 그 즉시 자기 돈 2만 냥을 보태 바쳤다.[30]

고종은 관직을 팔아 돈을 챙겼다. 관직을 자주 팔면 더 돈이 생기기 때문에 1년도 안 돼 지방 수령이 교체되고는 했다. 고종은 부임한 수령이 부자가 되면 다른 군으로 발령을 내고 그 대가를 또 징수했다. 한 사람이 1년에 5개 군을 바꾸는 사람이 있었고, 1개 군이 1년에 수령 5명을 맞이한 곳도 있었다. 영호남 각군은 특히나 기름진 자리였다. 밀양사람 박병익은 35만 냥을 바쳐 경주 군수가 되었다.[31]

매천 황현에 따르면 정축년(1877) 봄에 특별과거를 실시해 급제자 5명을 냈다. 이때 남정익南廷益은 의주부윤으로 있으면서 돈 10만 냥을 상납하고 그의 아들 남규희南奎熙를 수석으로 급제시켰다.

그 밖에 4명도 고종 낙점을 받아 발탁하였다. 이에 철종 부마인 박영효朴泳孝가 고종에게 말했다. "지금 서울에는 쌀이 귀하여 굶은 사람이 많으므로 팔방에서 과거 보러 온 사람들을 모아 뇌물은 말할 것도 없고 심지어 과거를 판다는 소문이 자자합니다. 선비들은 입을 모아 서로 속삭거리고 그들의 원망은 가슴속에 가득하니 누가 전하를 위해 이런 일을 획책하였습니까?" 고종은 조금 후회하였다.[32]

'굶은 사람이 많은데' 고종은 '조금 후회하였다.' 숙주는 절대 죽이지

조선시대 사대부의 이상적인 인생행로를 시간순으로 그린 '평생도' 중 '과거시험장 풍경'. 대필해주는 사람, 자리 잡아주는 사람 같은 온갖 군상이 그려져 있다. / 국립중앙박물관

않는다는 기생충계 철칙을 제대로 어긴 케이스다. 여흥 민씨 척족이자 최측근인 민영환의 장인 또한 5만 냥이라는 뇌물을 받아 챙긴 후에야 광양군수로 임명하는 그런 군주였으니, 다른 말이 뭐가 더 필요하겠는가.

죄의식이 전혀 없는 부패

그 꼬라지를 청나라공사 서수붕이 보았다. 1900년 서수붕이 임기를 마치고 귀국하며 황제를 알현했다. 그때 나눈 대화다.

서수붕: "귀국은 기수(氣數·운수)가 왕성하고 풍속이 아름답다."
고종: "칭찬은 감사하나, 그게 무슨 말인가."
서수붕: "청나라는 매관매직을 한 지 10년도 안 돼 천하가 큰 난리를 겪고 종사가 위태롭게 되었다. 그런데 귀국은 매관매직을 하고 30년이 돼도 아직 옥좌가 건재하다. 운수가 왕성하고 풍속이 아름답지 못하면 어찌 그리될 수 있겠는가."
고종이 크게 웃음을 터뜨리며 부끄러워할 줄 모르자 서수붕은 밖으로 나가 사람들에게 말하기를, "한국민은 슬픈 민족이다"라고 하였다.[33]

상 대 소 　 부 지 괴 　 수 붕 출 　 어 인 왈 　 애 재 한 민
上大笑 不知愧 壽朋出 語人曰 哀哉韓民

'죄의식 없는 부패' 그리고
'부패를 부패로 인식하지 않은 탐관오리와 암군'

문제는 여기에 있었다. 그게 고종과 민씨 연합체의 실체다. 물질적 탐욕과 부패, 다시 말해서 국가 자원에 대한 사적인 집착은 부패로 이어졌

다. 고종에게는 이런 공사 구분 의식, 즉 공적 국가재원과 개인적 사용에 대한 구분이 없었다. 관직을 팔고 과거시험조차 돈으로 합격시키는 매과 행위를, 조선 국왕 고종은 스스로 조장하고 관행화시켰다. 아무런 죄의식 없이, 고종은 조정 대신부터 장사치까지 직위나 신분을 불문하고 불러서 만났다. 왕이 따로 사람을 불러들여 만나는 별입시別入侍가 400~500명에 이르렀다. 그러나 끝내 재정 부족을 메울 수는 없었다.[34]

그리하여 이들이 다시 손댄 분야가 돈이었고 세금이었다.

당오전 발행과 무명잡세의 부활

아무런 대책 없이 폐지했던 청전은 국가 재정과 민간 경제의 몰락을 초래했다. 그 와중에서도 고종과 민씨 집단은 끝없이 사치와 향락을 추구했다. 향락에 투입된 비용은 백성으로부터 착취됐다. 그래도 돈이 모자랐다. 국가의 기본적인 기능을 운용하기 위한 최소 비용도 부족해진 것이다. 그래서 고종-민씨 연합체가 선택한 정책이, 바로 '백성을 괴롭힌 대표적인 정책' 무명잡세의 부활과 악화인 당오전 발행이었다.

> 1883년 2월 18일 총리대신 홍순목이 아뢰었다. "재정이 극도로 어려워졌으므로 돈을 주조하여 통용하는데, 아직 부족합니다. 당오전當五錢과 지금 주조하고 있는 돈과 은을 함께 통용하면 장애가 없을 것 같습니다."
> 왕이 하교하였다. "시급한 일이니, 아뢴 대로 하라."[35]

임오군란으로 모든 정책의 사악함이 완전히 폭로되고 8개월이 지난 뒤였다. 당백전과 청전의 해악을 지적하며 이를 전격 폐지한 지 10년 만에 고종은 다시 악화에 기댔다. '백성에게 폐악이 된다'던 청전 폐지 명분은 말 그대로 명분에 불과했고 실제 목적은 따로 있었음을 자백한 것이다.

사흘 뒤 고종은 당오전 주조 책임을 통리군국사무아문 독판인 민태호에게 맡겼다. 발의 석 달 만인 그해 5월 5일 당오전이 전격 유통을 시작했다. 7월 5일에는 당오전을 만드는 전환국을 설치하고 임오군란 때 죽다 살아난 민태호를 그 책임자로 겸임시켰다.[36] 당오전은 1894년 청일전쟁 이후 갑오경장 때 폐지될 때까지 계속 만들어졌다.

부족한 나라살림을, 상품 생산이나 유통이 아닌 돈을 찍어서 해결하려는 이 비상식적이고 비경제적이며 비논리적인 행태는 대한제국이 망할 때까지 계속됐다. 화폐 유통에 대한 전문가 대신 자기 최측근에게 그 돈 찍는 사업을 맡기는 행위도 끝까지 이어졌다.

김윤식은 당오전을 찍어내는 고종 정권을 이렇게 힐난한다.

지금의 당오전當五錢은 2문文에 불과한 비용으로 5문 쓰임을 감당하게 하니, 다른 재료를 조금 섞는 정도가 아니라 몇 배의 이익을 취하려 하는 것이다. 정부 이익을 위해 백성의 해로움을 돌아보지 않는 것이다. 백성의 해로움을 돌아보지 않고서 죽음을 무릅쓰고 이익을 구하는 것은 몰래 주조하는 자나 하는 짓이다. 나라를 다스리는 자라면 엄금해야 마땅할 텐데, 어찌 나라를 다스리면서 이런 일을 한단 말인가?[37]

그리고 그가 덧붙였다.

심장의 살을 도려내 눈병을 치료하려는 것과 다름이 없으니 매우 지혜롭지 못하다.

시 무 이 완 심 육 이 의 안 창 부 지 역 심 의
是無異剜心肉而醫眼瘡 不智亦甚矣

친정 직후 전격적으로 폐지했던 각종 세금도 부활했다. 닥치는 대로, 돈이 되는 물건에는 모두 세금이 붙었다. 매천 황현은 '오만가지 상품에 세금이 붙지 않는 것이 없었다'고 했다.

생선, 소금, 구리, 무쇠 등 시장에서 유통되는 모든 물건에도 세금을 매겼다[市井百貨無物不稅시정백화무물불세]. 더 나아가 홍삼 매매를 나라에서 독점하고 민영익을 시켜 중국에 팔아 이익을 챙겼지만, 여전히 재정은 부족했다. 결국 서양과 일본에서 빚을 냈는데 그 액수가 어마어마했다[貸洋債倭債至萬萬대양채왜채지만만].[38]

뒤에 보겠지만, 고종 정권은 대한제국기에 접어들며 완도 '우뭇가사리'까지 세금을 매기는 놀라운 능력을 보인다.

갈수록 가난해진 나라

18세기에서 19세기 전반까지 조선왕조 재정은 중앙재정과 지방재정이 각각 쌀 100만 석으로 도합 200만 석 규모였다. 여기에 각종 부가세까지 도합 400만 석으로 동세기 국내 총생산의 5% 정도였다고 추정된다.[39]

고종이 왕위에 오른지 40주년이 되는 1904년 대한제국 예산은 1,421만 원이었다. 이를 추산하면 대한제국기 실질적인 정부 재정 규모는 18~19세기 전반에 비해 거의 2분의 1 이하로 축소돼 있었다고 짐작할 수 있다. 조선은 천하의 가난한 정부로 추락해 있었다.[40]

국가 재정은 만성적으로 위기였고, 민간에 그 재정위기를 전가하는 정책을 이어갔다. 돈을 찍어 돈을 벌고 무명잡세를 거둬 적자를 메꾸는 악순환이, 나라가 죽을 때까지 계속됐다.

갈수록 부자가 된 군주

그렇게 긁어모은 돈은 어디로 사라졌는가. 고종 주머니로 다 들어갔다. 그 황당한 거지 국가에서 국왕은 이상하리만치 부자였다. 물난리가 나면 국왕 왕실 자금인 내탕금이 내려갔고, 궁궐 공사가 필요하면 어디선가 또 거액의 내탕금이 튀어나왔다.

1888년 3월 2일 고종은 경복궁 화재 복구공사에 내탕금 50만 냥을 꺼내줬다.[41] "중요한 공사지만 민폐를 끼칠 수 없으니 내린다"고 했다. 1890년 4월 17일 조 대비가 죽자 이 또한 "백성에 미칠 폐단을 생각해" 내탕금 50만 냥으로 장례를 치르라고 명했다.[42] 8월 25일 왕릉 공사에 또 내탕금 60만 냥이 내려갔다.

1891년 4월 14일에는 경비 부족을 겪고 있는 호조에 내탕금 30만 냥을 하사했다. 그러자 석 달 뒤 세자가 "내탕금 덕분에 관리들 녹봉을 지급할 수 있게 됐다"며 고종에게 존호를 올리겠다고 했다.[43] 해마다 왕세자 생일에는 30만 냥, 50만 냥씩 내탕금이 백성에게 하사됐다. 1902년에는 평양에 새 궁궐을 짓겠다면서 또 내탕금 50만 냥을 꺼냈다.[44]

자기 황실 행사에 쓸 비용이 필요하면 고종은 언제라도 국고에서 꺼내서 사용했다. 1901년 양력 11월 14일 황제 초상화 담당 부서장 윤용선이 "임금과 세자 초상화는 중대한 일이라 미룰 수 없다"고 보고했다. 고종은 탁지부로부터 은화 1만 원을 지출해 그림을 그리도록 했다.[45] 탁지부는 대한제국 시대에 옛 호조를 대신해 국가 재정을 담당한 관청이다. 그때 황실 재정 담당 부서는 내장원이었다.

이듬해인 1902년 탁지부가 국고에서 경운궁(현 덕수궁) 중건 공사에 돈을 끝없이 지출하는 와중에 그해 8월분 관리들 월급을 주지 못하는 사태가 벌어졌다. 이에 탁지부는 내장원에 급히 은화 8만 원을 빌려 경비를 메꿨다. 그러자 내장원에서는 그해 세금이 징수되는 대로 즉각 상환하라고 요구했다.[46] 이렇게 고종은 국가에 빌려준 돈을 언제라도 회수할 자세가 돼 있는 왕이었다. 마치 빚쟁이처럼, 고종은 국가에 빌려준 돈을 서둘러 상환하라고 윽박지르는 사람이었다. 매천 황현은 "고종이 탁지부를 공물公物로, 내장원은 자기 개인 것으로 보고는 마치 진나라와 월나라처럼 아무 상관없이 생각한 것"이라고 했다.[47]

그때 돈을 꿔간 탁지부 대신은 이용익이었다. 이용익은 황제 고종 옆에서 고종의 곳간을 움켜쥐고 고종 정치자금을 대던 집사 같은 인물이었다. 그리고 탁지부에 돈을 빌려주고 훗날 상환을 독촉한 내장원 수장 또한 집사 이용익이었다. 국고와 황실 금고 열쇠를 한 사람이 쥐고 있었던 것이다. 고종에게 국가는 무의미했다. 그냥 곳간이었다.

망국으로 이끈 기생충들

고종과 민씨 척족은 복잡한 수술을 통해 신경과 혈관을 이어붙인 프랑켄슈타인 같았다. 한쪽이 죽으면 다른 한쪽도 죽을 수밖에 없는 한 몸이었다. 이 순환시스템이 이들 연합 생명체가 연명하는 방법이었다. 그리고 이 생명체는 단독으로 생명을 유지할 수 없는 존재, 기생충이었다.

그들이 생존하는 곳은 삼면이 바다요 한 면이 두만강과 압록강으로 막혀 있는 조선 팔도였고, 이들이 빨아먹는 숙주는 조선 백성이었다. 고종은 민씨들에게 권력을 주었고, 민씨들은 그 권력을 휘두르며 조선과 조선 백성으로부터 더 많은 이권을 모아 고종에게 전달했다.

숙주가 생명이 끊기는 순간 기생충 또한 생명이 끊긴다. 그래서 기생충은 숙주가 생명을 유지하는 데 필수불가결한 장기는 건드리지 않는다.

그런데 고종-민씨 척족은 기생충의 기본 생존 원칙을 무시했다. 한때 조선 팔도를 바꾸는 개혁을 추구했으나 이 또한 권력 강화와 확대 재생산이 목적이었을 뿐, 권력에 도움이 되지 않다고 판단한 순간 개혁을 버리고 백성을 죽을 때까지 수탈해 버리는 야만적인 방식을 택했다.

그리하여 조선 팔도에는 민씨들을 원망하는 소리로 뒤덮었다. 사람들은 한결같이 "왜 난리가 일어나지 않을까?"라고 반문했다. 또 어떤 사람들은 "무슨 좋은 팔자라고 난리를 볼 수 있겠나?"며 장탄식을 하기도 했다.[48]

이들로 인하여 구한말 조선의 역사는 한 방향으로 전개됐다. 조선은 차근차근 저질스럽고 품위 없게 망국의 길을 걸었다.

1905년 미국공사 알렌이 우리나라에 10여 년간 머무르다 귀국할 때 사람들에게 탄식했다. "한국 국민이 가련하다. 9만 리를 돌아다니고 상하 4000년 역사를 봤지만, 한국 황제와 같은 사람은 처음이다."[49]

매국노 고종

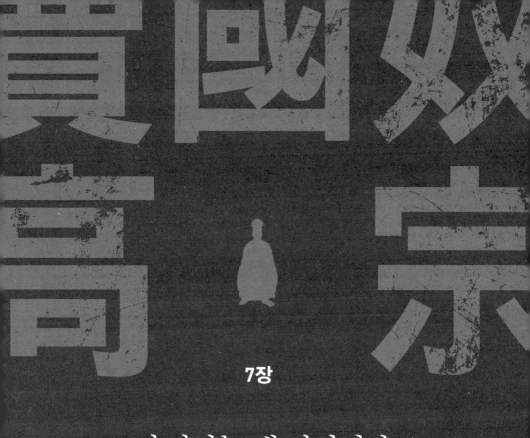

7장

이 나라는 내 것이니라

갑신정변과 독재자 고종
1884

고종은 자신의 웅대한 지략을 자부한 나머지 불세출의 자질을 가지고 있다고 판단하고
권력을 다 거머쥐고 세상일에 분주한 나날을 보냈다.
그는 자기가 우리 동방에 처음으로 난 군왕이라고 생각하고 있었다.[50]

- 매천 황현

고종이 간언諫言을 잘 듣는 듯 하는 점은 군주의 자질이 있다 할 것이나 간
언 잊어버리기를 식은 죽 먹는 듯 하는 것은 암군暗君이 하는 일이다.[51]

- 윤치호

고종의 파트너 갈아치우기

임오군란은 나약한 군사력과 경제력 그리고 민씨 정권 부패상이 융합
해 만든 사건이었다. 동시에 임오군란은 조선을 둘러싼 한중일 역학관계
를 결정적으로 재편한 사건이었다.

1875년 운요호 사건에 제대로 대응하지 못한 탓에 조선은 이듬해 반
강제적으로 일본에 문호를 개방했다. 그때 맺은 '강화도조약' 1조는 '조
선은 자주의 나라로 일본과 평등한 권리를 가진다'였다. 전통적으로 중국
왕조 속국이었던 조선이 일본과 동등한 독립국가라고 선언한 조약이었
다. 청나라 영향력을 배제하고 조선에 개입하려는 일본 메이지 정부 계
획이 반영된 조항이지만, 근대를 향한 조선 정부의 첫걸음이기도 했다.

이후 고종 정권은 메이지 정부 권유를 따라 일본으로 수신사와 조사시찰단(신사유람단)을 파견해 근대화를 시도했다. 청나라에는 영선사라는 이름으로 견학사절을 파견했다. 하지만 근대화는 성공하지 못했다. 소위 동도서기東道西器, 체제는 구체제 그대로 놔둔 채 서양 기술만 들여와 부국강병을 이루겠다는 안일한 발상이 문제였다.

왜 안일했는가.

개혁과 개방은 목적이 뚜렷해야 한다. 개혁을 통해 국내 모순을 해결하고 개방을 통해 고립된 국제관계를 넓혀 국가 안보를 확보해야 하는 것이다. 하지만 고종에게 개혁과 개방은 자기 권력을 유지하고 강화하려는 도구에 지나지 않았다. 권력에 도움이 되는 개방과 개혁은 모두 선善이었다. 권력을 방해하는 개혁과 개방은 악惡이었다.

권력 강화를 위해 고종은 거듭해서 정치 파트너를 갈아치웠다. 그 파트너들 또한 자기 기생 권력 확장을 위해 고종과 함께 개혁과 반동 정책 사이를 분주하게 뛰어다녔다. 이게 고종이 시도했던 개혁이 모두 좌절된 이유다. 급진, 온건개혁파가 외세를 끌어들여 시도했던 각종 개혁 조치가 좌절된 이유도 동일했다.

그 어떤 개혁이든, 개혁은 권력자의 권력을 제한하기 마련이다. 자기 권력이 예상 밖으로 침해되는 순간, 고종은 그때마다 개혁을 멈춰버리고 반동 정치로 돌아가 버렸다.

노론 정권을 위한 이념, 척화론

민씨 척족 이외에 고종이 기댄 첫 번째 권력집단은 노론이었다. 고종 친정을 부추긴 세력이 바로 노론이다. 1873년 11월 3일 호조참판 최익현이 대원군 퇴진 촉구 상소를 올린 다음날 밤 고종은 전격적으로 친정을 선언했다.

국가와 사회와 왕실의 안위와 발전을 위한 충언으로 일관된 상소라면 모르겠지만, 상소에는 매우 정치적인 내용이 들어 있었다.

> 지금 옛 죄를 사면해준 사람들 중에 잘못 사면한 자가 있는데, 역적들 중에서도 더욱 심한 한효순韓孝純과 이현일李玄逸과 목내선睦來善이다. 임금과 신하, 아버지와 아들 사이 큰 윤리를 무너뜨리고 공정한 원칙을 어긴다면 이보다 더 도리에 어그러지는 일이 없다.[52]

한효순은 광해군 때 인목대비 폐비를 찬성한 북인北人이다. 한효순은 서인이 정권을 장악한 인조반정 후 관직을 추탈당했다. 이현일은 율곡 이이 학설을 비판했다가 사후 관직은 물론 시호까지 박탈당한 인조~숙종 때 남인이다. 숙종 때 남인인 목내선 또한 사후인 1728년 남인 출신 이인좌의 난의 배후 인물이라는 혐의로 관직을 추탈당한 사람이다.

1864년 고종 1년 7월 흥선대원군은 이들을 사면하고 관직을 회복시켰다. 노론이 장악한 조정에 남북인을 끌어들이려는 상징적인 조치였다. 최익현은 노론 정권을 위협하는 이 조치를 대원군이 저지른 대표적인 '반도리'로 규정한 것이다. 고종은 상소를 읽자마자 이 세 사람에 대한 사면령을 전격 취소했다.[53] 그 죄악이 "종묘사직과 관련돼 있어 용서할 수 없다"고 했다. 고종과 노론의 연합은 필연이었다.

노론이 염원한 세상은 '바로 지금 이 순간'이었다. 이들은 정치적으로나 경제적으로나 자기들 이해利害를 충족시켜주는 구체제의 개혁은 원치 않았다. 만동묘와 서원으로 상징되는 성리학적 질서는 바로 이들이 살고 있던 세상을 떠받쳐주는 이념이었다. 대원군은 그 상징을 철저하게 파괴했다. 심지어 양반계층에게는 면제됐던 세금을 부과하며 경제적인 기반까지 허물어지던 터였다. 친정을 선언한 고종은 바로 그 노론을 조정으로 불러들이며 대원군 흔적을 지워나간 것이다.

친정을 선언하고 석 달 뒤인 1874년 2월 13일 만동묘가 전격적으로 복원됐다.[54] 고종은 만동묘 복구비용 1만 냥도 국고에서 지급하고[55] 공사에 공헌한 사람들 또한 상을 내렸다. 노론과의 관계 또한 완벽하게 복원됐다.

문제는 이들 노론이 가지고 있던 사상이었다.

노론 거두 김평묵의 척양론

경기도 양평 선비 이항로는 대표적인 경기지역 노론이었다. 그 아래에 김평묵이 있었고 최익현이 있었다. 이들은 성리학적 세계를 방해하는 모든 것들을 이단이며 사문난적으로 규정했다. 1876년 일본과 강화도조약을 맺자 이들은 병자호란과 정묘호란 이후 겨우 조선으로 넘어온 중화中華가 무너질 위기에 봉착했다고 주장했다. 오랑캐와 강화를 하면 사람과 금수가 구분이 안 되는 반인륜적 사회가 된다는 것이다.

성리학이라는 교조적 프레임에 갇힌 사대주의적 발상이기도 했고, 고도로 정치적인 주장이기도 했다. 18세기 후반 조선에 들어온 천주교는 남인을 중심으로 전파됐다. 그리고 성리학과 대척점에 있던 실용적 양명학은 소론을 중심으로 퍼져나갔다. 그래서 집권세력인 노론은 천주교를 척사의 대상으로 삼았고, 양명학을 사문난적의 대표적인 학문으로 꼽아왔다. 그 사이비를 전파하는 남인과 소론은 그래서 처단대상이었다. 이들을 처단함으로써, '세상의 윤리를 밝히는' 노론이 온전하게 조선을 이끌 수 있다는 논리였다.

대원군이 실각하고 1875년 운요호 사건에 이어 이듬해 고종 정권이 일본과 조약을 맺자, 이들은 상소 공세를 통해 사람 세상을 금수의 세상으로 만들 수 없다고 반대했다. 1876년 1월 23일 최익현은 도끼를 짊어지고 궐 앞에 엎드려 올리는 '지부복궐소持斧伏闕疏'로 결사반대를 주장했다. 김평묵은 같은 달 '척양대의斥洋大意'라는 글을 지었다. 그 내용을 발췌해본다.

> 만약 조약이 성립된 뒤 (또 다른 남인인) 민암, 목내선 무리와 (이인좌의 난을 일으킨) 이인좌, 정희량의 남은 자손이 백성의 불인不忍한 마음을 이용해 창을 들고 한 번 더 호령하여 도성을 함락하고 대궐을 침범한다면 신하와 백성 중에 화호和好를 더불어하는 자가 있을 것이다. (이 가운데) 야소(耶蘇·예수)를 종사로 모시는 자는 모두 양적의 혈당으로 어버이를 버리고 임금을 뒤로하는 자이다.(중략)
> 필경 찬탈의 변이 조정의 환국換局으로 변하여 서인은 일망타진될 것이고, 서인이 모두 섬멸된다면 (서인의 정신적 지주인) 이이와 (노론의 영수인) 송시열 제현은 그 관작과 시호가 깎여 문묘에서 내쳐질 것이고 (효종 때 남인 우두머리였던) 윤휴의 귀신이 우뚝 대종사가 될 것이다. 그러면 주자朱子의 설은 한 사람도 대놓고 외우는 자가 없게 될 것이다. 화서 이항로 선생이 일찍이 나라의 존망은 오히려 작은 일이라고 하신 것은 이 때문이다.[56]

오랑캐에게 나라가 위험에 처해 있다는 사실이 아픈 게 아니다. 오랑캐에게 잘못 대항하면 '우리 서인이' '남인에게' 다시 권력을 빼앗겨 이이와 송시열이 문묘에서 파출되는 비극이 벌어진다는 것이다. 고종의 척족인 민씨들 또한 노론이지만, 이들은 고종과 함께 개방을 추진했다는 이유로 김평묵으로부터 무지몽매하다는 비난을 받았다.

단순한 관념론적 반대가 아니었다. 노론에게 개방과 개혁은 지극히 현실적인 문제였다. '나라의 존망은 오히려 작은 일'이었고, 세상 윤리를 책임지는 '노론의 권력 유지'를 위해서 개방은 있을 수 없다는 이야기였다. 이들이 주장한 '척왜'와 '개방 반대'는 훗날 위정척사파의 근거가 되었다. 국가와 민족을 위한 척사로 포장된 이들의 목표는 '권력'이었다.

이들에게 정치 생명을 의지했던 고종에게 개방과 개혁은 본질적인 목표가 될 수 없었다. 반동세력은 고종이 그나마 추진하려 했던 개화정책에 태산 같이 높은 걸림돌로 작용했다.

이어지는 노론과의 악연

노론의 반대에도 불구하고 강화도조약은 체결됐다. 고종은 체결 직후 수신사를 파견해 일본 문물을 견학하고, 일본을 통한 간접적인 개방 작업에 들어갔다. 하지만 노론은 포기하지 않았다. 영남과 관동지역 선비 만인소가 이어졌다. 결국 1881년 5월 15일 고종은 '척사윤음斥邪綸音'을 발표했다.

"선비의 갓을 쓰고 선비의 옷을 입고 공맹의 가르침을 강론하고 정주의 학설을 외우는 사람이 진실로 보고 듣고 말하고 행동할 때에 (중략) 민심은 스스로 안정되어 편안해지고 순박한 풍속이 이 세상으로 돌아오게 되리라."[57]

노론에게 항복한 것이다. 노론 위기의식으로 시작된 척사론은 이를 계기로 정치적 주장을 넘어 훗날 민족주의적 쇄국론으로 발전해갔다. 이 척사윤음은 기본적으로 천주교를 허용하지 않는다는 이념적 척사 선언이지만, 강화도조약 이후 진행됐던 각종 개혁정책은 지지부진할 수밖에 없었다.

첫 번째 반성문 "모두가 내 죄다"

그리하여 벌어진 일이 1882년 임오군란이었다. 임오군란의 본질적인 문제가 해결되지 않아 2년 뒤 벌어진 일이 갑신정변이었다. 임오군란 직후인 1882년 7월 20일 고종은 조선 만백성에게 아래와 같이 반성문을 발표했다. 이름하여 '죄기윤음罪己綸音'이다. '나의 죄를 밝히는 임금의 뜻'이라는 말이다.[58]

1. 토목공사를 크게 벌이고 백성들 재물을 억지로 긁어 곤궁하게 만들었으니 나의 죄이다.
2. 화폐를 고치고 무고한 사람을 많이 죽인 것도 나의 죄이다.
3. 사당과 서원을 허물고 철폐하여 충현忠賢에게 제사지내지 않은 것도 나의 죄이다.
4. 기호품을 구하고 상 내리기를 절도 없이 한 것도 나의 죄이다.
5. 복을 내려주기를 비는 제사를 지나치게 믿고 내탕고(內帑庫·왕실 금고) 재물을 허비한 것도 나의 죄이다.
6. 종친宗親과 척신戚臣을 높인 것도 나의 죄이다.
7. 재물이 공공연히 성행하며, 탐오하는 자들이 징계 받지 않고 가난한 백성들의 고통스러운 정상이 위에 보고 되지 않은 것도 나의 죄이다.

매국노 고종

8. 시장이 폐업한 것도 나의 죄이다.

친정 후 9년 동안 고종 자신이 벌인 악정과 폭정과 낭비와 부패를 완벽하게 반성하는 문서였다. 그리고 고종은 이렇게 만백성에게 한번만 더 기회를 달라고 호소했다.

무슨 면목으로 온 나라의 신민臣民들을 다시 대하겠는가? 대소인민大小人民들은 내가 종전의 과오를 버리고 스스로 새로워지는 것을 허락하려는가?

이에 대한 실천 조치로 고종은 지역과 서얼과 신분 차별을 철폐하고 만인 평등하게 고위직에 임명하라고 선언하고 탐학한 관리는 뜯어먹은 돈을 환수하고 처벌하겠다고 공언했다. 그리고 또 한 번 다짐했다.

탐오의 근원은 조정이 깨끗하지 못한 데 있다. 뇌물을 받아먹고 청탁을 받아들여 그들에게 구실을 주고 있으니, 마땅히 조정부터 깨끗한 마음을 가지고 내외內外 백관百官을 거느리게 하라. 아! 오직 부지런하고 검박해야 나라를 다스릴 수 있는 것이니, 나 또한 스스로 노력할 것이다. 훗날 나라가 부강하고 백성들이 잘 살며 다 같이 태평세월을 누릴 때에 가서도 지금 마음을 잊지 않을 것이다.[59]

8월 1일 장호원으로 달아났던 왕비 민씨가 기적적으로 환궁했다. 그리고 8월 5일 고종은 "수호를 맺는 것은 수호를 맺는 것이고 사교를 금하는 것은 사교를 금하는 것으로, 별개의 문제"라며 신미양요(1871) 전투 중 세웠던 전국 척화비를 뽑아버리라고 명했다.[60]

9년 전 친정을 선언하며 보여줬던 위풍당당한 모습은 찾아볼 수가 없었다. 과오를 인정하고 새로운 출발을 다짐하는 현군賢君이요 성군聖君으로 변신한 것이다.

그런데 위 죄기윤음은 당시 강화유수였던 온건개혁파 김윤식이 대신 쓴 글이다.[61] 하나하나 뜯어보면 고종에 대해 무자비하기 짝이 없는 비판이 가득하다. 그때 관료들과 지식인집단에게 고종은 국가가 아닌 자기 사욕에 사로잡혀 있는 지도자로 낙인찍혀 있었다.

고종은 강요된 반성문대로 살 지도자가 아니었다.

두 번째 반성문, 그리고 "또 말로만 그러시려고?"

1884년 갑신정변이 터졌다. 조선을 옛 방식 그대로 속국화하려는 청으로부터 독립하고 청에게 사대事大하며 부패 정권을 유지하려는 고종-민씨 연합 정권을 타도하려는 급진개혁파의 쿠데타였다. 음력 10월 17일 김옥균, 박영효, 서광범, 서재필, 홍영식이 주도한 이 정변은 사흘 만에 처참한 실패로 끝났다. 저녁 9시 우정국 개국파티에서 시작된 정변은 6일 오후 7시 30분 북묘 앞에서 끝났다. 말이 사흘이지 만 46시간 천하였다.

무장혁명이었지만, 변변한 자체 병력 없이 일본군 힘에 기댔던 부실한 혁명이었고 개혁과 개방에 대한 대중의 지지가 부족했던 과격한 개혁이었다. 주도세력이 기대했던 무기는 고종이 사들였던 서양식 소총들이었지만, 그 총들은 죄다 녹이 슬어 있었다. 그 녹을 제거하는 사이에 청나라 군사가 들이닥쳐 이들은 맞대응할 시간도 없이 혁명을 포기해야 했다.[62] (갑신정변을 둘러싸고 소규모 교전을 벌인 청과 일본은 이를 계기로 "조선에 출병할 때는 상호 통보를 한다"는 천진조약을 맺었다. 이는 뒷날 고종으로 하여금 조선을 피바다로 만들게 하는 어마어마한 사건으로 발전한다.)

갑신정변 주역들. 왼쪽부터 박영효, 유길준, 서재필과 김옥균.

양화진으로 실려와 부관참시 당한 김옥균. 산산조각난 시신이 왼쪽에 있다.
참수당한 목이 걸려 있고, 홍종우가 쓴 '대역부도옥균' 글씨가 보인다. /미국 헌팅턴도서관

1894년 일본에서 발행된
'김옥균씨 조난사건' 목판화.
왼쪽이 김옥균이고
오른쪽 권총을 든 사람은 홍종우다.

갑신정변을 주도한 김옥균과 박영효는 고종 본인이 개화를 위해 등용했던 인물들이었다. 이들이 정변을 일으켰으니, 고종은 다시 한번 통렬한 반성문을 써야 했다. 이번에도 반성문 작성자는 김윤식이었다.[63]

1. 나는 어진 사람을 등용하려는 뜻은 있으나 인재를 알아보는 식견이 밝지 못하였고 잘 다스리고 싶은 마음은 있으나 다스리는 요체는 모르고 있었다. 그리하여 임금의 자리에 오른 때로부터 21년 동안 공적은 이루

매국노 고종

지 못하였다.

2. 앞으로 감히 스스로 총명하다고 여기지 않을 것이며 나는 감히 여러 가지 사무에 간섭하지 않을 것이다.

3. 간사한 사람들과 접촉하지 않고 개인 재산을 모으지 않으며 오직 공적인 것만 들을 것이다.

4. 사람을 쓰거나 문제를 제정할 때 반드시 공론이 정해지면 윤허하지 않는 것이 없을 것이다.

5. 이 서약의 말을 하노니, 말로 너희들을 속이지 않을 것이다.[64]

임오군란 후 반성문이 구체적이었다면, 이번 반성문은 정치 시스템에 관한 본질적인 반성이었다. 발표를 들은 뒤 판중추부사 김병시가 말했다.

원래 좋은 법과 훌륭한 규정이 있는데 준수하지 않아서 폐단이 생겨나게 된 겁니다. 이번 내용도 새 법이 아니고 옛 법을 거듭 밝힌 겁니다. 진실한 윤음을 날마다 펴도 결국에는 장황하게 형식만 갖추는 것이 되고 말뿐.

실천, 제발 실천을 좀 해달라는 말이었다.

지켜지지 않은 반성

그러고 또 2년이 지난 1886년, 주차조선총리교섭통상사의駐箚朝鮮總理交涉通商事宜라는 식책으로 고종 옆에서 조선국을 통치하던 원세개가 고종에게 편지를 보냈다. 이런저런 충고와 청나라를 따돌리고 러시아 같은 다른 나라와는 손잡을 생각 말라는 반 협박, 반 조언 문서였다. 이에 대해 고종이 이렇게 답했다.

글자마다 약석藥石이 되어 감격스러움을 금할 수 없었습니다. 천조天朝를 섬겨온 지 200여 년이 되므로 머리끝부터 발끝까지 황은皇恩을 입지 않는 것이 없습니다. 근래 외교 관계가 더욱 넓어져가나, 이 나라는 문을 닫고 스스로 지키면서 아무 말도 듣지 못한 것처럼 홀로 지냈습니다. 이런 때에 천조에서 이끌어주고 일깨워주며 친목을 도모하고 협약을 토의 체결하여 서로 의지하게 했으니, 여기에서 천지가 만물을 덮어주듯 지공무사至公無私한 마음을 알 수 있었습니다.[65]

매사가 그런 식이었다. 자주와 독립, 반부패라는 갑신정변이 제시한 미래상은 단 하나도 지켜지지 않았다. 관료들의 비아냥 그대로, 반성문은 립서비스에 불과했다.

고종의 독재에 대한 반항은 갖가지 모습으로 연출됐고, 그때마다 고종은 입으로 반성하고 뒤로는 탐욕과 부패정치와 측근정치를 강화해갔다. 그 정신적인 뿌리는 국가를 국가로 여기지 않고 자기 집으로 여기는 왜곡된 성리학적 세계관과 노론의 세계관이었다.

고종은 노론으로 자처하면서 군신들을 삼색(三色·당색)으로 구분하여 매우 박하게 대우하였다. 대과 급제자 알현식이 있다는 말을 들었을 때 고종은 그 사람이 노론이면 '친구親舊'라고 부르고, 소론일 때는 '저쪽[彼邊피변]'이라 하였다. 또 남인과 북인이면 '그놈[厥漢궐한]'이라고 하였다.[66]

1885년 이후 1894년 갑오 정권까지 고종 직속으로 개혁 작업을 이끌었던 기관인 내무부는 모두 민씨들이 맡았다. 이게 민씨 척족 정권의 핵심기관이다. 이 사돈댁 사람들은 임오군란 때 민초들을 열불나게 만들었던 장본인들이었다. 개방과 개혁을 추진하기 위해 고종이 선택한 집단이 민씨들이다. 개혁 대상인 사람들이 개혁을 주도하니, 될 일이 없었다.

가장 강력한 힘을 가진 조직을 가장 부패한 세력이 맡았다. 권력을 주체할 수 없을 정도로 누리던 민씨들이. 그래서 뒤집힐 수 있었던 세상이 그대로 존속했다. 가장 개혁적일 수 있었던 10년(1884~1894)은 단군 이래 최악의 부패로 낭비됐다. 반성문은 이행되지 않았다.

개혁과 본질적으로 무관했던 지도자

대한제국을 세우고 2년 뒤인 1899년 양력 4월 27일 고종이 황명을 내렸다.

> 세계 만국에서 종교를 높이고 숭상하여 힘을 다하지 않는 것이 없으니, 모두 사람들 마음을 깨끗하게 하고 정사를 잘 다스리는 방도가 나오기 때문이다. 그런데 우리나라에서 종교는 어째서 존중되지 않고 그 실속이 없는가? 우리나라의 종교는 우리 공부자孔夫子의 도가 아닌가?[67]

20세기를 여덟 달 남겨놓은 봄날, 대한제국 황제 고종이 성리학을 국교로 선언한 것이다.

그리고 몇 년 뒤 또 이렇게 선언했다.

> 나라에 태학太學(성균관)을 두는 것은 종교를 존중하고 어진 선비들을 양성하기 위한 것이다. 국가에 관계되는 바가 어찌 중대하지 않겠는가?
> 본 왕조는 개국 이래 도리를 존중하고 교육을 중시하는 것을 급선무로 여기고 태학을 세웠다. 우리의 도는 동방에서 수천 년 동안 전해오는 종교다.

요즘 태학이 황폐하여 책을 끼고 다니며 공부하는 선비들을 보기가 드물어 대단히 안타깝다. 시급히 건물을 수리하고 특출한 인재들을 불러다가 교육하여 뛰어난 선비들을 집결시킴으로써 우리 도를 빛나게 하라.[68]

을사조약으로 나라가 공식적으로 거덜 나고 자신은 껍데기만 남고 반년이 지난, 1906년 4월 15일이었다. 임오군란도 갑신정변도 이 정신세계를 깨뜨리지 못했다. 그리하여 1894년 조선 팔도에서 농민이 죽창을 든다.

8장

개틀링으로 학살한 백성

1894년 동학농민전쟁

영돈녕부사 김병시가 고종에게 힐난하였다. "다른 나라 군사를 불러들이면 조선 백성을 모두
죽이는 것이니 어찌 이런 일이 있을 수 있습니까? 후세가 보게 되면 무엇이라 하겠습니까?"
고종이 이리 답하였다. "참으로 그렇구려!"

그러자 김병시가 말하였다. "어찌 이런 나라가 있습니까! [寧有如此國乎_{녕유여차국호}]"**69**

대신 모두가 경악한 어느 어전회의

1893년 3월 충청북도 보은에 조선 팔도 동학교도 수만 명이 모여들었다. 공식 집결 날짜는 음력 3월 10일이다. 이보다 29년 전 동학 창시자인 최제우가 처형된 그날이다. 동학교도들은 보은 장내마을에서 초대규모 집회를 연달아 가지며 탐관오리 처벌을 요구하는 중이었다. 지역 군사로는 이들을 어찌할 방도가 없었다. 중앙에서 양호도어사로 파견된 어윤중이 이들을 만나 해산을 설득할 정도로 대규모였다. 보름이 지난 3월 25일 조선 정부 고위층 어전회의, 차대_{次對}가 열렸다.

고종: "동학당 소요가 매우 통탄스럽다. 지난번에 이 무리들이 상소를 할 때 즉시 엄히 징계했더라면 혹 오늘날처럼 창궐하는 폐단은 없지 않았겠는가."

매국노 고종

우의정 정범조: "소요가 일어난 근본 원인은 탐관오리 때문입니다."
좌의정 조병세: "500년 동안 가르치고 길러온 백성들입니다. 침해를 견디지 못하고 우물에 들어가는 듯한 형상입니다."

이어 내려온 고종의 말은 모든 대신들을 놀라게 했다.

고종: "다른 나라 군사를 빌려 쓰는 경우도 나라마다 전례가 있다."

느닷없이 '500년 길러온 백성을 외국 군사로 진압하자'고 제안하고서는, 늘 그러했듯이, 고종은 마치 남 말인 양 스스로 사족을 달았다.

"그러나 어찌 꼭 군사를 빌려야겠는가."[70]

회의장은 벌집 쑤신 듯 시끄러워졌다.

영의정 심순택: "아니 될 일입니다. 그 군량을 어찌 감당하겠습니까."
좌의정 조병세: "굳이 군사를 빌릴 필요가 없습니다."
우의정 정범조: "군사를 빌리는 문제를 어찌 갑자기 의논할 것 있겠습니까."

기다렸다는 듯이 고종이 입을 열었다.

고종: "중국에서는 전에 영국 군사를 빌려 쓴 일이 있었다."[71]

우의정 정범조가 정면으로 반박했다.

"이것이 중국 일을 본받아야 할 일이겠습니까."

고종도 지지 않았다.

"여러 나라에서 빌려 쓰려는 것이 아니라, 청나라 군사를 쓸 수 있기 때문에 말한 것이다."

정범조가 또 반박했다.

"청나라 군사라 해도 어찌 애초에 빌려 쓰지 않는 것보다 나을 수 있겠습니까."

고종은 "설득으로 듣지 않으면 의정부에서 의논해 소탕하라"고 명하며 화제를 돌렸다. 회의는 충격 속에 끝났다.

이날 고종이 보여준 본심은 두 가지였다. '탐관오리가 문제의 원인'이라는 관료들 의견에 고종은 '동학군 소탕'을 해결책으로 제시했고, 그 해결책은 '청나라 군사 원병'이었다. 고종은 회의 끝까지 청나라 군사 청병 의견을 철회하지 않았다.

열 달 뒤인 1894년 1월 전라도 고부에서 동학군이 죽창을 들었다. 이들은 조선 관군과 일본군에 전멸했다. 관군을 파견한 사람도 고종이었고 일본군을 불러들인 사람도 고종이었다. 탐관오리들에게는 아무 일이 없었다.

동학농민전쟁의 원인과 결과

1894년 1월 10일(양력 2월 15일) 터진 동학전쟁은 가렴주구와 학정이 원인이었다. 농산물이 풍부한 고부에 두 번씩이나 부임한 군수 조병갑이 자기 아비 조규순 선정비 비각 건립비용 1,000냥을 군민들에게 전가시키는가 하면 동진강에 멀쩡하게 운영 중이던 만석보 아래에 또 보를 만들어 강물을 막아놓고는 물세를 받으면서 백성을 분노하게 만든 것이다. 훗날 재판 과정에서 동학 지도자 전봉준이 밝힌 바에 따르면 조병갑은,

보 아래 또 보를 쌓아 물세 700석을 받아먹었고 황무지를 공짜로 나눠준 뒤 추수 때 세를 강제 징수하고 부자들에게 불효와 음행 따위 혐의를 씌워 엽전 2만 냥을 강탈하고 전 태인 수령인 아비 조규순 비각 건립비 1,000냥을 강탈하고 대동미를 거둬서 모두 착복한 뒤 하급 쌀로 정부에 바쳤으며 기타 허다한 일은 기억할 수 없을 정도였다. 게다가 새 만석보를 쌓을 때는 남의 산에서 수백 년 된 나무를 강제로 도끼로 찍어 날랐고 보 건설비용은 한 푼도 내지 않았다.[72]

고부군수 조병갑 아버지 조규순 선정비(왼쪽)와 만석보 말뚝 흔적.

탐학과 학정은 조선 팔도에 늘상 있는 일이었지만, 고종 연간에는 그 정도가 극심했다. 고부 농민들은 관아를 불태우고 창고 속 쌀을 나눠가진 뒤 옥獄을 깨뜨리고 무기고를 탈취하고 만석보를 파괴했다. 민란은 순식간에 조선 팔도로 확대됐다.

반역도 아니었고 한 번에 끝날 분탕질도 아니었다. 이미 그 전해 3월 충북 보은에서 동학군이 집회를 열었을 때 중앙에서 양호도어사 겸 선무사로 파견된 어윤중은 이들을 민당民黨이라고 불렀다.[73] '당'을 만들 정도로 조직화된 '백성의' 군이라는 뜻이다.

죽창을 든 원인은 만연한 가렴주구였고 결과는 참혹한 진압이었다. 조선 정부 또한 그 원인을 잘 알고 있었다. 그럼에도 고종-민씨 정권은 원인 해결 대신 강경 진압을 택했다. 그것도 외세를 불러들여 진압을 결정하고 실천했다. 진압 주체는 조선 정부 중앙군과 지방군, 그리고 일본군이었다.

모순 해결 대신 진압을 택한 이유는 자명했다. 모순을 해결하기 위해서는 고종-민씨 정권 자체가 바뀌어야 했으니까. 고종은 개혁 대신 권력을 택했고, 권력 유지에 필수불가결한 수단이자 공생체인 민씨를 택했다. 그리하여 그들이 백성 진압을 위해 한 작업이 청나라 군사 요청이었다.

고종과 민영준, 합동으로 청나라 군사를 불러들이다
1894년 5월 1일 자 《고종실록》에는 이렇게 적혀 있다.

이미 (전주 이씨 왕실 성지인) 전주가 함락되고 적 세력이 성해지니 정부에서 비밀리에 원세개와 의논하고 청나라 조정에 구원을 청하였다. 청나라 조정에서는 제원濟遠, 양위揚威 두 군함을 파견하여 인천과 한성에 가서 청나라 상인을 보호하게 하는 동시에 제독 섭지초葉志超와 총병 섭사성聶士成으로 하여금 세 군영 군사 1,500명을 인솔하고 아산에 상륙하게 하였다.[74]

'백성을 위하여' 대원군이 만든 모든 장성을 파괴하라고 명한 고종이었다. 군사를 파괴하고 경제를 파괴하고 민씨들과 수구파 노론으로 조정을 가득 채웠던 고종이었다. 그런데 실록에 기록되지 않을 정도로 비밀리에 청나라 조정에 구원을 청해 백성을 진압했다는 것이다. 그 결정을 옆에서 적극적으로 도운 조연은 민씨였다. 숱한 민씨들 가운데 죽창을 든 농민들이 "민영준을 축출하지 않으면 몸이 갈라지고 뼈가 부서지더라도 영원히 해산하지 않겠다"고 적의를 보인 그 민영준(민영휘)이었다.[75]

4월 27일 동학군이 전주성을 함락시켰다. 이틀 뒤 관군 총사령관 홍계훈이 정부에 긴급 전보를 보냈다.

"엎드려 바라옵건대 외국 군대 힘을 빌려 돕게 해주소서. 그러면 저들로 하여금 머리와 꼬리가 닿지 못하게 하고 소식이 통하지 않게 할 것이니 반드시 세력이 나뉘어 흩어질 것이고 힘이 다하여 스스로 해체될 것입니다.'[76]

이에 앞서 2월 21일 갑신정변 주역인 김옥균이 청나라 상해에서 자객 홍종우에게 암살당했다. 일본 망명 중 홍종우를 만나 청나라 북양대신 이홍장에게 조선 개혁안을 설명하러 떠난 길이었다. 3월 9일 서울 양화진에 도착한 김옥균 시신은 목이 잘리고 온 몸이 칼로 난도亂刀되는 부관참시 능지처사형을 받았다.

암살 사실은 물론 시신을 조선으로 보낸 청나라 처사에 일본 여론이 들끓었다. 일본은 김옥균을 일본으로부터 근대화를 배운 조선 근대화의 선구자로 여기고 있었다. 일본은 청나라에게 김옥균 시신을 조선으로 보내지 말고 일본으로 달라고 요청했다. 그런데 청은 자객 홍종우에게 시신을 넘겨줬고, 홍종우는 청나라 군함을 타고 조선으로 귀국했다. 모두가 예견했던 대로 최후는 잔인했다. 흥분한 일본 여론은 전쟁 불사를 외쳤다. 여론을 기다리던 군부는 곧바로 청과 건곤일척의 대결을 준비하기 시작했다. 조선을 둘러싼 강대국이 타오르기 시작했다.

조선 권력층은 환희작약했다. 4월 27일 고종은 이를 축하하는 특별사면령을 내렸다. 그런 축제 분위기 속에 전주성 함락 소식이 전해지고, 청나라 군사를 불러달라는 야전사령관 보고서가 도착한 것이다.

이때는 이미 민영준이 조선에 상주하고 있던 원세개를 찾아가 청나라 병사를 요청한 상태였다. 4월 28일 원세개는 이홍장에게 이렇게 보고했다.

어제와 오늘 상의하여 한성과 평양의 병사 2,000명을 파견하여 길을 나누어 가서 토벌하도록 하였습니다. 국왕은 병사가 적은데 추가로 보낼 수도 없고 또 그 병사들을 믿을 수도 없다는 것을 이유로 삼아, 논의를 거쳐 중국에게 군대를 보내 대신 토벌해 줄 것을 청하였습니다.[77]

4월 29일 원세개가 다시 이홍장에게 전보를 보냈다.

"군대를 청하는 문서는 어제 이미 작성했지만 전황을 봐서 정식으로 보내겠다는 연락을 받았습니다."[78]

민영준은 홍계훈이 보고서를 올리기 훨씬 전인 4월 13일 고종에게 청나라 군사 요청이 상책이라고 주장한 터였다. 그날 고종과 독대한 민영준 사이에 이런 대화가 오갔다.

민영준: "적 세력이 갈수록 확대되니 이 사실을 (청나라에) 전보로 연락하여 원병을 요청하는 것이 사리에 맞을 것 같습니다."
고종: "대신들과 잘 상의하여 처결하는 것이 옳은 일이다."
민영준: "이미 원세개와 밀약을 했으므로 번거롭게 비밀 자리를 마련하지 마시고 대신을 불러 물어보는 것이 어떻겠습니까?"
고종: "옳은 말이다."[79]

이어 14일 열린 회의는 1년 전 보은 집회를 둘러싼 회의 재판이었다. 대신들은 전원 반대했다. 18일 또 회의가 열렸다. 고종은 "기회를 잘 봐서 충주 장호원에 있는 새 궁궐[80]로 피란하는 게 어떤가"하고 물었다. 대신들은 일제히 "크게 옳지 않은 일입니다"라고 하였다.[81] 하지만 고종은 포기하지 않았다. 민영준은 다시 4월 22일(혹은 23일) 원세개를 만나 원병을 재차 촉구했다.[82]

민영준과 원세개의 비밀회담

민영준: "상국上國과 소국小國은 통양일체(痛痒一體·아픔과 가려움을 함께 함) 사이이다. 위급한 조짐이 있다면 오로지 대인大人이 원조해 주는 후의를 믿을 뿐이다."
원세개: "귀국 문무관 중 토벌하는 재주가 있는 사람이 오직 홍계훈뿐인가."

민영준: "저 난적들이 싸우려들지 않기에 그렇게 된 것이다."

원세개: "장수라는 자는 하루 종일 걱정 근심 외에 하는 일도 없이 겁만 집어 먹고 군대를 진군시키지 않았다. 도적들이 10리 간에 있다고 하면 금방 진군을 멈추어 추격하지 않으니, 어찌 도적을 물리칠 수 있겠는가?"

민영준은 말없이 고개를 숙였다. 그러자 원세개가 큰소리로 답했다.

원세개: "나로 하여금 군사를 지휘하게 한다면 닷새 안에 평정할 것이다."

4월 30일 다시 회의가 열렸다. 조정 대신들은 여전히 원병은 불가하다고 반대했다. 민영준이 이렇게 고종에게 말했다.

"탐관오리가 어디에 있나이까. 인심이 거칠어져 모두 억울하다고 스스로 말하고 있는 것입니다. 지금 동학도라고 하는 자들은 모두 난민이요 망명자일 뿐입니다. 이들을 설득하는 데 그치고 죽이지 않는다면 이야말로 악을 조장하는 것이 되옵니다. 폐하께옵서 만일 치안을 도모하여 기강을 바로잡으시기를 원하신다면 속히 외국 군대를 빌려서 이들을 초멸剿滅하는 것이 옳습니다."[83]

일본 기록에 따르면 이날 여러 대신들은 고종에게 청군을 요청하면 일본군도 출병한다며 원병을 극구 반대했다.

여러 대신들은 '만일 청군淸軍이 오면 일군日軍 역시 올 것이다. 두 나라 군대가 조선에 주둔해 충돌하게 되면 그 해를 입는 것은 오로지 조선뿐'이라고 하면서 이의를 주창하였다.[84]

즉, 청군을 부르게 되면 자동으로 일본군도 조선에 출병한다는 사실을 고종 이하 조선 정부 각료들은 모두 알고 있었다는 뜻이다. 이미 9년 전 청일 양국 사이에 '조선 출병 때는 청일 양국이 서로에게 통보한다'는 조항을 담은 천진조약이 체결된 상태였고, 이 사실을 조선 정부는 분명히 알고 있었다.[85] 그런데 회의 말미에 고종이 내린 명은 원병 요청이었다.

> "반대 논의도 좋기는 하지만 장차 벌어질 일을 헤아릴 수가 없고 모든 대신들이 마땅히 원병을 청해야 한다고 하니 청관淸館에 이를 속히 알리도록 하라."

고종은 이날 참의 내무부사 성기운成岐運을 보내 원세개에게 청병 문서를 전했다. 차병借兵을 요청한 주체는 독판교섭통상사무(외무부장관) 조병직이었다.[86]

반대의견이 모조리 무시된 채, 마침내 조선 정부는 공식적으로 청나라에 원병을 요청하고 청나라는 이를 수락하였다. 다음은 청나라 북양대신 이홍장이 청나라 총리아문에 보낸 그 청병 및 수락 기록이다. 또박또박, 가급적 소리내서 읽어보도록 하자. 고종과 민씨가 조선 백성을 어떻게 도륙하기로 마음먹었는지 눈을 크게 뜨고 보도록 한다. 고종이 보낸 청병 문서는 청과 일 양국 기록에 남아 있다.

이홍장이 총리아문에 보냄
광서 20년(1894) 5월 1일 진시(辰時·7~9시)
원세개가 4월 30일 월라드에 전보를 보내어 아뢰기를, "조금 전에 조선 정부의 문서를 받고 열어 보니,

'폐국弊國 전라도 관할 태인과 고부 등 현은 민풍民風이 사납고 성정이 음험하고 간사하여 평소 다스리기 어려운 곳이라고 일컬어지는 곳입니다.

몇 개월 사이에 동학에 붙은 교비敎匪 만여 명이 현읍 10여 곳을 함락시켰고 북으로 잠입하여 전주성을 함락시켰습니다. 전에 군사를 파견했지만 교비들은 죽음을 불사하고 싸워 연군이 패배하여 잃어버린 총포 등 무기가 다수에 이르렀습니다.

이 흉악하고 완고한 자들이 오랫동안 소란을 피우면 특히 우려할 만한데 한성과 거리가 겨우 사백 하고도 수십 리 떨어진 곳에서 북으로 잠입하도록 내버려 둔다면 경기지역이 요동을 칠 것이니 손실이 적지 않을 것입니다.

게다가 새로 훈련시킨 폐국 부대는 현재의 인원이 겨우 도성을 지킬 만할 뿐이고 또한 아직 전투를 치른 경험도 없으니 흉악한 구적寇賊을 섬멸시키는 데 쓰기 어렵습니다. 만약 오랫동안 만연하면 청에 많은 근심거리를 남기게 될 것입니다.

임오년과 갑신년에 폐국에 두 차례 내란이 일어났을 때 모두 중국 병사들이 평정해 주었습니다. 청컨대 번거롭더라도 귀 총리(總理·원세개)가 신속히 북양대신에게 전보를 보내면 몇 개 부대를 보내어 속히 와서 대신 토벌케 하고 폐국 병사들로 하여금 군무軍務를 익히게 하여 도움이 되도록 하고자 합니다.

사나운 교비들이 섬멸되기를 기다려 즉각 철수를 청할 것이며 감히 계속 머물러 지켜 주기를 청하여 천조天朝 병사들이 외지에서 오랫동안 피로케 하지 않을 것입니다.

아울러 청컨대 귀 총리가 조속히 적절하게 조력할 방안을 강구하여 급박한 형세를 구원하기를 절실하게 기다립니다'라는 내용이었습니다"라고 하였습니다.[87]

　　　　　　　　　　　　　　　　　　　　　매국노 고종

여기까지가 자기네 탐학을 못 견디고 일어난 백성들을 외국 군사를 불러들여 진압하게 된 경위다. 실록에 정부에서 '비밀리에' 원세개와 의논하고 청나라 조정에 구원을 청하였다라고 적힌 이유다. 자기 목숨을 나라보다 소중하게 생각한 고종과 민영준이 나라를 속이며 저지른 짓이었다.

이틀 뒤 5월 14일 밤 혼자 말을 타고 찾아간 원세개에게 민영준이 이렇게 말했다.

"다행히 천병天兵이 와서 위세를 떨쳐 적이 풍문을 듣고 간담이 서늘하여 겁을 먹게 되었다. 경군이 용맹할지라도 미친 벌[狂蜂광봉]과 궁한 개떼[窮狗궁구]가 어찌 또 독毒이 없겠는가. 오늘 흩어진 것은 오로지 천병이 왔기 때문이니 이 황은皇恩은 모두 대인大人이 진력한 덕택이다."**88**

가렴주구를 견디지 못하고 민영준 심장을 노리며 죽창을 든 백성을 민영준은 '미친 벌떼'와 '궁한 개떼'라고 불렀다. 그가 원세개에게 바친 찬사는 공치사가 아니었다. 자기 목숨과 재산 부지를 위해 고종과 합심해 외국 군사를 불렀고, 대학살극을 연출한 끝에 그는 살아남았다.

대원군이 만든 모든 군사를 쇠락시키고 기껏 남은 군사는 궁궐 수비대로 전락시켰으니 '폐국 부대는 현재의 인원이 겨우 도성을 지킬 만할 뿐'이었다. 그 초라한 군사력이 한두 해가 아니라 이미 1873년 친정 초기부터 벌어진 일이었으니 군사 없는 조선은 '임오년과 갑신년에 폐국에 두 차례 내란이 일어났을 때' 도움을 또 받아야 했다.
무엇보다 주체할 수 없을 정도로 막대한 권력으로 저질러놓은 민씨와 고종 정권의 부패상이 동학혁명의 원인이었으니, 고종과 민씨 정권이 무

경복궁 근정전. 19세기 말 조선 왕국은 국내외로 풍전등화, 침몰 일보 직전이었다.

슨 수단을 써서라도 백성을 압살해야 했음은 당연했다. 그렇지 않으면 나라는 살지언정 권력은 멸망했을 테니까.

그들은 백성을 무엇으로 보았는가

전주성이 함락되기 전인 4월 4일 전현직 대신 전원이 참석한 회의가 열렸다.[89] 좌의정 조병세가 고종에게 단도직입적으로 물었다.

"백성들이 쪼들리고 억울하여 무리지어 호소하려다가 이렇게까지 된 것인데 언제 한 가지 폐단이라도 제거하고 한 가지 고통이라도 바로잡아서 백성의 실정에 부응한 적이 있습니까?"

고종이 남 일처럼 답했다.

매국노 고종

"탐욕스럽고 포악한 정사를 견뎌내지 못하여 그런 것이다."

조병세가 말을 이었다.

"오늘 백성들은 극히 불쌍합니다. 네 칸짜리 초가집이 있는 사람은 1년에 100여 냥을 바치고 5, 6마지기 토지를 가진 사람은 4석이 넘는 조세를 바치니 입에 풀칠도 할 수 없게 되어 궁색하기 짝이 없습니다. 백성들이 안착하여 생업을 즐기게 된다면 어찌 뛰어다니며 소란스럽게 호소하는 지경에 이르겠습니까? 크게 고치고[大更張대경장] 크게 조치를 시행하지 않으면 효과가 없을 겁니다. 또 전라도에서 온 전보에, '전라감영 군사와 고을 포수를 동원한다'고 하였습니다. 이미 이런 군사들이 있는데 무엇 때문에 중앙 부대를 자꾸 내려 보내겠다는 겁니까?"

고종이 '탐욕스럽고 포악한 정사'라고 한 답에는 이미 260명 넘게 팔도에 깔려 있는 민씨 성을 가진 수령들도 포함돼 있었다. 하지만 고종은 그 무리들을 척결할 마음은 없었다. 오히려 그는 늘 해오던 방식 그대로 대신들과 공식 석상에서 논의를 하는 대신 비선조직을 동원해 뒤에서 자기 고집을 관철시키려 애를 쓰는 중이었다. 그 비선조직은 자기 수족처럼, 자기 혀처럼 움직이는 운명공동체 민씨 집단이었고.
5월 12일 비선조직을 동원한 끝에 청나라 군사를 청병하는 데 성공한 고종은 호남과 호서 백성에게 담화문을 발표했다.

'천도天道는 어기고 간사하고 망령된 행동을 하면서 죽어도 깨달아 뉘우치지 않는 사람은 모두 죽여서 제거하고 베어서 없애지 않을 수 없다.'

까불면 죽인다는 협박이었다. 담화문 끝 문장은 '관원들은 직분을 지키면서 백성을 침탈하지 말고 백성은 관원을 모욕하지 말며 후회하는 일이 없도록 하라'였다.[90] 담화문 어디에도 모순에 대한 해결책은 없었다.

원로 김병시의 작심 발언과 벗겨진 고종의 가면

5월 20일 열린 회의에 영돈녕부사 김병시가 참석했다. 나이 예순두 살인 김병시는 벼슬로 보나 연륜으로 보나 궁내 최고원로였다.

"이들은 모두 본디 양민들이었습니다. 괴로움을 참지 못하고 그 원망을 호소하고자 모였습니다. 그럼에도 수령들은 그들을 도적으로 지목해 무력으로 위협하니 저들은 살 방도를 도모하고자 무리를 모아 창궐하는 거사에 이르렀습니다. 이를 난역으로 규정해 군사를 낸 것도 이미 경솔한 행위인데, 청국에게 구원을 요청한 것은 더 큰 실수입니다."

김병시가 말을 이었다.

"지금 다른 나라 군사를 요청한 것은 우리나라 백성을 모두 죽이는 것이니 어찌 이런 일이 있을 수 있습니까? 사관이 이를 기록해 후세가 보게 되면 뭐라고 하겠습니까?"

그러자 고종이 이렇게 대꾸했다.

"참으로 그렇구려!"

성 연 의
"誠然矣!"

참으로 그렇구려? 분통이 터진 김병시가 목소리를 높였다.

"어찌 이런 나라가 있습니까!"**91**

녕 유 여 차 국 호
"寧有如此國乎!"

호통에 놀란 고종 입에서 엉겁결에 자백이 튀어나왔다.

"용인用人, 군정軍政, 재정財政을 바로잡지 않을 수 없다. 위난危難한 시기가 닥쳤으니 마땅히 서둘러 개혁해야 한다."

군사, 경제 그리고 인력. 친정 선언 이후 그가 저지른 모든 과오가 고종 입에서 튀어나온 것이다. 그러자 김병시가 직설적으로 답했다.

"폐단은 폐단이 일어날 때마다 바로잡아야 하는 겁니다!"

김병시가 작심하고 말을 이었다.

"다들 임금이 만든 친위부대는 개인금고라고들 합니다. 그래서 각 해당 군영이 예산을 짜는 것도 허락되지 않습니다. 이를 탁지부에서 관리하라고 하면 '임금께서 편하게 쓰려고 이렇게 만들었다'고 답합니다. 왜 이렇게 하십니까."

또 고종이 유체이탈 화법으로 답했다.

"각각 명목이 있는데 어찌 (내가) 사적으로 사용할 수 있겠는가?"

김병시가 바로 말을 받았다.

"나라 살림이 어렵고 궁색한 것도 500년 이래 처음 있는 일이니, 씀씀이에 절도가 없기 때문입니다."

고종이 답했다.

"내 일찍이 남용한 적 없다."

또 김병시 입에서 일갈이 터져 나왔다.

"남용한 적이 없는데 어찌 이 지경에 이르렀습니까!"

모두가 원인을 알고 있었다. 해법도 모두가 알고 있었다. 하지만 권력을 마음껏 누리던 그 누구도 해법을 제시하려 하지 않았다. '해법^{解法}'은 해체를 뜻했고, 해체는 자기네 권력 박탈을 뜻했다.

일본의 참전과 대학살

9년 전인 1885년 양력 4월 16일 청나라 천진에서 이홍장과 일본 이토 히로부미가 '천진조약'을 맺었다. 그 전해 갑신정변을 계기로 맺게 된 이

조약에는 '조선에 한쪽이 출병하게 되면 반드시 다른 한쪽에게 문서로 통보한다'는 조항이 들어 있었다. 조선 지배권을 둘러싼 상호 견제 장치였다.

이에 따라 이홍장은 1894년 조선 출병 사실을 주일본청국공사를 통해 일본에 통보하고 5월 4일 선발대 1,500명을 시작으로 아산만을 통해 조선에 진군했다. 일본은 천진조약을 근거로 들며 공동 출병을 선언했다. 사흘 뒤인 5월 7일 오오토리 게이스케大鳥圭介 주한일본공사를 선두로 일본 육전대陸戰隊 400명 병력이 인천으로 상륙해 서울로 진입했다. 5월 13일 육군 소장 오시마 요시마사大島義昌가 이끄는 전시혼성여단 보병 3,000명과 기병 300명이, 다음날 보병대대 1,024명이 각각 인천과 부산으로 상륙했다.[92] 사흘 뒤 보병대대 1,024명이, 15일에는 2,700명이 계속 인천에 들어왔다. 5월 14일 이 소식을 들은 원세개가 민영준에게 큰소리쳤다.

"일본은 동방의 좁은 소국이다. 일본이 믿는 것은 무슨 강대함이며 의지하는 것은 무슨 힘인가? 일본이 군사 만 명으로 싸우면 우리는 2만 군사로 대적하고 10만 군사를 이끌고 와서 싸운다면 우리는 20만군으로 대적할 것이다."[93]

원세개가 민영준에게 큰소리치는 사이 청나라 북양대신 이홍장은 이렇게 상부에 보고했다.

조선 정부가 비록 어리석고 약하다 하나, 어찌 일본이 능히 다시 바꾸어 시험할 수 있습니까? 통탄스러운 일입니다.[94]

6월 23일(양력 7월 23일) 소장 오시마가 지휘하는 일본군 2개 대대가 영추문을 통해 경복궁으로 난입했다. 대대장 야마구치가 건청궁에 있던 고종에게 칼을 들이밀었다. 고종은 저항하는 궁궐 수비대에게 무장 해제를

청일전쟁 서해해전을 그린 일본 목판화. / 안산어촌민속박물관

명했다.[95] 일본군은 무기고에 있던 조선군 무기를 효창동에 있는 여단 사령부로 옮겼다. 크루프 산포 8문, 개틀링● 기관포 8문, 모젤, 레밍턴, 마르추 소총 2,000정, 화승총과 활 다수, 군마 14필.[96] 전 세계적으로 보기 드문 명품 무기들이었다.

이틀 뒤 아산만 풍도 앞바다를 항해하던 청나라 군함 고승호가 일본 함대에 격침됐다. 일주일 뒤인 양력 8월 1일 일본이 청에 선전포고를 했다. 청일전쟁이 개시됐다. 주요 전투장은 한반도였다. 청은 일본에 참패했다.

청나라 병사를 대신해서, 일본군이 동학군 토벌을 책임졌다. 고종이 보낸 조선 관군과 일본군은 합동으로 농민들을 토끼몰이 하듯 박멸해나갔다. 최후의 전투는 공주 우금치전투였다.

농민군이 우금치를 향해 접근하는 사이, 이미 일본군과 관군은 고개를 둘러싼 능선 30리에 포진하고 대기 중이었다. 11월 9일 공주 관문 우금치에서, 관군과 일본군이 고개 양쪽에서 대포를 쏘는데, 한 방에 수백 명이 쓰러졌다. 그때 수백 명 동시 살상능력이 있는 무기는 자동화포, 회선

● 분당 400발을 발사하는 미국산 다연발기관총

매국노 고종

포回旋砲밖에 없었다. 회선포는 미국산 개틀링 기관총이다. 분당 400발 발포능력이 있는 총이다. 순식간에 고개는 '시체의 산이요 피의 바다[屍山血海시산혈해]'로 변했다.

삼면이 모두 산으로 둘러싸여 있고 한 방면만이 적병에게 열려 있었다. 산 뒤쪽으로 오른 후 일시에 불을 피우도록 약속하여 순식간에 하나의 화성火城이 되었다. 관군이 총을 쏘고 둘러싸고 공격하여 적병을 무수히 죽였다. 우금치와 견준봉 사이에 이르러 산허리에서 나열하여 일시에 총을 발사하고 다시 산속으로 은신하였다. 적병이 고개를 넘으려고 하자 또 산허리에 올라 일제히 발사하였는데 4, 50차례를 이와 같이 하였다. 시체가 쌓여 산에 가득하였다. 관군이 일본병사 사이에 나열하여 탄환을 발사하는데 오차가 없었다.[97]

관군 좌선봉장 이규태에 따르면 동학군은 '몇 만 무리가 길이 있으면

남원에 있는 교룡산성 입구. 동학 창시자 최제우가 이곳에서 교리서를 집필했고 동학혁명 때는 혁명군이 이곳에 주둔하기도 했다.

쟁탈하고 높은 봉우리가 있으면 다투어 점거하여 동쪽에서 소리를 내고 서쪽으로 가며 좌측에서 번쩍 우측에서 번쩍하고 깃발을 휘두르고 북을 치면서 죽음을 무릅쓰고 먼저 오르며' 결사적으로 전투를 벌였다. 이규태가 '이를 생각하면 뼈와 마음이 떨린다'고 회상할 정도였다.[98]

하지만 거기까지였다. 대량살상무기로 중무장한 조-일 연합군에게 동학군은 30초당 한 발을 발사하는 화승총으로 대항했다. 탄환을 맞아도 죽지 않는 부적을 붙이고 남색 깃발을 든 신동神童을 앞세워 달려들었다.[99] 무리를 지어 한꺼번에 고개마루로 진격했으니 기관총 사격에 속수무책이었다. 결국 동학군은 '수만 명이 고개를 넘어왔지만 사방으로 흩어져 짐승처럼 도주했다.'[100] 전투가 아니라 학살이었다. 퇴각한 잔여 병력은 전남 장흥 석대들 벌판에서 전멸했다.

모두 사면된 민씨들과 조병갑

대원군 시대 10년을 제외하면 고종 정권은 자그마치 34년이다. 그 긴 세월에 나라를 뜯어고치고 똑바로 직진할 수 있는 기회가 여러 차례 있었다. 그 모든 기회를, 탐욕심 놓기를 거부한 고종은 발로 차 버렸다. 동학도 마찬가지였다. 자기 백성이 외국군에 의해 학살당했음에도 그 지도자는 정신을 차리지 못했다. 청나라 군사가 아산만에 입항하고 며칠 뒤 고종이 명했다.

"죄인 조병갑은 횡령만 아니라 학정도 많으니 더 엄하게 조사해 멀리 귀양 보내라."[101]

백성을 잔인하게 학대한 탐관오리를 고종은 과연 진짜 벌했을까.

공주 우금치 꼭대기에 있는 동학혁명군 위령탑. 혁명군은 우금치전투 패전을 계기로 전의를 상실했고
혁명도 무산됐다.

　전남 고금도로 유배됐던 조병갑은 1년 2개월 뒤인 1895년 7월 3일 다
른 탐관오리 259명과 함께 석방됐다. 실록에 기록된 석방된 자들 가운데
에는 민영준閔泳駿, 민영주閔泳柱, 민형식閔炯植, 민병석閔丙奭, 민응식閔應植, 민영
순閔泳純도 포함돼 있었다.[102]

　민영준은 앞서 말한 바와 같고, 민영주는 민형식과 함께 민씨 세 도둑
으로 지명된 사람들이다.[103] 민병석과 민응식은 1885년 이후 고종이 설
치한 '내무부' 독판을 역임한 부패 실세였다.[104] 민병석은 평안감사 시절
저질 재료로 당오전을 찍어내 백성을 괴롭히는가 하면 30만 냥을 고종에
게 바쳐 외조카를 과거급제시킨 오리汚吏였다.[105] 민응식은 임오군란 때 충
주 장호원에 있는 자기 집으로 민비를 피신시켜 출세한 고종 척족이었으
니, 부패한 전원과 부패한 구체제가 전부 부활한 것이다.

　풀려난 조병갑은 1898년 양력 1월 2일 대한제국 법부 민사국장에 임
명됐다. 1898년 7월 18일 동학 2대 교주 최시형이 고등재판소에서 사형
선고를 받았는데, 그때 재판부 판사가 고부에서 쫓겨난 조병갑이었다.[106]
분노한 김병시 말처럼, 이게 나라며 이게 나라 지도자인가.

[주석]

1   서상욱은 민영환의 외가쪽 조부 항렬이다. 황현이 착오를 한 듯하다.

2   황현, 『매천야록』 3권 1901년② 34.「이근호 등 관찰사 제수와 고종의 관직 매매」

3   김종원,「임오군란연구」,『국사관논총』 44집, 국사편찬위원회, 1993: '입성'이라는 말이 눈에 띈다. 당시 한성은 사대문 안쪽이 공식적 도시 구역이었다. 그리고 왕십리는 '성저십리'라 불리는 성곽 바깥 구역으로, 빈민 거주지역이었다. 달리 말하면, 임오군란은 군인의 폭동이 아니라 빈민의 반란이다.

4   황현, 『매천야록』 1권 1894년 이전⑨ 1.「임오군란의 발발」

5   황현, 『매천야록』 같은 단락.

6   박주대, 『나암수록(羅巖隨錄)』[[한국사료총서 제27집, 국사편찬위원회(이하 생략)] 162.「선혜청분요(宣惠廳紛擾)」

7   박주대, 앞 책 같은 단락.

8   황현, 『매천야록』 1권 1894년 이전④ 3.「고종, 민비의 유연(遊宴)과 매관매직의 발단」

9   황현, 『오하기문』, p.55

10   조민,「고종의 도당정치: 왕권 유지를 위한 독주」,『동양정치사상사』 제2권 1호, 한국동양정치사상사학회, 2003

11   황현, 『오하기문』, p.72

12   황현, 앞 책, 같은 단락.

13   황현, 『매천야록』 2권 1894년① 19.「궁중의 아리랑 타령」

14   황현, 『매천야록』 1권 1894년 이전⑥ 20.「고종의 곡연유희(曲宴遊戲)」

15   진령군에 관해서는 2017년 8월 10일 『조선일보』「박종인의 땅의 역사」 86. 국정을 농단한 무당 진령군(眞靈君)과 2019년 6월 12일 『조선일보』 박종인의 땅의 역사 168.「나라를 가지고 놀았던 법부대신 이유인의 일생」을 참조할 것.

16   1894년 고종 31년 7월 5일 『고종실록』

17   1898년 고종 35년 3월 30일 『고종실록』

18   황현, 『오하기문』, p.86

19   황현, 『오하기문』, p.92

20   황현, 『매천야록』 1권 1894년 이전⑤ 7.「안효제가 진영군의 주살을 간청」

21   황현, 『오하기문』, p.72

22   황현, 『매천야록』 1권 1894년 이전⑮ 6.「망나니 민영주의 급제」

23   황현, 『오하기문』, p.92

24   『주한일본공사관기록』 1권 2.전라민요 보고 궁궐내 소요의 건 2 (25)「일·청 양국군 내한에 따른 국내외 탐정 보고」 1894년 6월 12일

25 『갑오실기』(동학농민혁명 자료총서, 국사편찬위원회) 갑오년 5월

26 『주한일본공사관기록』9권 3.기밀본성왕래 1,2 (63) 「안경수와의 대화 내용 보고(1)」 1896년 11월 22일

27 『삼천리』제10권 10호, 「민씨가 비극, 일천만원 골육소(骨肉訴)」 1938년 10월 1일

28 황현, 『매천야록』1권 1894년 이전⑬ 8.「고종의 실언」: 황현은 이를 '실언'이라고 제목을 붙였으나, 절대 실언으로 생각되지 않는다.

29 황현, 『매천야록』1권 1894년 이전⑮ 3.「남정철과 민영준의 아부」

30 황현, 『매천야록』1권 1894년 이전⑮ 4.「감사 김규홍과 김명진 등의 진상물」

31 황현, 『매천야록』3권 1903년① 49.「군수 매매와 영호남지방 수령을 욕심내는 이유」

32 황현, 『매천야록』1권 1894년 이전⑤ 21.「과거매매」

33 황현, 『매천야록』3권 1900년③ 61.「청국공사 서수붕(徐壽朋)의 귀국」

34 황현, 『오하기문』, p.73

35 1883년 고종 20년 2월 18일 『고종실록』

36 1883년 고종 20년 7월 13일 『승정원일기』

37 김윤식, 『운양집』권7 議(의), 十六私議 第二. 錢幣

38 황현, 『오하기문』, p.73

39 이헌창 엮음 『조선후기 재정과 시장:경제체제론의 접근』, 서울대학교 출판문화원, 2010, p.7

40 이영훈, 『한국경제사』1, 일조각, 2016, p.626

41 1888년 고종 25년 3월 2일 『고종실록』

42 1890년 고종 27년 4월 18일 『고종실록』

43 1891년 고종 28년 11월 22일 『고종실록』

44 1902년 고종 39년 5월 14일 『고종실록』

45 1901년 고종 38년 11월 14일 『고종실록』

46 『각부원래첩』5책, 「1902년 9월 4일 탁지부 임시서리가 내장원경에 보내는 조회」 등: 김재호, 「대한제국기 황실의 재정지배: 내장원 외획을 중심으로」, 『경제사학』, 28권, 경제사학회, 2000 재인용

47 황현, 『매천야록』3권 1901년② 28.「탁지부와 내장원의 재정」: 『매천야록』에는 이 사건이 '1901년' 항목에 기록돼 있는데, 공식 기록에 따르면 이는 1902년 9월 4일이다.

48 황현, 『오하기문』, p.93

49 황현, 『매천야록』4권 1905년① 23.「미국공사 모건의 부임」

50 황현, 『매천야록』1권 1894년 이전 11.「조헌과 김집의 문묘배향」

51 윤치호, 『국역 윤치호영문일기1』1884년 양력 1월 18일

52 1873년 고종 10년 11월 3일 『고종실록』

53 같은 날 『고종실록』

54 1874년 고종 11년 2월 13일 『고종실록』

55 1874년 고종 11년 5월 5일 『고종실록』

56 김평묵, 『중암선생문집』권38 잡저 「척양대의斥洋大意 1876년 정월」:萬一和成之後 黜善遺種 麟亮餘孽 因民之不忍 奮戈一呼而陷城犯闕 則臣民之輿之交好 宗師耶蘇者 皆洋賊之血黨 遺親後君者也 其有失死而不入於彼者 又皆抑鬱痛怨而讐視君相者也 畢竟簒奪之變作 朝廷之局換 而西人則一網打

盡矣 西人殲盡 則栗尤諸賢削其爵諡 黜于文廟 而黑水之鬼 巍然爲大宗師矣 黑水爲大宗師 則程朱之
說 無復一人公誦者矣 華西先生 誓謂國之存亡猶小事者 盖爲此也

57 1881년 고종 18년 5월 15일 『고종실록』

58 1882년 고종 19년 7월 20일 『고종실록』

59 1882년 고종 19년 7월 22일 『고종실록』

60 1882년 고종 19년 8월 5일 『승정원일기』

61 김윤식, 『운양집』 9권 어제대찬(御製代撰) 「죄기윤음(罪己綸音) 1882년 7월」

62 김옥균, 『갑신일록』(1885), 건국대학교출판부, 1979, p.100

63 김윤식, 『운양집』 9권 어제대찬(御製代撰) 「상참윤음常參綸音 1884년 12월」

64 1884년 고종 21년 11월 30일 『고종실록』

65 1886년 고종 23년 7월 29일 『고종실록』

66 황현, 『매천야록』 1권 상 1894년 이전⑦ 8. 「고종의 노론 자처」

67 1899년 고종 36년 양력 4월 27일 『고종실록』

68 1906년 고종 43년 양력 4월 15일 『고종실록』

69 『갑오실기』(동학농민혁명 자료총서, 국사편찬위원회) 갑오년 5월 20일

70 고종이 자기 의지를 밝힐 때는 '항상' 이런 식이었다. 자기 의견을 던진 뒤 관료들 눈치를 보며 딴 말을 덧붙여가며 끝까지 의사를 관철하는 유체이탈 화법의 대가였다.

71 청 황실에 반기를 든 '태평천국의 난'(1850~1864) 진압 때 영국군과 프랑스군이 토벌군으로 참전했다.

72 『동학난기록』하(한국사료총서 제10집) 「전봉준공초」

73 『동학난기록』상(한국사료총서 제10집) 「보은 관아 통고(報恩官衙通告)」 中 「선무사 장계」: '민당 집회장에 가서 반복해서 선유하였다(馳往民黨聚會處 宣諭反覆).'

74 1894년 고종 31년 5월 1일 『고종실록』

75 『주한일본공사관기록』 1권 2.전라 민요 보고 궁궐내 소요의 건 2 (25) 「일·청 양국군 내한에 따른 국내외 탐정 보고」 1894년 6월 12일

76 『주한일본공사관기록』 1권 1.전라 민요 보고 궁궐내 소요의 건 1 (19) 「동학당에 관한 보고 5월 27일 접수 탐보: 초토사 홍계훈의 보고」 1894년 5월 27일

77 『이홍장전집』 G20-04-034(동학농민혁명 신국역총서 9, 동학농민혁명기념재단p.105, 106): 광서 20년(1894) 4월 28일 유시(酉時, 17~19시) 이홍장, 총리아문에 보냄

78 『이홍장전집』 G20-04-037(동학농민혁명 신국역총서 9, p.108): 광서 20년(1894) 4월 30일 진시(辰時, 7~9시) 이홍장, 총리아문에 보냄

79 『주한일본공사관기록』 1권 1.전라 민요 보고 궁궐내 소요의 건 1 (14) 「청국(淸國)에의 원병 요청 논의 중지 건」 1894년 5월 22일

80 1882년 임오군란 때 민비가 피란했던 장호원에 만들어놓은 행궁으로 추정된다.

81 『주한일본공사관기록』 1권 1.전라 민요 보고 궁궐 내 소요의 건 1 (14) 「청국(淸國)에의 원병 요청 논의 중지 건」 1894년 5월 22일

82 『주한일본공사관기록』 1권 8.제방기밀신 2 (5) 「전라도 난민진정을 위해 청국 정부에 원병을 청한 건」

83 『주한일본공사관기록』 3권 4. 동학난과 청일관계 3 (2) 「조선 정부에서 청국에 원병을 청한 문제」 1894년 6월 21일

84 『주한일본공사관기록』 3권 4.동학난과 청일관계 3 (2) 「조선정부에서 청국에 원병을 청한 문제」 1894년 5월 3일

85 1885년 고종 22년 3월 4일 『고종실록』

86 『고종시대사』 3집 1894년 고종 31년 4월 30일

87 『이홍장전집』 G20-05-001(동학농민혁명 신국역총서 9, p.110)

88 『주한일본공사관기록』 3권 1.통상보고 부잡건 (13) 「일본군대 입경에 관한 한국조정 및 경성 내 상황 탐보」 1894년 6월 20일

89 1894년 고종 31년 4월 4일 『고종실록』

90 1894년 고종 31년 5월 12일 『고종실록』

91 『갑오실기』(동학농민혁명 자료총서, 국사편찬위원회) 갑오년 5월 20일

92 「동학농민혁명 연표」(국사편찬위원회)

93 『주한일본공사관기록』, 위 탐보.

94 『이홍장전집』 G20-05-076(동학농민혁명 신국역총서 9, p.163, 164): 광서 20년(1894) 5월 14일 술시(戌時, 19~21시)

95 1894년 고종 31년 6월 21일 『고종실록』: 나카츠카 아키라(中塚明), 『1894년, 경복궁을 점령하라!(원제: 歷史の僞造をただす戰史から消された日本軍の「朝鮮王宮占領」) (1997)』, 박맹수 옮김, 푸른역사, 2002, p.77

96 국역 『경성부사(경성부, 1934)』, 서울역사편찬원, 2012, p.585

97 구완희, 『공산초비기(公山剿匪記)』(동학농민혁명 국역총서9, 동학농민혁명기념재단)

98 이규태, 『선봉진일기(先鋒陣日記)』 갑오 11월 16일 원보장

99 황현, 『오하기문』, p.150

100 이규태, 『선봉진일기(先鋒陣日記)』 갑오 11월 16일 관보

101 1894년 고종 31년 5월 4일 『고종실록』

102 1895년 고종 32년 7월 3일 『고종실록』

103 '5장. 건달놀이' p.103 참조

104 '5장. 건달놀이' p.135 참조

105 『대한계년사』(한국사료총서 제5집) 상 高宗皇帝 二十八年 춘정월

106 「최시형 등 4명 판결선고서」(동학관련판결선고서, 동학농민혁명기념재단: www.e-donghak. or.kr)

4부

잃어버린 태평성대

1895~1904

9장

갑오개혁의 좌절

반동의 시작

"작년 6월(양력 8월) 갑오개혁 이후 나온 칙령과 재가 사항은 어느 것도
내 의사에서 나온 것이 아니기 때문에 모두 철회한다."**1**

– 1895년 6월 25일 고종

낭비당한 10년

동학혁명은 백성을 위한 나라를 만들겠다고 백성 스스로 일어선 혁명
이었다. 혁명을 좌절시킨 세력은 개혁 대상인 고종-민씨 연합 정권이었
다. 동학 진압에 개입한 일본군은 민란 진압과 동시에 고종 정권까지 진
압해버렸다. 고종-민씨 척족이 생각하지 못했던 결과였다. 그리고 조선
내 온건개혁파는 일본에 의지해 고종이 끝까지 거부해온 개혁에 착수했
다. 이게 이른바 갑오-을미개혁이다.

개혁은 구속이다. 개혁 주체도 고난이지만 그 대상에게는 지옥 같은
일이다. 고종 정권은 구속을 거부했다. 복잡하고 막무가내인 권력투쟁 끝
에 고종은 개혁세력을 몰아내고 권력을 회수했다. 그리고 왕비 민씨가
피살됐다. 러시아공사관으로 도주했던 고종은 황제가 되었다. 나라가 가
지고 있던 군사, 경제, 권력은 황제에게 모조리 독점됐다. 껍데기만 남은

나라는 바스락 소리를 내며 무너져 내렸다.

그 모습을 지켜보던 알렌이 말했다. '고종은 네로다.' 윤치호가 말했다 '돈 좀 그만 뜯어라.' 갑오개혁이 무산된 1895년부터 러일전쟁이 터진 1904년까지 10년을 사람들은 '잃어버린 태평성대'라고 부른다. '양심적이고 유익하게 사용했다면 미래는 변할 수 있었을 것이고 극동과 세계 역사도 상당히 변했을지 모르는'[2] 10년이다.

500년 모순 청산을 노린 갑오개혁

1894년 6월 21일(양력 7월 23일) 경복궁에 난입한 일본군 앞에 고종은 무릎을 꿇었다. 고종은 항전하는 친위대에게 무장해제를 명했다. 그 순간 민씨 정권은 타도됐다. 일본은 물러나 있던 흥선대원군을 앞세워 개혁 정부를 수립했다. 온건개혁파인 영의정 김홍집이 개혁 핵심 조직인 군국기무처 회의총재에 선임됐다.

1896년 2월 고종이 러시아공사관으로 도주할 때까지 3차에 걸쳐 진행된 이들의 개혁 조치를 갑오개혁 혹은 갑오경장이라고 한다. 조선왕조를 완전히 뒤집어엎는 혁명이었다. 비록 일본 힘에 의해, 일본 이권을 최대한 반영한 개혁이지만, 고종-민씨 정권이 누적시켜놓은 모든 모순을 한꺼번에 해결할 수 있는 개혁이었다.

군국기무처 핵심세력은 김홍집, 김윤식, 어윤중 같은 옛 친청파 온건개혁파들이었다. 민씨 척족 정권에서 상대적으로 소외돼 있던 집단이다. 이들이 내세웠던 흥선대원군 또한 반일 지향이었다. 개혁 대상인 민씨와 고종은 당연히 권력에서 철저하게 소외됐다. 개혁 수장인 김홍집은 외세에 기댄 개혁이라는 사실과, 외세에 기대서라도 악정을 바로잡아야 한다는 사실을 잘 알고 있었다.

김홍집은 모든 시책을 실질에 입각하여 동료 관리들에게 이리 말하였다. "우리들은 이미 구시대 제도를 개혁한 소인小人이 되어 청직淸直한 여론에는 죄를 지었다. 하지만 다시는 나라를 그르친 소인이 되어 후세에 죄를 지어서는 안 될 것이니 일시의 부귀만 생각하지 말고 각자가 노력하기 바란다." 이로부터 많은 사람들은 그를 이해해 주었다.[3]

조선을 질식시켰던 수많은 제도들이 폐지됐다. '의안議案'이라는 형식으로 고종에게 올려 재가를 받은 개혁 조치는 200가지가 넘었다. 과거제도가 폐지됐다. 신분제가 폐지됐다. 노비들이 해방됐다. 쌀과 옷감과 현물로 바치던 각종 세금이 돈으로 통일됐다. 갑오개혁의 시발이 된 갑오농민전쟁, 즉 동학에서 드러난 모순이 한꺼번에 풀렸다. 전 왕조인 고려 패망 이후 500년 동안 수도 한성에 드나들 수 없었던 승려들의 도성 출입도 이때 해제됐다.

무엇보다 청과의 사대 관계도 이때 청산됐다. 임오군란 때도 갑신정변 때도 실현되지 못했던 이상이었고 이대로만 됐으면 훌륭한 근대 국가로 진입할 수 있는 개혁안들이 속속 입안되고 시행됐다. 임오군란에 의해 잠깐 붕괴됐다가 청나라에 의해 재집권한 민씨 정권은 청의 속국으로 안주해 살면서 국가 독립도, 근대화도 다 팽개치고 사리사욕을 채웠다. 그 망가진 나라가 이제 재건되는 것이다.

반동의 조짐

1894년 8월 4일 군국기무처가 올린 의안 첫 조항은 이러했다.

대군주 폐하大君主陛下가 몸소 백관을 거느리고 날마다 외전外殿에 나와서 모든 정사를 친히 결재한 다음에 나라의 정사가 잘 되고 조정이 깨끗해질 수 있다. 회의하는 날에는 총리대신이 의원들을 거느리고 편전便殿에 나아가서 그날의 안건을 진주하고 시행한다.[4]

'대군주 폐하'는 그해 12월 17일 확정된 왕실 존칭 규례에 따라 '주상전하' 대신에 결정된 조선 국왕을 부르는 공식 호칭이다. 고종은 주상전하에서 이제 황제와 제후 사이에 있는 '어정쩡한' '대군주 폐하'로 격상됐다.[5]

그런데, 그 황제에 버금가는 권력자에게 개혁 정부는 '날마다 외전에 나와서 모든 정사를 친히 결재하라'고 했다. 그래야 '나라의 정사가 잘 되고 조정이 깨끗해질 수 있다'는 것이다. 한 나라 지도자라는 자가 '대궐에 등불을 대낮처럼 훤히 밝히고 새벽이 되도록 놀다가 4~5시 내지 7시경이 되면 휘장을 치고 어좌에 누워 잠을 자고 오후 3시나 4시에 일어나니'[6] 나라 꼴이 제대로 될 수가 없다는 것이다.

고종에게는, 쫓아내지 않겠으니 똑바로 하라는 비아냥처럼 들렸을지도 모른다. 하지만 그로서는 아무런 죄의식 없이 해온 수많은 나태한 행위에 불과했다. 이를 지적하는 손가락 자체가 고종 기준으로는 존엄을 해치는 행위였다. 앞으로 자신들에게 씌워질 굴레와 구속을 쉽게 수용할 리가 만무했다. 이미 한 달 전인 1894년 7월 5일 국왕 고종과 왕비 민씨는 민씨 척족 일원인 민상호閔商鎬를 청나라에 밀사로 파견했다. 소지한 밀서 내용은 이러했다.

오백여 년 동안 중국이 하사한 인물을 왜적이 수거하였으며, 십수 년 동안 구입해 병기고에 소장해 놓은 양창洋創 · 양포洋砲 등 군기軍器와 화기火器를 모두 빼앗겼습니다. 무릇 모든 정령政令은 일본이 마음대로 내어서 국왕이 능히 관여하거나 상세히 보고 받는 바가 전혀 없사오니, 천조天朝에서는 이를 명확히 하시어 단단한 충성과 정성으로 구원을 내려 주시기를 애걸哀乞하옵나이다.[7]

'일본에게 빼앗긴 것들을 국왕에게 돌려주게 도와달라고', 조선의 대군주 가족이 '애걸'을 하고 있는 것이다. 그리고 10월 7일(양력 11월 4일) 신임 일본특명전권공사 이노우에 가오루井上馨가 고종과 민비를 면담했다. 이때 이노우에가 군주권君主權에 대한 이야기를 꺼내자 두 사람은 이구동성으로 "군주가 백성을, 군주가 인민의 생명과 재산을 마음대로 탈여하는 권한이 바로 군주권"이라며 입헌군주제를 납득하지 않았다.[8]

반동의 시작

개혁이 진행 중이던 1894년 12월 16일 고종이 드디어 권력 회수에 착수했다. 첫 번째 조치는 개혁 전담기구인 군국기무처 무력화였다.

'이제부터 국정은 짐이 직접 여러 대신들과 토의해 재결하겠다. 의정부議政府를 대궐 안으로 옮기라.'[9]

군국기무처가 강요하는 개혁안은 반드시 세 정승과 토의해 수용 여부를 결정하겠다는 뜻이었다. 그리고 같은 날 고종은 아주 중요한 결정을 내렸다. 상소上疏를 금지한 것이다.

또 조칙을 내리기를,
"이제부터 만일 의견을 말한다는 핑계 아래 국시國是를 뒤흔들어 놓는 자가

매국노 고종

있으면 원소原疏는 받아들이지 말고 상소를 올린 사람은 직접 법무아문法務衙門에서 잡아다가 엄하게 징계하게 하라"하였다.

국정에 대해 자기에게 간섭하려는 상소를 원천봉쇄하겠다는 명령이었다. 상소문 자체를 읽지도 않겠음은 물론 상소를 올리는 사람은 처벌하겠다는 '소통 거부' 선언은 조선왕조 500년사에 유례가 없는 명령이었다. 이미 임오군란과 갑신정변 이후 두 차례나 강요된 반성문을 쓴 군주로서, 갑오개혁이 주는 어마어마한 구속은 더 이상 타협 대상이 아니었다.

갑오개혁이 '1차'에서 '3차'로 나뉘어 있는 이유가 있다. 갑오개혁 세력은 김홍집, 어윤중, 김윤식이 이끄는 옛 친청 온건개혁파(구파)들이다. 고종을 지지해왔던 이들이 고종을 대상으로 개혁을 추진하자, 고종은 '불구대천의 원수'였던 갑신정변 주역들(신파)을 불러들였다. 박영효와 서광범은 갑신정변 실패 후 일본과 미국에 망명 중이었다.

이들을 사면시키고 등용을 한 것이다. 소위 '정치 공작'이다. 이를 통해 고종은 정적을 분열시키고 권력 복귀를 기도했다.

과연 두 파는 크고 작은 안건마다 사사건건 충돌하며 갈등을 빚었다. 그 와중에 정권이 두 차례 바뀌면서 갑오개혁이 차수가 나뉘게 됐다. 1895년 2월, 서울 송파에 있는 삼전도비와 무악재 영은문 철거 문제를 두고 구파와 신파가 격렬하게 대립했다. 두 기념물 철거는 마지못해 동의했으나, 모화관 철거에 대해서 옛 친청파인 온건개혁파는 반대했다.[10]

두 달 뒤 군부대신 인사문제를 두고 갑오파와 갑신파, 고종이 대차게 한판 붙었다. 구파인 갑오파는 같은 파인 조희연을 밀었고 신파는 그를 반대했다. 고종도 마찬가지였다. 각각 기록을 보자.

우선 실록.

군부대신 조희연趙義淵을 본관本官에서 면직하였다.[11]

간단명료하다. 그 다음, '주한일본공사관기록'.

고종이 말했다. "군부대신 해임 명을 이행하지 않으면 군주권이 시행되지 않는다는 뜻이다. 이는 군주가 없다는 뜻이니 짐은 이 나라에 군림하기를 원치 않는다. 너희들은 마땅히 이 나라를 공화정체共和政體로 만들어야 한다."[12]

조선 주재 〈요코하마마이니치신문〉 기자였다가 일본공사관 사무관으로 일하던 스기무라 후카시杉村濬는 개인 문집에 이렇게 기록했다.

진노한 고종이 말했다. "요즘처럼 모든 정치가 내각대신들에 의해 좌지우지되면 왕은 거의 무용지물에 가깝다. 짐은 지위를 낮출까 한다. 너희들은 마땅히 공화정체를 세워 나라를 다스려라."[13]

이 상황을 황현은 이렇게 극적으로 묘사했다.

하루는 고종이 조희연에게 매우 화를 내며 그를 군부 직에서 제외하려고 하자 모든 각료들은 그는 아무 죄가 없다고 하였다. 고종은 더욱 화를 내어 "짐이 재신 하나를 물리치지 못하니 어찌 임금이라 할 수 있겠는가?"라고 하면서 어보御寶를 집어던지며 "짐은 임금이 아니니 경들이 이것을 가지고 가시오"라고 하였다. 이때 대신들은 벌벌 떨며 말을 하지 못하였다.[14]

이런 식이었다. 각 정파들을 한데 모아놓은 뒤 분란을 야기하고, 그 틈새에서 고종은 권력을 조금씩 회수해갔다. 개혁 추진 동력은 같은 속도로 꺼져갔다.

권력 회수

1895년 양력 3월 23일 청일전쟁 종전협정인 시모노세키조약이 타결됐다. 요동반도를 전리품으로 챙겼던 일본은 며칠 뒤 독일, 프랑스, 러시아 3국이 간섭해 들어오면서 요동을 반납했다. 이 꼴을 본 고종과 민씨들은 환호성을 질렀다. 일본을 약화시킬 계기가 생긴 것이다. 민비는 수시로 러시아공사 베베르를 불러 국정을 상담하고, 이완용, 이범진, 박정양, 서광범 같은 이들은 아예 친러를 선언했다.

그리고 마침내 사건이 터졌다. 왕실 근위병 교체 문제를 두고 전 대신이 교체를 반대하고 나섰다. 그러자 고종이 이렇게 선언했다. 윤5월 3일(양력 6월 25일)이다.

"작년 6월(양력 8월) 이후 칙령과 재가 사항은 어느 것도 내 의사에서 나온 것이 아니기 때문에 모두 철회한다."[15]

자기 마음대로 근위병조차 못 갈아치우는 데 나온 분통이었지만, 이날로 실질적인 개혁은 끝났다. 일본 외교 기록에 따르면 기 싸움에서 패배한 대신들은 '공포 속에 사표를 냈다.' 고종은 이날로 '군국기무처'가 진행해왔던 근대화 작업을 전면 무효화했고 민씨들이 조정으로 복귀했다. 고종 측근 조직인 궁내부는 순수한 민당閔黨, 즉 러시아당과 미국당으로

갑오개혁의 주역 김홍집(왼쪽)과 어윤중. 두 사람 모두 아관파천 직후 길거리에서 맞아죽었다. / 국사편찬위원회

단결하여 그 세력은 내각을 압도했다.[16]

대리공사로 있던 스기무라 후카시는 이를 긴급히 본국으로 보고했다. 음력 7월 15일 공석이었던 일본공사 후임에 미우라 고로三浦梧樓가 부임했다. 조정에는 다시 친일 개혁파 김홍집 내각이 성립했다. 한 달 뒤인 음력 8월 20일 미우라 고로가 지휘한 일본인들이 경복궁에 난입해 친러파 우두머리 민비를 살해했다. 위풍당당하게 권좌에 복귀했던 고종은 이듬해 2월● 러시아공사관으로 도주했다.[17] 영토는커녕 왕궁조차 수비하지 못하는 약한 군사력과 권력욕과 유약함이 손잡고 만든 치욕적인 사건이었다.

개혁을 주도했던 김홍집은 고종을 만나러 아관으로 가다가 고종이 보낸 경찰에게 난자당해 죽었다. 시신은 찢겼고 그 살점을 먹는 사람도 있었다. 탁지대신 어윤중 또한 용인에서 노중 피살됐다. 황현은 '고종이 어

● 김홍집 내각은 1895년 음력 9월 9일 '1895년 11월 17일을 1896년 양력 1월 1일로 삼는다'며 태양력을 채택했다. 이 글에서도 1896년 이후 날짜는 특별한 표기가 없으면 모두 양력이다.

매국노 고종

보를 집어던질 때 벌벌 떠는 신하들 가운데 어윤중이 홀로 일어나 고종에게 위엄을 갖추라고 했다. 훗날 아관파천 후 어윤중 살해범들을 고종이 사형에서 유배형으로 감형했다. 어윤중이 고종 비위를 거슬렀기 때문'이라고 기록했다.[18]

갑오년에서 을미년까지 이어진 갑오개혁은 정지됐다. 조선의 근대화는 아주 초라한 방식으로 멈췄다.

나라를 팔다: 아관에서의 1년

폐하는 유럽인 거류지로 부르는 정동에 머물게 된 이래로 매우 민주적인 사람이 되었다. 백성을 만나고 그들과 사적인 애기를 나누기도 하며, 매일 공사관 뜰 안을 산책하면서 이곳 생활을 즐기는 것 같았다. 이달 16일에는 폐하와 왕태자 전하는 4분의 1 마일쯤 떨어진 경운궁으로 도보로 납시어 일본제국 전권공사 고무라의 신임장을 제정받고 공사관으로 되돌아왔다.[19]

일본으로부터 벗어나기 위해 달아난 곳이지만, 고종은 무척 평화로웠다. 심지어 일본공사를 만나기 위해 경운궁까지 '걸어서' 가기도 했다. 평화로운 정도가 아니라, 모든 것을 다 내려놓은 망명군주 같은 모습을 보였다.(고종의 도주 행각은 이번 아관파천 한 번만이 아니었다. 자세한 도주 행각은 11장에서 본다.) 그런데, 자기 혼자 행복하면 그만이지만 불행하게도 그 도피생활 1년 동안 그가 한 일은 따로 있다. 1896년 2월부터 1897년 2월까지 만 1년 동안 그가 행한 나라 자산 판매 행각만 보기로 한다.

실록에 기록된 나라 판매 현황

1. 1896년 3월 29일

미국 사람 모오스Morse에게 경인철도 부설권을 허락하였다. 모오스는 이듬해 3월부터 공사를 시작하였으나 자금 부족으로 그 해 5월에 부설권을 일본 사람 시부자와 에이이치涉澤榮一 등 경인 철도 인수 조합에 넘겨주었다.[20]

2. 1896년 4월 17일

미국 사람 모오스에게 운산금광 채굴권을 허가하였다. 을미년(1895) 윤5월에 허가하였다가 조금 뒤 취소하였는데, 이 때에 와서 다시 허가한 것이다.

3. 1896년 4월 22일

러시아인 니시켄스키에게 경원慶源과 종성鐘城의 사금광砂金鑛 채굴을 허락하였다.

4. 1896년 7월 3일

프랑스 그리러 사社에 경의철도 부설권을 허락하였다.[21]

5. 1898년 9월 8일

일본인에게 경부철도 부설권을 허락하였다. 일본인이 설립한 경부철도회사의 대리인 사사키 기요마로佐佐木淸麿, 호시나가 지로乾長次郎다.

그 사이사이에 고종은 자기를 받아준 러시아에 인천 월미도 저탄소 설치(1896년 9월), 무산 압록강 유역 울릉도 삼림벌 채권(1896년 9월)을 넘겨줬다. 아관에서 환궁한 뒤에도 부산 절영도 저탄소 설치(1897년 10월),

한아은행 설치(1898년 3월)가 이어졌다. 미국에는 전기 부설권(1896), 독일에는 당현광 채굴권(1897), 일본에는 직산금광 채굴권을(1900), 프랑스에게는 창성금광 채굴권을(1901) 안겨줬다.

고종에 애정을 가진 일부 학자들은 이에 대해 열강에게 이권을 허락하고 나라 독립을 추구했다고 해석하지만, 얼토당토 않는 궤변이다. 일본에 대항해 파천을 했는데 왜 그 일본에게 철도를 주는가. 상식적인 이해가 불가능한 행동을 아무런 근거도 없이 애국적으로 해석하는 편향은 악惡이다.

이 가운데 운산금광은 이 모든 이권을 팔아먹는 시초가 된 매물賣物이었다. 운산금광은 "건드리지 말라[No Touch]!"에서 나온 '노다지'라는 말이 탄생한 곳이다. 궁내부 광무감독 이용익과 미국 변리공사 알렌이 맺은 계약서에는 '자본 가운데 25%를 궁내부를 통해 대군주에게 진상한다'고 돼 있다. 그러니까 조선이라는 국가가 아니라 그 국왕 고종이 개인 재산으로 지분 25%를 차지한다는 뜻이다.

계약서 상 금액은 20만 엔이었다.[22] 향후 채광 매출액의 25%가 고종

1910년 운산금광. 고종이 판매한 대표적인 국가 자원이었다. 오른쪽은 호러스 알렌. /국사편찬위원회

개인 돈으로 들어간다는 말이다. 그런데 돈이 극도로 궁했던 고종은 1900년 1월 1일 일시불 1만 2,500달러를 받고 미국 측에 기존 25년이던 채굴 기한을 40년으로 연장해줬다.[23]

1907년 현재 대한제국의 대일對日 부채는 1,300만 원이었다.[24] 1897년 부터 1915년까지 18년 동안 운산금광 생산액은 그 부채의 약 네 배인 4,956만 8,632원이었다.[25] 미국 측이 금광을 계약한 1896년부터 1938년 일본에게 넘기고 철수할 때까지 가져간 순익은 1,500만 달러였다.

나라의 미래를 팽개치고 달아났던 고종은 국가 재산을 아무런 근거도 없이 자기 재산으로 삼았다가 거지가 됐다. 그 덕에 국가도 재산을 잃고 거지가 됐다. 백성은 노예가 됐다. 1897년 11월 3일, 운산금광 계약을 주선했던 미국공사 알렌은 광산회사에 지침을 내렸다. '한국인을 합법적인 채찍형[Judicious Whipping]으로 처벌해도 좋다. 한국인은 그게 있어야 알아듣지, 없으면 모른다.'[26] 고종이 자기가 거할 집, 대한제국을 세우고 3주일 뒤였다.

10장

집을 세우다

대한제국과 광무개혁

고요한 아침의 나라는 이제 아침이 지나고 차갑고 음울한 침묵의 땅(Land of the Cold Gray Calm of the Morning After)이 돼 버렸다.[27]

- 호러스 알렌

제국의 건설

아관에서 안일무사하고 매판적인 1년을 보내고 고종은 1897년 2월 경운궁으로 환궁했다. 어거지로 권력을 탈환한 무능한 권력자로부터 권력을 빼앗으려는 시도가 빗발쳤다. 3월에는 충청도 유생들이 폐위를 시도하다 적발됐고 고종 조카 이준용을 왕으로 올리려던 쿠데타 음모가 적발됐다. 7월에도 정부 전복 기획자들이 처형됐다. 9월에는 박영효를 추대하려던 계획이 발각됐다.[28]

파천 중인 1월에는 이완용을 포함해 아관파천을 기획한 대신들이 권력을 휘두르며 왕권에 간섭하기 시작했다. 고종은 심복들을 사주해 이들을 암살시킬 계획을 세웠다.● 하지만 이들 중 하나가 자수하는 바람에 암

● 정교, 『대한계년사』 상 1897년 p.153 이하: 先是上惡李完用等政府諸人 締結金鴻陸 專擅國權 思除之 使李根鎔等謀之 事不成(이에 앞서 주상이 이완용 등 정부 관리들이 김홍륙과 함께 국권을 전횡해 이들을 제거할 마음을 먹고 이근용 등에게 제거를 사주했으나 실패했다.)

매국노 고종

대한제국 황제가 하늘에 제사를 지낸 원구단. 지금 서울 웨스턴조선호텔 자리에 있었다.
앞에 보이는 담장 내부가 원구단이고, 왼쪽 건물은 각종 위패를 모신 황궁우다. / 국립고궁박물관

살 기도는 수포로 돌아갔다. 50명이 넘는 외국 용병을 고용해 암살극을
벌이려던 계획은 미수에 그쳤다. 이들은 모두 태형과 유배 15년 형을 받
았다. 하지만 암살을 사주한 고종은 형량을 낮춰주라고 명했다.[29]

연이은 정변 음모와 테러로 인해 국내에는 계엄을 방불케 하는 분위기
가 조성돼갔다. 마침내 1897년 10월 12일 고종은 스스로 황제임을 선언
하고 나라를 대한제국으로 격상시켰다. 이후로도 고종을 끌어내리려는
각 정파들의 시도가 끝없이 이어졌다.

그리고 조선왕조 법궁인 경복궁을 버리고, 파천 당시부터 중건 공사를
명한 경운궁으로 환궁했다. 멀쩡한 경복궁을 놔두고 좁디좁은 경운궁을
수리해 그리로 들어간 것이니, 환궁부터가 개혁과는 거리가 멀었다. 매천
황현이 남의 이름을 빌려 비꼬듯 이렇게 상소했다.

경복궁과 창덕궁이 장엄하고 화려하기 그지없는데, 어째서 굳이 궁궐을
수리하여 새롭게 조성하는 역사를 행하셨단 말입니까. 혹자는 두 궁궐이
외국 공관에서 다소 멀리 떨어져 있어 의외의 변란이 발생할까 두려우니
새 궁궐을 짓지 않을 수 없다고 하기도 합니다. 그런데 정말로 변란이 일어
난다면 새로운 궁궐만 어찌 천상天上에 있을 수 있겠습니까.[30]

고종은 일개 제후인 왕에서 어정쩡한 대군주로, 그리고 황제로 비약했
다. 그가 황제국을 선언하고 그 즉위식을 각국에 알렸을 때, 각국은 공식
적으로 환영과 축하 인사를 보냈다. 하지만 뒤로는 껍데기 황제에게 비
웃음을 보냈다.

대한제국 황제 고종.
/ 국립고궁박물관

쓸데없이 부화허식^{浮華虛飾}의 망상에 젖어서 오랫동안 허송세월하고 있는 것은 그 나라를 위하여 실로 개탄스럽기 그지없다.[31]

대한제국을 집어삼키려는 욕심에서 나온 일본 측 비아냥이다. 하지만 이는 당시 서울에 주재한 모든 외국 공관들의 일치된 평가였다.

하지만 고종에게 제국 건설은 본인 생존에 연관된 문제였다. 갑오개혁으로 상실했다가 회복한 권력을 제도적으로 복원하지 않으면 언제 국내외 정적들에 의해 권좌에서 추락할지 모를 일이었다. 그가 택한 생존법은 군사력과 권력과 경제력을 완벽하게 독점하는 독재체제였다. 친정 선언 이래 그가 일관되게 추구해온 정치적 지향점이며 원칙이었다.

권력 독점의 완성: 대한국 국제와 독립협회

1897년 10월 12일 대한제국 건국을 선언한 고종은 이후 여러 정치세력과 타협 속에 권력을 다져나갔다. 이들 가운데 고종이 협력을 해야 할 세력은 서재필이 이끄는 독립협회였다. 갑신정변 주역인 서재필은 이후 미국으로 망명했다가 조선 개혁을 꿈꾸며 귀국했다. 그런데 이 독립협회가 고종에게 요구한 모든 것들이 문제였다.

1898년 3월 독립협회는 종로에서 만민공동회를 개최했다. 이들이 내건 가장 큰 주장은 의회인 중추원 설립과 자유 민권이었다. 그해 10월 28일 일부 대신이 참가한 관민공동회가 열렸다. 대한제국 황민들은 이날 토론회에서 입헌군주정을 요구했다. 헌법으로 군주의 권력을 제한하겠다는 것이다.

곧바로 군부대신 서리 민병석과 탁지부대신 민영기가 보부상들에게

서재필. 갑신정변의 주역이자 독립협회와
독립신문을 주도한 개혁가였다. / 국사편찬위원회

자금을 대 독립협회에 테러를 가했고 그해 12월 25일 독립협회는 간부
들이 대거 체포되면서 폭력적으로 해산됐다.[32] 그리고 이듬해 5월 고종
정권은 해외에 망명 중인 개혁파 인사 '씨를 말리기 위해' 갑오개혁 때 폐
지됐던 연좌제 부활을 시도했다. 연좌제로 얽으려던 망명객들은 대부분
일본에 체류 중이었다. 그래서 예민해진 일본공사관은 "문명국 정치의
상리常理에 배치되는 조치로, 반드시 여러 나라의 존경을 완전히 상실한
다"고 각국 공사들을 설득했고, 결국 시도는 서울 주재 각국 공사 충고에
의해 무산됐다.[33]

7월 2일 고종 명에 의해 설치된 법규교정소는 한 달 보름 뒤인 8월 17일
첫 법령을 내놨다. 법령 이름은 대한국국제大韓國國制, 바로 대한제국 헌법
이다. 세계 헌법사에 길이 남을 법이다.

제1조 대한국은 세계만국에 공인된 자주 독립한 제국이다.

제2조 대한제국의 정치는 만세불변할 전제정치다.

제3조 대한국 대황제는 무한한 군권君權을 지니고 있다. 공법에 이른 바 정체政體를 스스로 세우는 것이다.

제4조 대한국 신민이 군권을 침손하는 행위가 있으면 신민의 도리를 잃은 자로 인정한다.

제5조 대한국 대황제는 육해군을 통솔하고 편제를 정하며 계엄과 해엄을 명한다.

제6조 대한국 대황제는 법률 제정 반포와 집행을 명하고 사면, 감형, 복권을 한다.

제7조 대한국 대황제는 행정 각부 관제와 봉급을 제정 혹은 개정하며 행정상 필요한 각 항목의 칙령을 발한다.

제8조 대한국 대황제는 문무관 임면을 행하고 작위爵位, 훈장勳章 및 기타 영전榮典을 수여 혹은 박탈한다.

제9조 대한국 대황제는 조약국에 사신을 파송주재하게 하고 선전과 강화 및 제반 약조를 체결한다.

자그마치 '한 달 보름'만에 나온 이 법은 '자주 독립'을 규정한 1조 뒤로 8조까지 황제의 권리와 황민의 의무로 가득 차 있었다. 지금은 물론 그때 누군가가 봤어도 터무니없는 이 아홉 줄짜리 헌법은 세계적인 놀림감이 됐다. 오스트리아-헝가리제국 외교관은 이렇게 본국에 보고했다.

한국은 성문헌법이라는 사치품을 갖게 되었습니다. 이 문서는 아마도 그류에 있어서 유례없이 진귀한 것일 겁니다. 군주가 모든 권한을 장악하며 이 헌법 승인 하에 그가 커다란 특권을 누리게 되었다는 것을 인민에게 이해시키려고 합니다. '군주의 권리는 무제한적인 것이다'라고 하고, '이 헌법에 거역하는 모든 신민은 모든 시민권을 박탈하고 더 나아가 추방할 것'이 라고 협박하고 있습니다.

한국의 현 상태를 알게 된다면 그 어떤 더 훌륭한 마그나카르타도 아무런 소용이 없으며 절대군주의 지배 하에서 이 나라가 현재의 혼돈에서 벗어 날 수 없다는 것을 확신하게 될 것입니다.[34]

경제력 독점의 완성: 내장원

1894년 12월 12일 갑오정부에 의해 확정된 홍범14조 개혁안은 왕실에 관한 사무와 나라 정사에 관한 사무는 반드시 분리시키고 서로 뒤섞지 않는다고 규정했다.[35] 그리고 세금 징수와 경비 지출은 모두 탁지아문(탁지부) 관할로 규정했다. 왕실 금고와 국가 금고를 아무 구분 없이 사용하던 기존 악습을 폐지한 것이다.

그런데 고종은 이미 1895년 갑오정부가 내놓은 법령은 모두 무효라고 선언해버렸다.[36] 그리고 제국 건설 2년 뒤인 1899년 8월 24일 황실 재산 관리 기구인 내장원을 대폭 확대하고 11월 16일 최측근 이용익을 내장원 수장인 내장원경에 임명했다.[37]

그때 이용익은 탁지부에서 돈을 찍는 전환국장을 겸하고 있었다. 이용익은 홍삼을 관리하는 삼정감독과 광산을 관리하는 광무감독까지 겸했다. 1900년 탁지부 소속이던 전환국은 황제 직속으로 승격됐다. 그해 말 고종은 이용익을 탁지부 차관급인 협판에 임명했다. 이로써 고종은 이용익을 통해 국가 예산을 맡은 탁지부와 황실 금고 내장원을 함께 장악했다.[38] 국가 예산을 집행하는 탁지부는 토지세와 사람에게 부과하는 호세戶稅, 일부 사업 수익만 재원으로 가지게 됐다.

갑오개혁으로 눈물을 머금고 포기했던 국가 재산의 사유화를 달성한 것이다. 이용익은 이후 탁지부대신 서리는 물론 한때 평리원 재판장 서리까지 맡아 재정은 물론 사법까지 장악한 명실상부한 황제 오른팔이 되었다.[39] '탁지부-내장원 공동운영시스템'에 의하여 위 홍범14조가 규정한 국가-왕실 재정 구분은 실질적으로 사라졌다.

돈을 찍어내는 전환국이 황실 직속이 되면서, 고종은 돈이 필요하면 수시로 돈을 만들어서 이를 조달했다. 1902년 전환국은 하루 평균 9,000원어치 동전을 주조해 이 가운데 150만 원은 황실에 따로 보관하고 그 열쇠는 황제가 가지고 있었다.[40]

1905년 조사에 따르면 대한제국 황실 1년 수입은 국고에서 지급하는 165만여 원과 내장원 수입 326만 원을 합한 491만여 원이었다. 내장원 자체 수입이 전체 황실 수입의 66.3%로 국고에서 지급하는 수입보다 더 많다는 뜻이다. 역둔세(각종 공유지에 매기는 토지세)가 62만 원, 인삼세가 200만 원, 광산세가 4만 원, 사금砂金 수입이 60만 원, 합계 326만 원이었다. 탁지부가 관할하는 국고 실수입의 69.6%(1903), 43.9%(1904)에 달하는 규모였다.[41] 그리고 그 수익은 실질적으로 황제가 임의로 사용할 수 있는 황제 소유였다.

뒤에 보겠지만, 이 같은 '재정 없는 재정'은 근대 재정제도 도입이라는 일본 측 명분에 좋은 미끼로 작용했다. 황제가 국가 재산을 자기 재산처럼 영수증 없이 사용해온 관행이 결국 식민지로 가는 지름길이 됐다.

그리고 백성의 삶은 지옥처럼 변해갔다. 백성을 도탄에 빠뜨렸던 옛 버릇들이 한꺼번에 부활한 것이다.

부활한 매관매직

조선 팔도와 모든 국가 자원을 소유하게 됐지만, 고종은 관직을 팔아서 돈을 챙기는 버릇은 고치지 못했다. 대한제국 시절 고종 고문관을 지냈던 미국인 윌리엄 샌즈William Sands는 자기가 목격한 매관매직 풍경을 이렇게 기록했다.

관직 임용에 뇌물 수수 관행이 너무도 심하여, 이를 직업으로 삼는 일본인 임대업자까지 등장했다. 이들은 지방 관직을 원하는 후보자에게 뇌물자금을 빌려주고 월 12% 이자를 받았다. 상환기간은 매우 짧았다. 새로 지방관이 된 사람은 어떻게 해야 단기간에 징세해서 돈을 거둘 수 있을지 고민했다. 황제에게 상납할 돈을 조달해야 하고, 자기가 교체되기 전에 가능한 한 많은 세금을 거둘 필요가 있었다.[42]

뇌물은 황제에게까지 올라가는데 조선 사람들은 우리가 생각하는 것처럼 뇌물을 부도덕하다고 생각하지 않았다. 땅과 백성은 황제가 원하는 대로 처분할 수 있는 황제 소유물이기 때문이다. 왕은 곧 국가다. 모든 땅과 백성은 황제의 것이고 모든 소득은 황제의 것이며 누구의 통제도 받지 않고 처분된다. 황제의 관리들은 프랑스혁명 이전 세금 청부업자라고 보면 틀림없다(His officials were simply his ferme générale).[43]

1899년 프랑스공사 드 플랑시가 본국에 보낸 보고서에는 대한제국이 반동정치로 회귀한 모습과 부패에 대한 지적이 기록돼 있다.

지난 1월 이래 대한제국 군주는 국익에 대해 고심하는 군주라면 마땅히 선택할 개혁과 혁신의 길을 아직도 찾지 못하고 있다. 대신들은 관직을 수행

매국노 고종

하기가 무섭게 사임한다. 이 짧은 기간 여덟 개 부처 책임자들 사이에 일어
난 변화를 일일이 열거하기 힘들 정도다. 유일하게 힘을 얻는 정책은 구태
의연한 생각들로 가득한 것으로 마치 예전의 유감스러운 관행으로 되돌아
가는 것에 희열을 느끼는 것이 아닌가라고 생각될 지경이다. 가장 빈번하
게 일어나는 일은 그 어느 때보다 사례금이 높아진 관직 매매다.[44]

부활한 무명잡세: 우뭇가사리에도 세금을

1894년 갑오정부가 내놓은 홍범14조에는 이런 조항이 들어 있었다.

백성이 내는 세금은 모두 법령으로 정한 비율에 의하고 함부로 명목을 더
만들어 불법 징수할 수 없다.[45]

이 또한 무용지물이 됐다. 1896년 고종이 갑오개혁 조치를 전면 부정
하면서 내장원은 갑오정부에서 폐지한 무명잡세를 대거 부활시켜 내장
원이 징수하도록 했다. 소금에 염세를 부과했고, 포구 여관에도 세금을
부과했고 벌목한 통나무에도 세금을 부과했다. 무명잡세가 부활한 이유
는 매우 단순했다. 징세 시스템이 옛날 그대로였기 때문이다.

대한제국은 옛 방식 그대로 지방관과 지방 서리들에게 징수를 맡겼다.
이들이 백성으로부터 거둔 세금이 중앙으로 올라올 때까지 많은 부정이
개입됐고 이는 예전 삼정문란 때처럼 심각한 수준이었다. 대한제국은 이
관행을 깨뜨리기 위해 몇 가지 제도를 만들었으나 지방관들의 거센 저항
에 단 한 번도 시행하지 못했다.[46] 대한제국 중앙정부의 행정력이 제국
전역까지 미치지 못했던 것이다.

속칭 배달사고가 상시적으로 발생하고 세금 미납액이 쌓이면서 결국

들도 보도 못한 무명잡세가 개발됐다. 그리하여 대한제국 황제는 내장원을 통해 물고기, 소금, 선박, 인삼, 땔감, 풀, 갈대, 소나무, 밤, 대나무는 물론 완도 우뭇가사리와 서천 연어와 함경북도 염전까지 세금을 거두게 되었고 팔도 광산에서 나오는 돈[47]은 대부분 황제 차지가 되었다. 백성 삶은 더욱 고단해져갔다.

군사력 독점의 완성: 대한제국군

고종은 친정 초기부터 군권 장악을 추구해왔다. 1894년 갑오개혁과 함께 모든 권력을 박탈당했던 고종은 대한제국 건설과 함께 군권 장악을 다시 실천에 옮겼다. 1899년 6월 군부를 총괄하는 기관, 원수부元帥府가 창립됐다.

> 대황제 폐하는 대원수로서 군기를 총람하고 육해군을 통령하며, 황태자 전하는 원수로서 육해군을 일률적으로 통솔한다. 이에 원수부를 설치한다.[48]

원수부는 국방과 군대 편성, 군비 예산과 결산을 아우르는 기관이었다. 법에 의하여 고종이 군 최고사령관이 된 것이다. 이에 따라 원수부에 소속된 군부는 군사시설을 관리하는 하급부서로 전락했다.

대한제국 군대는 막강했다. 중앙에는 시위대와 친위대, 지방에는 지방군, 진위대가 있었다. 1897년 9월 대한제국 건국에 맞춰 창설된 시위대侍衛隊는 황제 궁궐인 경운궁을 경호하는 부대였다. 포병 2개 대대와 보병 3개 대대, 기병대까지 갖춘 근대식 군대였다. 대한제국 소멸 무렵 총 병력은 4,000명이 넘었다. 1902년 2월 현재 대한제국이 보유한 병력은 시위대와 친위대 6,000명, 각 지방 진위대 7,600명, 평양 진위대 3,000명 등 1만 7,560명이었다.

군사 예산 또한 급증해서 1900년 163만 원이던 군부 예산은 1901년 359만 원으로 두 배 넘게 증가했다. 1904년 군부 예산은 518만 원으로 그해 대한제국 전체 세출예산 1,421만 원의 42%였다. 돈만으로 본다면, 대한제국은 한 나라 예산 가운데 근 절반을 군사비로 투입하는 군사 국가였다.

고종은 1899년 4월에는 프랑스로부터 소총 1만 정을 구입하고 1901년 2월에는 독일로부터 양총 300자루와 탄환 1만 발을 주문했다. 그해 5월에는 일본 소총 1만 정을 구입해 각 부대에 배급했다. 이듬해에는 영국으로부터 구입한 대포를 남대문 옆 선혜청에 설치했다. 설치한 대포는 맥심기관총 6정, 야전포 4정, 산전포 8정이었고 가격은 약 20만 원이었다.[49] 1903년 2월에는 일본으로부터 군함까지 구입하고 프랑스로부터 소총 1만 2,000정을 수입했다.

한 줌 구식 병사들 반란을 진압할 병사가 없어서 청나라 군사를 부르고(1882년 임오군란), 궁궐 수비대가 오합지졸이라 대궐에 난입한 일본군에게 고개를 숙인(1894년 7월 동학 때 일본군의 경복궁 난입) 옛날에 비하면 눈부신 발전이었다. 재정 문란 해결과 함께 일본이 대한제국을 정복하면서 내걸었던 첫 번째 조건이 군사비 감축이었으니, 이 군사는 대한제국과 그 황제 고종이 독립과 자주를 이룩할 수 있는 대표적인 무기였다.

그런데 고종이 무기를 수입한 경력은 대한제국 이후만이 아니었다. 고종은 1883년 일본 요코하마에 있는 미국 무역회사로부터 소총 4,000자루를 수입하고, 이듬해 4월에는 또 다른 소총 4,000정과 탄약 20만 발, 개틀링 기관총 6문과 탄약 7,500발을 수입했다. 1888년 이래 모스와 타운

센드 상회(훗날 운산금광 채굴권을 가져간 곳이다)를 통해 구입한 무기는 1888년에 양창(洋槍·소총) 500정과 탄환 5만 발, 1891년 소총 14자루와 탄약 1,600개, 1892년 5월 양창 900정, 탄환 10만 발도 수입했다.[50] 1892년 1월에는 미국으로부터 개틀링 기관총 25정을 수입했다.[51]

프랑스와 미국과 러시아와 영국과 일본. 얼핏 보면 대단해보이지만, 실용성은 전혀 없는 쇼핑에 불과했다. 무기체계도 군사체계도 서로 다른 온갖 나라에서 닥치는 대로 무기를 수입한 것이다. 그러니 무기들은 서로 교환이나 소통이 불가능했다. 전쟁이라는 현실이 닥치면 어떤 방식으로 군사를 운용해야 하는지 막막한 사재기 혹은 쇼핑에 불과했다.

군 통수권을 황제가 장악했고, 병력도 증강시켰고, 무기 또한 현대식으로 구비했다. 한두 해 사이에 벌어진 일이 아니라, 장기적으로 꾸준히 벌어진 일이다. 1902년 8월, 마침내 대한제국 황제 고종이 선언했다.

군대의 편제가 이미 이루어졌고 부오部伍가 정비되었으니 각 연대聯隊에 군기軍旗를 내려주라.[52]

제국 군대 편성이 완성됐다는 자부심이다. 마침내 고종은 파란만장한 투쟁 끝에 권력과 금력과 군사력을 장악한 황제로 화려하게 부활했다.

그럼에도 불구하고 대한제국은 총 한 방 쏴보지도 못하고 멸망했다.
왜? 원인은 고종의 고질병인 측근정치와 권력욕이다.

아관에서 환궁한 이후 계속되는 불안정한 정국과 신변 위협은 고종을 더욱더 측근에게 기대는 인물로 만들어놓았다. 제국 건국 직전 창설한 시위대와 친위대는 국방이 아니라 황궁 방어가 기본 임무였다. 원수부에는 갑오개혁 이전부터 자신에게 충성을 다하던 무장세력, 종친과 민씨 세력을 기용했다.

그리고 고종은 원수부 각 요직을 수시로 교체하며 자기 권력을 강화시켜갔다. 1899년부터 1907년 사이 9년 동안 고종은 군부대신을 34명 갈아치웠다. 길게는 14개월 짧게는 이틀 만에 갈아치우는 특이한 인사를 선보였다. 1899년부터 원수부가 폐지된 1904년까지 원수부 4개 국실 가운데 수석급인 군무국 총장은 6년 동안 24명이 교체됐다. 한 명당 석 달꼴이고, 이런 교체는 해가 갈수록 잦았다.[53] 측근을 이리저리 갈아치우는 이 행태를 매천 황현은 이렇게 비꼬았다.

이도재를 법부대신, 심상훈, 윤웅렬을 찬정贊政으로 임명하였다가 또 유기환을 이도재의 대직으로 임명하고, 이도재는 찬정으로 이직하였다. 이때 정부는 여관과 같아서 며칠 만에 대신이 바뀌는 탓에 심부름꾼들은 편지가 누구에게 갈지를 몰랐다.[54]

자신의 군 통수권을 뒷받침하는 책임자를 최소 일주일도 못 돼 갈아치우고 군부대신은 이틀 만에 갈아버리는 최고통수권자. 자기 측근을 신뢰하지 않는 최고지도자 앞에서 측근세력들 또한 권력투쟁을 벌였다. 대한제국군은 외형적으로는 막강했으나, 그 실상은 허수아비였다.

그리하여 1900년 육군 참장 백성기가 고종에게 상소문을 올렸다.

부대를 세우고 군사를 설치한 지 6, 7년도 못 되는데 그 사이에 장수들이 자주 교체되어 장수는 병졸을 알지 못하고 병졸은 장수를 알지 못한다. 어느 겨를에 은혜와 위엄과 교육을 시행하겠는가. 명철한 처분을 내려 군법으로 징계해야 할 자와 이미 연한이 찬 자들을 제외하고는 교체하지 말아서 장수와 병졸들이 한마음으로 서로 믿도록 하시라.[55]

게다가 이 군사가 활용된 목적 또한 국방과 거리가 멀었다. 지방군은 활빈당과 동학 잔당, 화적 무리 같은 지방 소요나 민란을 진압하고 있었고 중앙군은 수도 부근 도적을 잡거나 독립협회를 중심으로 하는 정치활동을 통제하는 데 투입됐다.[56] 방대한 예산을 투입했지만 정작 힘을 쏟아야 할 국방 문제는 도외시한 채 '황실 수비'와 '지방 치안'에 투입된 군사가 대한제국 군사들이었다.

대한제국 멸망을 두고 늘 사람들이 갖는 의문은 이 부분이다. '왜 조선은 총 한 방 쏴보지 못하고 망했는가.' 답은 여기에 있다. 군은 군이되 군이 아니었다. 황제는 군 통수권을 소유했지만 정작 군을 통솔해야 할 군사령관들은 그 권한이 없었고 군의 총은 외적이 아니라 백성을 향해 있었다.

가뜩이나 궁색한 나라 살림에, 제대로 기능도 하지 못하는 군사 운영은 훗날 일본에게 아주 좋은 빌미를 제공했다. 1904년 러일전쟁을 기회로 조선에 재정고문으로 부임한 일본인 메가타는 본국에 이렇게 보고했다.

한국 행정은 하나같이 개선을 필요로 하지 않는 것이 없지만 (중략) 재정은 하루라도 등한히 할 수 없다. 한국 재정은 이미 매우 문란하여 내외 인민 모두 그 폐해 때문에 고생하고 있을 뿐만 아니라 재정이라는 것은 모든 행정의 기초이기 때문에 (중략)
재정 문란의 원인은 여러 가지가 있지만 군대를 위해 과다한 비용이 그 주요 원인이다. 작년도(1903) 예산을 보면 경상세출 총계 969만 7,000원 중에 412만 3,000원이 군대 비용이다.

그러나 장래 한국의 방비는 우리나라가 담당할 것이므로 친위대를 제외한 한국 군대는 점차로 그 수를 줄여야 할 것이다. 더 재정이 문란해지는 것을 막고 개혁에 착수하여 마침내 한국 재무의 실권을 우리 손아귀에 넣어야 할 것이다.[57]

텅 빈 국고와 사라진 비자금

그렇다면 그 많은 돈을 황제는 어디에 썼다는 말인가. 고종을 자주 독립을 염원한 계몽군주라 주장하는 쪽에서는 이를 부국강병과 독립을 위한 자금으로 사용했다고 추정한다. 추정하는 근거는 없다. 오히려 각종 숫자들은 그 돈이 방탕한 낭비와 허세에 투입됐음을 보여준다.

예를 들어 근대화의 기본 중 기본인 교육 예산을 보자. 1896년 세출예산 631만 6,831원 가운데 학부 예산은 2%인 12만 6,752원이었다. 그해 황실비는 50만 원으로 7.9%였다. 그런데 1903년도 세출예산 1,076만 6,115원 가운데 학부 예산은 16만 4,743원으로 1.5%로 감소했고, 황실비는 9.3%인 100만 4,000원이었다. 예산이 두 배 이상으로 증가했지만, 교육비는 줄어들었고 황실비는 증가했다.

게다가 황실에서는 조금이라도 공적인 성격을 띠고 있는 사업에는 모두 탁지부에 청구하여 지출했다. 또 예산 외 임시비 지출이 매우 컸기 때문에 탁지부 재정 운영을 더욱 어렵게 하고 예산제도를 사실상 무의미하게 만들었다.[58] 황실과 군사비 부문에는 편성된 세출예산을 넘는 지출이 이뤄지고, 내부, 학부를 비롯한 다른 부분 세출은 책정된 예산에도 미치지 못하는 재정 운영 편중현상이 심화됐다.[59] 갑오개혁 이전, 부패한 행정과 재정이 더욱 악화된 것이다.

고종은 결국 나랏돈을 자기 곳간처럼 사용하는 데 대성공을 거뒀다. 고종은 그러고도 돈이 모자라 관직을 팔고 무명잡세를 부활시켜 탁지부가 아닌 내장원에서 이를 거둬들이게 했다. 그것도 모자라 내장원과 탁지부 수장을 겸한 측근 이용익이 전환국을 통해 돈을 찍어냈다. 그 돈으로 황제는 치안 유지용 군사에 돈을 퍼붓고, 궁궐을 짓는 데 돈을 물 쓰듯 썼다. 생일잔치 하겠다고 일본 제일은행으로부터 50만 달러를 들여와 서울 도심을 갈아엎고 도로를 만들었다. 어엿한 군악대를 훈련해 서양 축사들 앞에서 서양 음악을 연주했다.[60]

심지어 고종은 여러 경로로 내장원을 통해 황실 금고로 들어온 돈 상당액을 비자금으로 외국은행에 은닉했다. 내장원 지출 가운데 고종이 영수증 없이 사용할 수 있는 '내입금內入金'은 1896년에는 전체 금액의 1.1%인 1,000냥(200원)이었으나 제국을 세운 해인 1897년에는 29.7%인 3만 냥(6,000원)으로 급증했다.(대한제국은 황실 소속인 궁내부에서는 구화폐인 '냥'을 사용했다. 냥과 원의 교환비율은 5대1이었다.)

1896년부터 1903년까지 내입금 총액은 170만 냥이 되지 않는다. 그런데 1904년에는 전체 내장원 예산 2,206만 6,271냥(441만 원) 가운데 자그마치 46.7%인 1,030만 9,631냥(206만 1,926원)으로 수직 상승했다.[61] 이 돈이 각종 기업과 병원 설립, 구휼 등으로 사용됐다는 기록이 있지만 대부분의 행방은 지금도 미궁이다.

1998년 모스크바 러시아군 문서보관소에서 1909년 4월 16일 원산 주재영사 니콜라이 비류리코프 러시아 총참모부 정보국 대위가 러시아 총참모부 정보국으로 보낸 비밀 전문이 발견됐다.[62] 전문에는 1904년 탁지부대신 이용익 명의로 30만 엔을 루스코-키타이스키은행(러중은행) 블라디보스토크 지점에 예치했다는 내용이 들어 있었다. 제일은행 경성지점에도 이용익 명의로 20만 원이 있었고 독일공사를 통해 상해의 덕화은행德華銀行을 거쳐 베를린에 비자금을 예치한 기록도 있다. 고종은 1909년 10월 20일 베를린에 예치된 비자금을 인출하려다 불발됐다. 이들 비자금은 1907년부터 1908년 사이 통감부에 의해 전액 인출됐다.[63]

혹자는 이 자금이 독립운동을 위해 은닉한 돈이라고 추정한다. 하지만 고종이 일생 동안 보여준 돈에 대한 태도와 행동을 본다면, 1904년에 급증한 내입금은 국가 독립보다는 망국 후 본인을 위해 은닉한 비자금으로 보는 게 합리적인 추측이다. 이는 이 책 후반부에서 명확하게 밝혀진다.

광무개혁의 허구: 황제를 위한 개혁

국고가 텅 비어 관리들 월급도 못주는 나라였다. 황제 수중에 입금된 뭉치돈은 비자금으로 행방을 감췄다. 그런데 개혁할 돈이 도대체 어디 있다는 말인가. 구악舊惡을 고스란히 남겨둔 채 외형만 바꾸려했던 개혁이었다. 개혁 대상을 그대로 둔 채 자기편의적이고 자기만족적인, 선택적인 개혁이었다. 광무개혁은 허구였고, 개악이었다.

개혁의 주체는 고종이었고, 그 개혁의 수혜자 또한 고종이었다. 그는 철도를 놓았다. 1897년 한성전기회사가 설립되고 이듬해 종로에서 홍릉까지 전차가 운행했다. 종로~용산 구간도 1899년 12월 설치됐다. 제물포까지 연결된 경인선 철도와 함께 유익한 문명이 대한제국에 들어왔다. 도로도 정비되고 똥통으로 유명했던 하수구도 정비됐다. 섬유, 철도, 운수, 광업, 금융 분야에서 근대적 공장과 회사들이 설립됐다. 기술인 양성을 위해 상공학교도 설립됐다. 실업학교와 의학교도 설립됐다.

이게 광무개혁이다. 그리고 그 개혁을 추진한 사람, 고종을 계몽군주라고 한다. 그렇게 불러야 하나?

위에 나열된 정책과 사업은 '정상적인 국가'라면 당연히 해야 할 사업들이다. 당연한 정상적인 행정을 개혁이라고 부른다면, 그걸 개혁이라고 부르는 사람들이 스스로 민망하게 느껴야 한다. 오히려 고종은 구체제 시절에 이루지 못한 만사의 독점을 완성하면서, 자기가 그 독재의 정점에 있음을 국내외에 알리기 위해 이런 외형적인 개혁을 시도한 것뿐이다.

대한제국 선포 5년 뒤인 1902년 10월 19일 고종은 황궁인 경운궁에서 새 중화전 완공을 축하하며 이렇게 선언했다.

"제왕의 궁실은 이렇게 해야만 임금의 지위가 더없이 엄하여 높고 낮은 구별을 보일 수 있기 때문이니라."[64]

"如是而見簾陛之截而 尊卑之別矣."
여 시 이 견 렴 폐 지 절 이   존 비 지 별 의

바로 황제가 대한제국의 존재 목적이었고, 백성은 황제를 위한 존재에 불과하다는 뜻이다.

고종은 자신에게 불리한 개혁과 성장은 중요하게 생각하지 않았다. 선택적 개화와 외형적 포장만 황제는 중시했다. 발전의 결과만 원했을 뿐, 원동력은 수입하지 않았다. 갈등을 해결할 수 있는 의회, 효율적인 행정 기구, 백성 경제활동을 보호하려는 노력은 빠져 있었다. 그래서 대한제국 초기에 보였던 가시적 변화는 오래지 않아 밑바닥을 드러냈다.[65]

매국노 고종

스스로가 개혁 대상이었음에도, 본인은 그 사실을 인정하지 않았다. 조선을 애정 어린 눈으로 지켜봤던 영국 언론인 매켄지는 이렇게 기록했다. 대한제국의 여러 개혁 조치에 대한 객관적인 평가가 들어 있다.

분명 큰 개혁 조치들이 이뤄졌다. 1880년대 초반에 이 나라를 찾았던 사람들은 1894년~1904년 사이 발전상에 크게 놀랄 것이다. 하지만 전체적으로 결과는 실망스럽다. 황제는 왕비 피살 이후 신경과민을 앓고, 유약하고, 예측 불가능하며 늘 의심을 한다. 황제는 측근들이 입헌군주제를 도입해 자기 권력을 제한하고 결국 왕좌에서 퇴출시킬까 늘 의심한다. 무엇보다 사법 시스템에는 전혀 개혁이 이뤄지지 않았다. 감옥에는 중세의 공포가 부활했고 모든 백성의 목숨과 재산은 군주와 그 측근들에게 내놓고 있다.[66]

허세와 낭비: 궁궐 신축과 생일파티

1904년 황제 직속 전환국에서는 하루 평균 1만 5,000원어치 동전을 찍어냈다. 일본공사관은 "황제는 경운궁 공사 비용을 내탕금으로 충당한다고 발표했지만 실제로는 이 돈을 투입한다"고 추정했다. 그런데 일본공사 하야시에 따르면, 이때 전환국장 최석조崔錫肇는 "근래 궁중의 경비 부족이 대단히 많은 액수에 이르렀다"고 말했다.[67] 과중한 공사와 소비로 인해 이미 황제 곳간은 비어 있었다는 뜻이다.

곳간에서 나간 돈은 이렇게 쓰였다.

왕비 민씨릉인 홍릉 보수(1898~1900), 전주 이씨 시조묘인 전주 조경단과 이성계 5대조 묘인 삼척 준경묘 정비(1899~1901), 경운궁 영희전 신

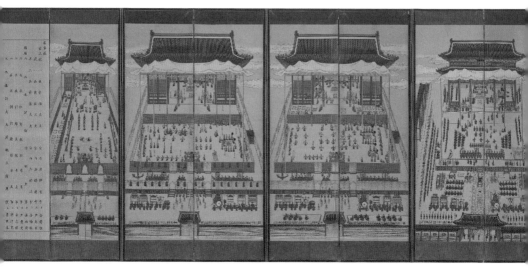

임인진연도8폭병풍[壬寅進宴圖八幅屛風], 1902년 고종이 51세(망육순)를 맞아
기로소 입소를 축하하며 경운궁에서 벌어진 생일파티를 그린 그림이다. / 아모레퍼시픽박물관

축공사(1900), 경복궁(본인이 살지도 않는 궁궐이다)과 창덕궁 선원전 증축
공사(1900), 경운궁 선원전 화재 중건(1901), 경운궁 중화전 신축공사
(1901~1902)와 경운궁 화재 복구공사(1904)에 투입된 돈은 모두 1,423만
냥이었다. 5배 가치인 원화로 환산하면 **284만 6,000원**이었다.

그리고 왕비 민씨 국장國葬 관련 행사(1897), 헌종 비인 효정왕후 국장
(1903~1904), 황세자비인 순명비 국장(1904~1905)과 1902년 왕비 민씨
릉을 홍릉에서 금곡으로 이장한 황실 장례 비용이 총 1,068만 냥으로 원
화로는 **213만 6,000원**이었다.

그리고 각종 잔치비용이 있다. 왕실 족보인 선원속보 수정사업
(1899~1902), 고종 탄생 50주년 진연(1901), 헌종 비인 효정왕후(명헌태
후) 생전 71세 진연(1901), 고종의 기로소(耆老所·연로한 원로가 가입하는 명
예기구) 입소 진연(1902), 고종 망육순 진연(1902) 비용이 474만 냥에 원

화로는 **94만 8,000원**이었다. 1903년 고종 잔치를 위해 의전용으로 일본으로부터 수입한 양무호 가격은 50만 원이었다. 고물 중의 상 고물임이 판명된 양무호는 6년 뒤 4만 2,000원에 다시 일본에 팔려나갔다.

양무호를 제외하고도 이렇게 1897년부터 1904년까지 궁궐 증개축 공사와 황실 국장, 황실 잔치에 들어간 비용이 **593만 원**이었다. 이 비용은 '공적 사업'으로 규정돼 황실 내장원이 아니라 국가 예산인 탁지부에서 지원했다.

여기에 1902년 고종이 지방세금으로 평양에 건설하라고 명한 행궁 풍경궁 공사비 216만 원(1,080만 냥)을 합치면 **800만 원이 넘는 나라 돈이 황실에 투입됐다. 1902년도 한 해 세출예산 758만 원을 뛰어넘는 거액이다.** 평양 행궁은 고종이 내탕금 50만 냥(10만 원)을 하사하고 나머지 206만 원은 평안도 백성에게 거둬 공사를 강행했다. 이듬해 고종은 평안도에 대해 2년 간 세금을 3분의 1씩 감액하라고 명했다.[68]

자, 개혁할 돈이 어디 있는가. 황실의 허영과 군사비에 지출이 집중되고 결국 학부와 내부를 비롯한 다른 부문의 정부 투자는 책정된 예산도 소화하지 못하는 사태가 벌어지고는 했다. 당장 대한제국 선포식 사흘 뒤인 1897년 10월 15일 탁지부는 의정부 찬정에게 "곳간이 텅 비어 군색하기 짝이 없다"며 예비비 1만 원을 긴급요청했다.[69] 황제 즉위식 비용에는 황금 1,000냥으로 만든 황제 어보 비용 4만 5,000원도 들어 있었다.[70]

1896년 귀국한 서재필이, 고종이 권력을 회복한 이후 결정된 1896년도 예산을 점검했다. 그리고 그가 이렇게 결론을 내렸다.

1896년도 (조선에서 처음 생긴) 세출예산을 일별하니, 총 631만 6,831원 가운데 616만 771원은 정부 관리 월급과 그들이 쓸 비용이고 백성을 위해 지출 예정인 돈은 14만 9,090원뿐이다.[71]

망국의 징조와 예언

고종이 외국 빚을 들여와 생일잔치를 벌이던 1902년 굶주린 경기도민들이 인조릉 장릉 송림을 침범하여 나무껍질을 모두 벗겼다. 능병들은 이를 막지 못했다. 송림 밑에서 쭈그리고 앉아 죽은 사람이 줄을 잇고 있었다.[72]

다음은 1904년 7월 15일 중추원 의관[73] 안종덕이 올린 상소문 일부다.[74]

탁지부가 거두는 세금은 모두 폐하 것이다. 그런데 무엇 때문에 별도로 내장원을 설치하고 거둬들이기 잘하는 신하로 하여금 주관하도록 하는가. 왜 내장원이 탁지부에 들어가야 할 일체 토지와 산과 못, 어장과 염전, 인삼포, 광산 등속을 떼어내 모두 가지고 있는 것인가. 탁지부 경비가 바닥나 녹봉과 급료, 공사비로 줄 비용이 없으면 대뜸 내탕전內帑錢이라 하여 바꾸어서 충당하게 하고는 뒤따라 나라 빚을 독촉하듯 보상하라고 요구한다.

두 달 뒤인 1904년 9월 2일 의정부 참정 (국무총리) 신기선이 상소를 올렸다. 명문이며, 칼이 몇 자루씩 숨어 있는 무시무시한 경고다.[75] 길지만 차분하게 한번 읽어보자.

오늘날 우리나라가 맞닥뜨린 망국의 증후와 기이한 재앙 같은 것은 천지가 열린 이래로 아직 들어 본 적이 없었다. 온몸과 터럭까지 다 병들어 단 한 점의 살점도 성한 곳이 없이 만신창이가 된 것처럼 온갖 법이 문란해지고 모든 정사가 그르쳐졌다. 위에서 정사를 깨끗이 하여야 아래서 명령을 미덥게 여기고 온 나라가 임금을 천신처럼 떠받들게 되어 나라가 태산의 반석처럼 안정되는 것이다.

지금은 하찮고 간사한 무리들이 폐하의 곁에서 가까이 지내는가 하면 점쟁이나 허튼 술법을 하는 무리들이 대궐 안에 가득하다. 대신은 폐하를 뵐 길이 없고 하찮은 관리만 늘 폐하를 뵙는다. 시골 무뢰배들이 대궐 섬돌에 꼬리를 물고 드나들며 무당 할미 따위들이 대궐에 마구 들어간다. 평소에 감히 보통 관리도 가까이 하지 못하던 자들이 폐하 앞을 난잡하게 마구 질러 다닌다. 벼슬을 함부로 주고 청탁이 공공연히 벌어진다. 굿판이 대궐에서 함부로 벌어지고 장수하기를 빌러 명산名山으로 가는 무리들이 길을 덮었다.

나라를 망하게 만드는 정사가 한두 가지가 아니지만 뇌물처럼 혹독한 것은 없다. 어찌 이다지도 생각의 모자람이 심한가! 뇌물로 벼슬을 얻은 자들은 모두 하찮은 무리들로서 나라와 백성이 무엇인지 모르니 정사가 무엇인지 어떻게 알겠는가. 대궐을 끝내 엄숙하고 깨끗하게 만들지 못하고 뇌물을 실지로 근절하지 못하면 간신히 이어가는 나라 숨결이 당장 끊어질 것이다.

폐하는 대궐 안 깊은 곳에 가만히 앉아 있고 여러 신하들이 폐하를 만나 뵙는 일이 드물다. 군대와 나라의 이해와 흥망에 관련되는 큰일도 폐하 가까이를 돌아다니는 한두 사람과 의논하고 창졸간에 결정하기 때문에 각 부서 대신들은 까마득히 듣지도 못한다. 그러다 도장을 찍은 칙서를 내시가 전달해 주어야 놀라서 서로 돌아보며 문서 끝에다 서명한다.

섬뜩한 상소에 고종이 이리 답했다.

현재 시행하려면 역시 곤란한 점이 있으니 응당 잘 참작해서 돈독하게 도움을 줄 것을 생각해야 할 것이다.

이미 근왕파에게 귀를 빼앗긴 지 오래인 황제는 충정어린 작심 상소에 귀를 닫고 있었다. 그러자 또 석 달 뒤 신기선이 사직원을 제출하며 상소를 올렸다.[76]

세도정치 시대에 백성들은 억울한 것이 있어도 풀 수가 없었고 생각하는 것이 있어도 알릴 수 없었다. 생명을 보전할 수 없고 재산을 보호할 수 없었지만 응당 받아야 할 고통으로 여기고 다시는 벗어날 기대조차 없었다.

상소가 이어졌다.

그런데 백성이 도탄에 빠진 것이 전보다 더 심해졌다. 백성이 일어나 살아날 길을 도모하는 것 또한 괴이할 것이 있겠는가.

제국의 총리대신, 의정부 참정이 "백성이 들고 일어나도 괴이하지 않다"고 황제에게 직격탄을 쏘았다. 때는 1904년 12월 31일이었다. 러일전쟁이 대한제국 국토를 휩쓸고, 일본군이 도성 너머 용산은 물론 구중궁궐 안에도 똬리를 틀고 있던 풍전등화 같은 날이었다. 고종은 이 간절한 상소에 "이처럼 간절히 사임하겠다니, 그리하라"며 사표를 수리해버렸다.

매국노 고종

1905년 마지막 반성

러일전쟁 후반기인 1905년 1월 고종은 러시아 황제 니콜라이에게 친서를 보냈다. 친서에는 뼈아픈 반성이 절절했다.

이천만 국민들이 눈물을 흘리고 심지어 닭과 개들조차 짖지 않을 정도로 살 수 없을 지경이다. 이리도 슬픈 정황에 처한 원인은 허약성, 하찮은 존재감, 그리고 자기의 권리를 보호할 능력이 없는 무능력과 무방비 때문이며 그 잘못은 우리의 통치에 있다.[77]

나라가 무능력과 무방비의 나락으로 떨어진 게 통치자의 잘못이라는 제대로 된 반성이다. 그로 인해 2,000만 국민은 물론 개나 닭조차 짖지 않는 비극이 초래됐다는 반성이다. 하지만 이게 어디 한두 번인가. 그리고 이 반성문을 자기 백성이 아니라 러시아 황제에게 보낸 것도 매우 이상하다. 청에서 러시아로, 미국으로 종주국을 갈아타는 전형적인 줄서기 수법이다.

그럼에도 불구하고 고종은 여전히 천하라는 수직적 질서에 사로잡혀 있었다. 이 친서에는 이런 내용이 먼저 나온다.

한국은 독자적인 언어, 문자, 관습, 제도를 가진 반면, 일본인들의 관습은 한국이 그 기원이고 문자와 제도 역시 한국의 지도를 받았다. 일본은 조상의 국가이자 구원자로서 우리를 사랑했고 감히 우리와 적대하려 하지 않았다. 그런데 1884년 일본으로부터 한국 개혁을 사주 받은 개혁파가 군대를 동원해 왕궁을 점령하고 충신들을 살해했다.(갑신정변을 뜻한다)[78]

일본의 근대성을 부인하고, 문화적 선진국인 조선을 무시한 야만성에 분노하고 있는 것이다. 이런 세계관과 철학을 가진 사람이 계몽군주였고 자주 독립을 자강自强을 통해 실현하리라고 기대하는 것은 처음부터 불가능했다.

결국 고종은 자강 대신 러시아의 개입을 택했다.

이 친서를 보낸 날짜가 1905년 1월이다. 이미 러일전쟁이 일본 승리로 기울었음에도 황제 고종은 끝까지 저 쇠락한 러시아에 손짓을 하며 도와달라고 읍소하고 있었다. 무능력과 오판이 여러 겹 쌓여 있는 총체적인 금치산자였다. 입으로는 언제나 반성이었고 도덕이었으며 몸과 행동은 부도덕했고 반성할 줄 몰랐다.

경운궁과 미국공사관 사잇길로 지나가는 고종 어가 행렬. 고종은 선글라스를 끼고 있다. / 동은의학박물관

비웃음 당한 황제

그 황제와, 그 황제가 파괴한 대한제국을 바라보는 외국인들 분석과 예언은 신랄하고 아프다. 도쿄에 주재하던 오스트리아-헝가리제국 외교관들은 조선 정보를 수집해 이런 평가를 내렸다.

조선의 자연적 혜택이 정력적이고 기업정신이 투철한 민족의 관리를 받게 된다면 현재 전적으로 보잘것없는 이 나라 재정은 곧 개선될 것이다.

이 나라의 이러한 한탄스러울 정도의 상황은 첫 번째로 외부세계와의 현명치 못한 단절에 기인한다.

그 다음은 무엇보다도 비양심적이고 부패한 관료계층에 그 원인이 있다. 정부로부터 봉급을 받지 못하거나 기껏해야 보잘것없는 정도의 곡물만을 받기 때문에 관료들은 마치 흡혈귀와 같이 민중의 피를 빨아들이는 것이다. 그들 수중에서 벗어나 있는 유일한 자들은 무산자無産者들이다.

이 상태가 오래 계속된다면 이 나라에서는 거의 아무런 희망도 가질 수 없을 것이며 민중은 계속해서 비참한 상황에서 헤어나지 못할 것이다. 관료들에 의한 철면피한 강탈체계가 폐지되고 난 후에야 비로소 조선의 새날은 밝아올 것이다.[79]

오로지 가진 것 없는 무산자들, 거지들만 수탈에서 벗어나 있다니, 이 얼마나 무서운 세상인가. 1905년, 오랜 기간 고종 옆에서 조선과 대한제국을 지켜보고, 조언을 하고 때로는 자기 이권도 챙겼던 호러스 알렌은 이렇게 기록했다.

고요한 아침의 나라는 이제 그날 이후 차갑고 음울한 침묵의 아침(Land of the Cold Gray Calm of the Morning After)이 돼 버렸다. 백성들은 스스로를 통치할 수 없다. 이들은 이제껏 그래왔듯 주인이 필요하다. 황제는 이 나라에 끔찍한 해충이며 저주다. 그는 로마를 불태우며 놀아난 네로와 다를 바 없이 무희들과 놀면서 시간을 축낸 지도자다.

한국인에게는 전쟁이 더 나은 조건일지도 모른다. 그래서 이 탐욕스럽고 비인간적인 관료들을 감시하고 더 많은 자유를 선사할 다른 나라에 흡수되는 게 더 낫다.[80]

이들을 동양에 편견을 가진 오리엔탈리즘에 굴절된 서양인들이라고 부를 수 있을까. 언론인이자 사학자 문일평(文一平·1888~1939) 또한 독립협회 말을 빌려 대한제국 정치를 이렇게 평가했다.

가장 심한 것은 재정 문란과 외교 문란이니, 국가 재정이 탁지를 경유하지 않고 황실의 사고私庫인 내장원으로 들어가며, 그 용도도 어떻게 소비되는지 도무지 알 수 없었고, 일국의 중대한 외교도 외부를 경유하지 않고 별입시(別入侍·왕과 사적으로 만나는 일)를 하는 외국 공사와 상감 사이를 오가며 협잡질을 하니, 이를테면 외국인에게 광산 하나를 허가할 때에도 상감이 사사로 계자인(啓字印·왕의 사무용 도장)을 찍어서 허락하므로 정부대신은 알지도 못하고 있은즉 (하략).[81]

나라를 형편없는 고물로 만들고, 그 나라에 파멸을 몰고 온 황제였다. 그리고 문득 그가 일곱 번이나 그 나라에서 달아날 생각을 하니, 이름 하여 '칠관파천'이다.

11장

집을 버리다

고종의 칠관파천
七館播遷

"이렇게 다른 나라의 멸시를 받고 있으니 나라 형편을 알 만하므로 말하기도 부끄럽다. 오직 분발하고 정신을 차려야만 스스로 정돈하고 스스로 강해질 수 있을 것이다."[82]

- 1894년 양력 6월 28일 고종.

'오늘 아침 왕이 사람을 보내 일본이 왕궁을 포위하고 측근을 압박하는 사실에 우려하고 있다고 알려왔다. 또 자신이 공사관을 방문하면 비밀리에 찾겠다는 뜻을 알려왔다. 이럴 경우 왕을 받아들여도 되는가.'[83]

- 8일 뒤 1894년 양력 7월 6일 주한영국총영사 가드너

"나는 비상시 왕의 파천을 약속했다."[84]

- 또 이틀 뒤 1894년 양력 7월 8일 주한미국공사 존 실

파탄 난 나라와 도주하는 군주

세기가 바뀌던 그 10년 동안 고종은 제국을 세우고, 전주 이씨 시조묘 묘역에 조경단을 세웠다. 조선왕조 내내 애타게 찾던 태조 이성계의 5대조 이양무의 무덤을 마침내 찾아내 준경묘를 만들었다. 조경단이 건립되고 준경묘가 발견된 때는 대한제국 성립 2년 뒤인 1899년 1월과 3월이었다. 새로 시작하는 제국이지만 500년 전 전주 이씨가 틀을 잡아놓은 왕국이 뿌리임을 백성에게 밝힌 조치였다. 1392년 조선 개국 후 505년 만인 1897년, 세계 만방에 '하늘에 제사지낼 권리를 가진' 황제가 된 고종은 그에 걸맞게 나라 구조를 개조해나갔다.

매국노 고종

황제 등극 2년째인 1899년 양력 1월 25일 고종은 전주 이씨 성지인 전주에 조경단을 설치했다. 전주 이씨 시조인 이성계 21대조 이한 묘역에 만든 제단이다. 건지산 기슭으로 구전돼 온 이한 묘 위치를 찾을 수 없어 제단을 설치했다. 제단 뒷편 언덕에 이한 의묘가 보인다.

    그런 사이에 조선은 제국주의 전투장으로 변해갔다. 일본과 청에 이어 영국과 러시아가 조선을 둘러싸고 크고 작은 긴장을 만들고 있었다. 동해를 남하해 조선으로 밀고 내려오는 러시아를 견제하기 위해 영국은 거문도를 점령해 자기네 군사기지를 만들었다. 그 러시아를 견제하기 위해 일본은 친러 정책으로 움직이는 조선 정부를 자기네 압력 하에 놓으려고 안간힘을 쓰고 있었다.

    한 나라 지도자라면 어찌해야 하는가. 당연히 그 초위기상황에 대한 정보를 파악하고, 이에 대처할 능력을 기르는 게 우선이다. 하지만 고종 정권은 자기나라 섬이 외국 군사에게 강제로 점령됐다는 사실을 몰랐던 정권이었다.● 새로운 시대를 맞아 새로운 시대정신으로 무장하자는 개혁

● 1885년 고종 22년 3월 10일, 20일 『고종실록』: 고종 정권은 1885년 3월 10일 주청영국공사가 '영국이 당분간 거문도를 점령한다'고 알리고, 20일 청나라 북양대신 이홍장이 '귀국 거문도라는 섬을 영국이 점령했다'고 알려줄 때까지 거문도에 영국군이 상륙했다는 사실을 모르고 있었다. 영국은 3월 1일 거문도를 점령했다.

파들 입을 물리력으로 막아버린 지도자들이었다. 이는 모두 자기가 만든 나라, 대한국을 나라가 아니라 자기를 위해 자의적으로 사용할 수 있는 자산, 즉 재산으로 생각한 탓이다. 고종에게 대한제국 – 공식명칭 '대한국 大韓國' – 은 국가가 아니라 전주 이씨 왕족과 그 연합세력이 뛰어놀고 뜯어 먹을 초원에 불과했다. 겉 프레임은 근대를 지향했지만, 그 속은 대원군 이 파괴하기 전 세도정치 시대와 똑같았다. 기껏 큰 돈을 들여 보냈던 관 비유학생들은 어이없는 정쟁에 휘말려 무성과로 복귀했고, 그 많은 무기 들은 녹슨 채 무기고에 나뒹굴었다. 백성은 이리 살았다.

1891년 10월 조삼쇠라는 양민이 본인과 아내 복섬이를 박 진사에게 노비로 팔았다. 삼쇠는 37세였고 아내 복섬은 29세였다. 스스로 신분을 떨어뜨려 양반집 노비로 들어간 것이다. 계약문서는 '구활救活을 위하여' 노비로 판다고 기록돼 있다. 두 사람 판매 가격은 불명이나, 제시가격에 서 '백 냥을 깎아서[前定價折佰兩 전정가절백량]'라고 돼 있다. 이들은 이 계약으 로 영원히 박 진사 댁 노비가 되며, 이후 문제가 생길 경우 이 계약서를 제시하라고 적혀 있다. 보증은 김진사 댁 여종 옥례가 섰다.

光緖十七年辛卯十月日 朴進士宅前明文
右明文事段 矣身以救活所致 矣身名三釗年三十七歲身果 矣身妻福蟾年
二十九歲身乙 右宅前定價折佰兩 準許捧上是乎遣 永遠放賣爲白去乎 日後
若有携貳之端 則執此文記卜正事
賣身 趙三釗 率妻 福蟾 保人金生員宅奴 玉禮[85]

문서 날짜가 광서 17년, 1891년이다. 1884년 갑신정변 이후 일본과 중 국, 미국, 프랑스 같은 열강들은 잠시 조선에 대한 관심을 닫고 자강自强

아관파천 이후 경운궁으로 환궁한 고종이 주로 기거하던 중명전(수옥헌). 을사조약도 여기에서 체결됐다.

정책을 펴거나 지구촌 다른 곳에서 싸우고 있던 때였다. 그 시대에 조선 백성은 먹고 살기 위해 스스로 노비 계약서를 작성하고 있었다. 완전히 거덜이 난 것이다. 누구 책임인가. 호시탐탐 착하고 약한 조선을 노리는 열강 때문인가.

한 국가를 거덜 내고, 청나라 부럽지 않은 황제국이 됐다며 연일 잔치를 벌이던 그들은, 문득 나라가 얼마 남지 않았음을 알게 되었다. 지도자 아니, 최소한 한 기업 경영인이라면 나라나 기업을 회생시킬 계획을 세웠어야 정상적인 사람이다.

그런데, 고종은 쉬운 길을 택했다. 겉으로는 위대한 황제국 대한국을 외치며 뒤로는 나라를 버리기로 한 것이다. 그것도 일곱 번씩이나.

서울 중구 정동에 남아 있는 러시아공사관은 1896년 2월부터 1897년

2월까지 조선 26대 국왕 고종이 살던 곳이다. 이를 '아관파천俄館播遷'이라고 한다.

왕비가 일본인에게 살해되고 국왕 목숨도 위태로웠으니 '그럴 만도 했다'고 한 번쯤은 이해해보자. 그런데 그 왕은 나라가 풍전등화일 때마다 나라를 버리고 탈출을 시도했다. 아관파천은 그 가운데 하나일 뿐.

'영관파천' '미관파천' '불관파천'. 각각 영국과 미국과 프랑스공사관으로 탈출을 시도했다가 거부당하고 미수에 그친 사건들이다. 조선 왕국 26대 국왕이자 대한제국 초대 황제 이명복의 11년에 걸친 나라 탈출극을 살펴본다.

청나라 군사를 부른 왕과 병조판서

가렴주구와 학정에 지친 농민들이 죽창을 깎고 있던 1893년 음력 3월 25일, 고종이 어전회의에서 그 진압 대책을 말했다. "다른 나라 군사를 빌려 쓰는 것은 역시 나라마다 전례가 있는데, 어찌 군사를 빌려다 쓰지 않는가?"[86] 청나라 군사를 끌어들여 민란을 진압하겠다는, 다른 사람도 아닌 국왕의 아이디어에 대신들이 "어찌 경솔히 논하는가"라고 벌떼처럼 반대했다. 1년 2개월 뒤 동학 농민군이 전주성을 함락하자 병조판서 민영준의 부하 성기운이 서울에 주둔해 있던 원세개를 찾아가 청나라 군사 청병을 실천에 옮겼다. 며칠이 되지 않아 청병 전함이 연안에 정박하고 도독 섭지초葉志超가 2,000여 병을 거느리고 아산에 상륙했다.[87]

그해 양력 7월 23일 청군과 일본군이 조선에서 전쟁을 벌이니, 이게 청일전쟁이다. 국왕과 척족이 합작해 만든 결과다. 이후 나라는 외세에 짓밟혀 '만신창이滿身瘡痍', 온몸에 고름이 흐르는 상처투성이로 변신해 갔다.

그 고름투성이 나라를, 그 왕은 이후 일곱 번이나 탈출할 계획을 세웠다. 한 번은 성공했고 나머지는 미수에 그쳤다. 1894년 청일전쟁 와중에 미관파천과 영관파천 미수 각 1회, 1896년 왕비 민씨 살해사건 직후 성공한 아관파천 1회, 1897년 대한제국 선포 직후 미관파천 미수 1회, 1904년 러일전쟁 직전 미관파천 미수 1회와 1905년 러일전쟁 도중 미관파천과 불관파천 미수 각 1회, 도합 4개국 7회다.

청일전쟁과 미관파천

1894년 4월 27일 동학 농민군이 전주성을 함락했다. 고부와 고창을 비롯해 전라도 6개 고을 군수들이 도주했다. 5월 1일 민영준이 원세개에게 청나라 군사를 요청했다. 제물포에는 프랑스와 미군 함대, 청나라와 일본 군함이 입항해 있었다. 5월 5일 청나라 군사가 아산만에 도착했다. 다음 날 '조선에 한 나라가 출병하면 동시 출병한다'는 청일 천진조약을 앞세워 일본군도 제물포에 상륙했다. 5월 10일 일본군이 남대문으로 진격해 한성으로 진입했다. 한성에서 수원, 제물포까지 일본군 군영이 설치돼 징과 북을 치며 서로 연락을 하며 경비를 섰다.[88]

5월 15일(양력 6월 18일) 주한미국공사 존 실John Sill이 미 국무장관 월터 그레셤Walter Gresham에게 전문을 띄웠다.

'망명 문제가 이미 언급됐다.'[89]

The matter of asylum has already been mentioned.

청일 양국이 진입하면서 고종이 '망명Asylum' 여부를 미국공사관에 타진했다는 것이다.

조경단과 경기전이 있는 전주성 함락이 4월 27일이었다. 청나라 군사를 부른 날이 5월 1일이었고, 일본군이 한성으로 진입한 날짜가 5월 10일이다. 그러자 닷새 만에 고종이 남의 나라 공사관으로 망명을 하겠다고 그 나라 공사에게 허용 여부를 질의한 것이다.

청일 양군이 개입하자 이미 농민군은 5월 7일 '외세 개입 불가'를 주장하며 관군과 휴전협정을 맺고 군사를 해산한 터였다. 민란이 해소됐으니, 이제 군이 남의 공사관으로 도망갈 이유가 없었다. 그럼에도 불구하고 고종은 망명을 꿈꾸고 있었다.

농민이 왜 죽창을 들었는지, 민란 원인에 대한 해결책은 무엇인지 알려고 하지 않았다. 하루 이틀에 해결할 수 있는 문제는 절대 아니었지만, 그 하루 이틀을 고종은 그렇게 지도자로서 전혀 어울리지 않는 개인적 안위를 생각하고 있었다.

그뿐 아니었다. 동학혁명군이 자진해산하고 생업에 복귀한 사이, 고종은 관료들을 상대로 이런 말을 했다.

"이렇게 다른 나라 멸시를 받고 있으니 나라 형편을 알 만하므로 말하기도 부끄럽다. 오직 분발하고 정신을 차려야만 스스로 정돈하고 스스로 강해질 수 있을 것이다."[90]

이 말을 한 날짜는 양력 6월 28일이며 음력으로 5월 25일이다. 민란 진압을 위해 외국 병사들을 끌어들여야 하는 나라 몰골에 대한 자책이며, 울분이었다. 스스로 강해져야 멸시를 받지 않는다는 생산적인 반성이기도 했다.

그러나 속은 달랐다. 각성을 촉구한 다음날인 6월 29일 미국공사 실은 본국에 이런 전문을 띄웠다.

'조선 국왕의 급박한 요청에 의해, 나는 필요한 경우 왕족과 고위 관료의 파천을 수용하겠다고 동의했다.'
Grant asylum to the royal family and other high officials

열흘 뒤인 7월 8일 실은 다시 한번 국무장관 그레셤에게 비밀 전문을 띄웠다.

'나는 비상시 국왕의 파천을 약속했다.'[91]
Promised the King asylum.

미 국무부는 "조선 정국에 개입하지 말라"며 거부를 지시했다.[92]
그리하여 동서고금 전무후무한 일곱 차례에 걸친 국가 지도자의 도주 행각이 시작되었다.

그 사이 영국으로: 영관파천

미관파천에 대한 답신을 기다리는 사이, 고종은 영국공사관에도 사람을 보내 파천 가능 여부를 물었다. 그날 주한영국총영사 가드너가 주청 공사 오코너에게 보낸 전문에는 '왕이 사람을 보내 일본인이 왕궁을 포위하는 상황에서 왕을 비밀리에 공사관에 받아줄 수 있는지 물어왔다'고 적혀 있다. 영국은 수용할 의사가 없었다.

민비 피살 4개월 뒤인 1896년 2월 고종이 달아났던 러시아공사관. 지금은 망루탑만 남아 있다.

'오늘 아침 왕이 사람을 보내 일본이 왕궁을 포위하고 측근을 압박하는 사실에 우려하고 있다고 알려왔다. 또 자신이 공사관을 방문하면 비밀리에 찾겠다는 뜻을 알려왔다. 이럴 경우 왕을 받아들여도 되는가.'[93]

외교 행위는 그 위험도와 실익을 철저히 계산해서 이뤄진다. 망명하려는 조선 국왕을 섣불리 수용했다가 벌어질 일은 명약관화했다. 미국도, 영국도 고종을 수용할 뜻이 없었다. 결국 두 파천 계획은 미수에 그쳤다.

양력 7월 13일(음력 6월 11일), 거절당한 고종은 대신들을 모아놓고 이렇게 일렀다.

"궁색한 재정과 곤궁한 백성 살림을 수습하지 못한 것은 위아래가 안일한 탓이다. 나는 두려운 마음으로 자다가도 자주 일어나 경계하고 가다듬어 정치를 일신하려 하니 깊이 반성하고 내 뜻을 선양할 책임을 다하라."[94]

성공한 망명, 아관파천

1895년 10월 8일 왕비 민씨가 일본인 무리에게 살해됐다. 1896년 1월 21일 고종은 러시아공사관에 비밀 서신을 보냈다. 내용은 이러했다.

'나는 며칠 안으로 밤중을 택해 아관으로 피신코자 한다. 날짜를 선택해 알려 달라. 나를 구할 다른 방법은 없다.'[95]

러시아는 고종을 받아들였고, 20일 뒤 아관파천은 성공했다. 1년 7개월 동안 '경계하고 가다듬던' 왕이 러시아공사관으로 도피했다. 1896년 양력● 2월 11일이다.

만 1년 동안 아관에 살던 고종을 지켜보던 러시아공사관은 "신변 보호를 넘어 조선을 차지해야 한다"고 본국에 보고했다.

그리고 1897년 2월 20일 고종은 경복궁이 아닌 러시아공사관 옆 경운궁으로 환궁했다. 환궁할 때 고종은 러시아군 경호 속에 아관을 떠났다. 고종은 러시아의 간섭과 러시아를 등에 업은 친러파 관료들에 둘러싸였다. 문득, 고종은 또다시 미국공사관을 노크했다.

1897년 두 번째 미관파천

환궁 후인 1897년 9월 22일 고종은 1892년 미국공사관에 무상으로 줬던 공사관 북쪽 길 소유권을 공식적으로 미국에게 넘겨줬다. 이 길이 지금 '고종의 길'로 복원된 옛 대사관저 내부 소로다. 그달 30일 미국 공사 알렌이 작성한 미국공사관 주변 지도에는 공사관 서쪽에 '국왕 도서관King's Library'이 표시돼 있다. 10월 3일 알렌이 지도와 함께 본국에 보고서를 보냈다. 내용은 이랬다.

"왕은 우리 공사관으로 오기를 희망한다. 나는 거듭 그에게 파천을 기대하지 말라고 말했다. 파천이 불가능함을 깨닫자 왕은 이번에는 소위 '도서관'을 공사관 옆에 짓기 시작했다. 그러면 유사시에 미국이 자기를 보호할 수밖에 없다고 생각한 것이다."⁹⁶

● 조선은 갑오개혁(1895)을 통해 음력을 버리고 서양력을 사용했다. 『고종실록』 또한 1895년은 음력으로 1월부터 11월까지 기록돼 있고 1896년부터는 양력으로 표기돼 있다. 이 글에서도 1896년 이후는 모두 양력으로 표기한다.

매국노 고종

도서관 부지는 미국공사관과 미국장로교 선교사 숙소로 에워싸여 있었다. 알렌은 "(도서관을 그곳에 지으면) 우리가 미국 재산 보호를 위해 (도서관에 있는) 자기를 보호할 수밖에[Compelled] 없다고 생각한 듯하다"고 국무부에 보고했다.

1897년 10월 12일 고종이 황제에 등극하고 원구단에서 이를 하늘에 고했다. 조선은 이제 청나라 제후국에서 당당한 황제국이 되었다.

그런데 두 달 뒤 그 황제가 은밀히 또 미국공사 알렌을 찾은 것이다. 12월 24일 황제는 극비리에 내시 한 명을 미국공사관에 보내 파천을 요청했다. 이에 공사 알렌은 "최악의 상황이 될 것"이라며 파천을 거부했다.[97] 이듬해 1월 24일 이 사실을 알게 된 러시아공사 슈페이에르가 항의하자 고종은 "결단코 그런 일 없다"고 부인했다.[98]

러일전쟁과 무더기 파천 미수

1904년 정초부터 만주를 두고 러시아와 일본 사이에 전운이 감돌았다. 조선 팔도에 일본군이 속속 상륙했다. 등극 40주년을 앞두고 각종 행사에 제국 예산이 투입되고 있던 그 정초에, 고종은 또 다시 망명을 기도했다. 겉과 속이 전혀 달랐다.

1월 2일 알렌은 대한제국 고위 관료로부터 황제가 파천을 원한다는 간접 요청을 받았다. 알렌은 "전쟁이 터지면 황제가 다른 고위 관료와 함께 공사관으로 오겠다는 요구를 명백하게 거절했다"고 본국에 보고했다.[99] 2월에 똑같은 요청이 들어오자 이 또한 거절했다고 본국에 보고했다.

바로 그 무렵 프랑스공사가 황제 측근들에게 일본 은행 예치금을 전액 인출해 프랑스공사관에 보관하라고 제안했고, 측근들이 프랑스공사관에 황제가 묵을 온돌방을 만들었다는 소문이 파다하게 돌았다.[100] 소문을 뒷받침하듯, 때를 맞춰 무장한 프랑스 해군 39명과 장교 2명이 입국했다.[101]

일본공사 하야시는 계속 들려오는 소문에 고종에게 봉인된 상소를 올렸다. 기록에 나온 초고는 이러하다.

폐하께옵서 만일 외국공관으로 파천하시면 시국은 우선 서울 성내에서 파탄하여 예측할 수 없는 참상이 나타날 것이며 종묘사직도 역시 위태로움을 면치 못할 것이며 황실과 국가의 장래를 깊이 통촉하오시고 경솔하지 마시기를 진심으로 바라옵나이다.[102]

결국 전쟁은 터졌다. 그런데 전쟁이 막바지에 접어든 1905년 1월 19일 알렌은 또 "황제가 파천을 간청한다는 요청을 조선 관료로부터 접수했다"고 보고했다. 알렌은 "불가능한 것이 명백하기 때문에, 이런 요구를 다시 듣고 싶지 않다"고 답했다. 그리고 알렌은 "황제가 공사관 담을 넘더라도 퇴거를 요구하겠다(Should the Emperor scale the wall into this compound, I would have to ask him to withdraw)"고 보고했다.[103]

무더기 파천 미수의 결과

프랑스공사관 파천 첩보까지 포함하면, 고종은 자그마치 일곱 번에 걸쳐 타국 공관으로 망명을 시도했다. 그때마다 더더욱 지도자가 필요한 때였고 그때마다 나라는 어지러웠다.

1894년 자기가 부른 외국 군사가 백성을 유린할 때 왕은 미국과 영국 공관 파천을 계획했다. 아관파천 1년 동안 숱한 국가 재산이 러시아와 미국으로 넘어갔다. 1897년 황제 등극 이벤트를 펼치며 황제는 뒤에서 미관파천을 계획했다. 1904년 나랏돈을 들여서 왕위 등극 40주년 행사를 준비할 때 황제는 뒤에서 미국공관으로 숨어들기를 원했다. 1905년 나라가 만신창이로 쓰러질 때 황제는 또다시 미국과 프랑스에 몸을 기대려 했다. 열강은 그때마다 자기네 국익을 앞세워 파천을 거부했다.

그럼에도 망명에 대한 고종의 집착은 끝이 없었다. 1905년 3월 미국공사 알렌이 본국으로 귀임했다. 그때 알렌이 한 말은 "일찍이 구만리를 돌아다녀 보고 4000년 역사를 보았지만 한국 황제와 같은 사람은 처음 보았다"였다.[104]

그래도 상관없었다. 고종의 파천 목적은 일본이 본인과 측근을 압박하는 현 상황 타개였다. 사실상 고종의 파천 목적은 본인과 현 집권층, 민씨 척족 중심의 정권 유지에 불과했다. 고종의 파천 의뢰는 일본에 대항한 조치이기도 했지만, 그 이면에는 동학과 개혁세력으로부터 실정의 책임자로 지목되었던 민씨 척족세력을 보호함으로써 본인의 정치적 기반을 유지하려는 목적이 강했던 것이다.[105]

1905년 11월 17일 일본 전권대사 이토 히로부미伊藤博文가 고종 휘하 대신들을 상대로 조약을 맺고 대한제국 외교권을 박탈했다. 그곳이 황제가 만든 왕립도서관이자 그가 살던 집, 중명전重明殿이다. 황제는 그 집을 버렸다.

1   『일본외교문서』 28권 1책 p.444, 445, 7.조선 국내정 개혁에 관한 건 301.「왕궁 호위병 교대에 관한 국왕과 내각 충돌보고」 1895년 6월 26일

2   Raymond Esthus, 『Theodore Roosevelt and Japan』, University of Washington Press, 1967, p.109: 구대열, 「다모클레스의칼: 러일전쟁에 대한 한국의 인식과 대응」, 『러일전쟁과 동북아의 변화』, 선인, 2005, p.19 재인용

3   황현, 『매천야록』 고종 31년 1894년④ 10.「과거제도 폐지」

4   1894년 고종 31년 8월 4일 『고종실록』

5   1894년 고종 31년 12월 17일 『고종실록』

6   황현, 『매천야록』 1권 1894년 이전⑥ 20.「고종의 곡연유희(曲宴遊戲)」

7   『清光緒朝中日交涉史料』 卷十六, 1308, p.9, 光緒 二十年 七月 初五日, "五百年餘年 中朝御賜印物 倭盡收去 兵庫所藏數十年購存洋槍砲軍火 全行奪去 所政令任自艷陟 非國王能與知詳達 天朝俾明此 斷斷忠悃乞賜救援.": 유바다, 「청일전쟁기 朝-淸 항일 연합전선의 구축과 동학농민군」, 동학학보 51권, 동학학회, 2019 재인용

8   박진철, 「고종의 왕권강화책 연구」, 원광대학교 사학과 박사논문, 2001, p.175

9   1894년 고종 31년 12월 16일 『고종실록』

10   『주한일본공사관기록』 7권 1.기밀본성왕래1~4 (12) 「조선내각의 분열 및 총사직 동의」 1895년 5월 1일: 삼전도비는 병자호란 후 청 황실 요구로 만든 항복 기념비다. 영은문은 중국 사신이 올 때 조선 국왕이 마중하기 위해 나갔던 문이다. 모화관은 영은문 옆에 있던 중국 사신 영빈관이다.

11   1895년 고종 32년 4월 23일 『고종실록』

12   『주한일본공사관기록』 7권 1.기밀본성왕래 1~4 (16) 「조 군부대신 진퇴문제로 내각이 붕괴될 지경에 이른 건」 1895년 5월 22일

13   스기무라 후카시(杉村濬), 「재한고심록(在韓苦心錄)」, 『19세기 말 일본인이 본 조선: 서울에 남겨둔 꿈』, 한상일 옮김, 건국대학교 출판부, 1993, p.197

14   황현, 『매천야록』 2권 고종 32년 1895년④ 24.「어윤중의 피살」: 그때 벌벌 떠는 신하들 가운데 어윤중이 홀로 일어나 고종에게 위엄을 갖추라고 했다. 훗날 아관파천 후 어윤중은 용인에서 피살됐는데, 고종은 사형이 선고된 이 범인들을 유배형으로 감형했다. 황현은 '어윤중이 고종 비위를 거슬렀기 때문'이라고 기록했다.

15   15 『일본외교문서』 28권 1책 p.444~445, 7.조선 국내정 개혁에 관한 건 301.「왕궁 호위병 교대에 관한 국왕과 내각 충돌보고」 1895년 6월 26일

16   스기무라, 앞 책, p.221

17   '아관파천'을 비롯한 고종의 연쇄 도주 행각은 다음 장을 볼 것.

18 황현, 『매천야록』 2권 고종 32년 1895년④ 24. 「어윤중의 피살」

19 『The Korean Repository』 vol.3 May 1896, 「Notes and Comments」, 경인문화사, 2004, p.222

20 1896년 고종 33년 3월 29일 『고종실록』

21 1896년 고종 33년 7월 3일 『고종실록』

22 『統監府文書』 2권 五. 雲山鑛山關係 (4) 「운산광산 채굴권계약서 한국 측 서명자 보고 건」 1906년
    07월 22일

23 이배용, 『한국근대광업침탈사연구』, 일조각, 1989, p.79

24 1907년 2월 21일 『대한매일신보』

25 이배용, 앞 책, p.90

26 Fred Harvey Harrington, 『God, Mammon, and the Japanese: Dr. Horace N. Allen and
    Korean-American relations, 1884-1905』, University of Wisconsin Press, 1944, p.164: Allen
    to the Assistant Secretary of State, November 3, 1897(한국인을 인디언과 흑인에 비유하며),
    Consular Dipatches, State Department Archives.

27 Fred Harvey Harrington, 『God, Mammon, and the Japanese: Dr. Horace N. Allen and
    Korean-American relations, 1884-1905』, University of Wisconsin Press, 1944, p.326

28 김성혜, 「고종시대 군주권 위협 사건에 대한 일고찰」, 『한국문화연구』 18권, 이화여대 한국문화연
    구원, 2010

29 1897년 고종 34년 2월 1일 『고종실록』

30 황현, 『매천집』 7권 소(疏) 「언사소 대인(言事疏 代人): 국사에 대해 남을 대신해 지은 소」

31 『주한일본공사관기록』 12권 1.기밀본성왕복 (20) 「왕비장례식 연기의 원인」 1897년 9월 27일

32 1898년 고종 35년 12월 24일, 25일 『고종실록』

33 『주한일본공사관기록』 13권 8.기밀본성왕 1~4 (41) 「연좌률 부흥 계획 중지의 건」 1899년 6월 15일

34 『한국근대사에 대한 자료: 오스트리아-헝가리제국 외교보고서(1885~1913)』 115. 「한국의 신헌법」,
    서울대 독일학연구소 옮김, 신원문화사, 1992, p.388~389

35 1894년 고종 31년 12월 12일 『고종실록』

36 '9장. 갑오개혁의 좌절' p.219 참조

37 1899년 고종 36년 11월 16일 『고종실록』

38 1900년 고종 37년 11월 28일 『고종실록』

39 1902년 고종 39년 8월 11일 『고종실록』

40 『주한일본공사관기록』 18권 1.기밀본성왕 (53) 「이용익 전환국장 운운의 건 및 전환국 주전 상황」
    1902년 12월 24일

41 김재호, 「근대적 재정국가의 수립과 재정능력, 1894~1910」, 『경제사학』 57권, 경제사학회, 2014

42 William Franklin Sands, 『Undiplomatic memories』, Whittlesey house, McGraw-Hill book
    company, 1930, p.118

43 William Franklin Sands, 앞 책, p.119

44 『한국근대사자료집성』(국사편찬위원회) 19권 프랑스외무부문서9 대한제국Ⅱ·1899~1901 대한제
    국의 대외 정책과 주재 외국인 1899~1901 2권 3. 「독립협회 현황과 관직매매」: 드 플랑시가 델카세

프랑스 외무장관에 보내는 보고서 1899년 3월 25일: 1899년 6월 10일 오스트리아-헝가리제국 외교문서에는 이렇게 적혀 있다: '한국의 군주는 기상할 때에 어제의 내각이 그대로인지 아닌지 여부를 확실하게 말할 수가 없습니다. 일 년 동안 내각이 서른한 번 교체됐습니다. 얼마 전까지 평화로웠고 세상에 거의 알려지지 않아서 은자의 나라라고 불렸던 이 나라는 이제 광범위한 무정부상태에 빠져 해체에 직면해 있습니다.'(『한국근대사에 대한 자료: 오스트리아-헝가리제국 외교보고서 (1885~1913)』110. 「1899년 6월 10일 조선의 정세」, 서울대학교 독일학연구소 옮김, 신원문화사, 1992, p.379

45 1894년 고종 31년 12월 12일 『고종실록』

46 이윤상, 『1894~1910년 재정 제도와 운영의 변화』, 서울대학교 국사학과 박사논문, 1996

47 이윤상, 「대한제국기 황제 주도의 재정 운영」, 『역사와 현실』 26호, 한국역사연구회, 1997

48 1899년 고종 36년 6월 22일 『고종실록』

49 1902년 2월 1일 『황성신문』

50 『제물포, 진센 그리고 인천-외국인 상업세력과 관련하여』(인천역사문화총서 39), 인천광역시, 2007, p.49

51 『총관공문(總關公文)』 총관공문 6 「미국에서 사들인 회선포(回旋砲, 개틀링포) 25대가 인천항에 있으니 육군 장교 인시덕에게 교부할 것」 1892년 음력 1월 24일

52 1902년 고종 39년 8월 9일 『고종실록』

53 장영숙, 「고종의 군통수권 강화시도와 무산과정 연구 : 대한제국의 멸망원인과 관련하여」, 『군사』 66호, 국방부군사편찬연구소, 2008년 4월: 1899년 3명, 1900년 2명이었던 군무국 총장은 1904년에는 8명이 교체됐다.

54 황현, 『매천야록』 2권 1898년② 21. 「빈번한 관직 이동」

55 1900년 고종 37년 4월 17일 『고종실록』

56 장영숙, 앞 논문.

57 『일본외교문서』 37권 1책 390. 「對韓方針竝ニ對韓施設綱領決定ノ件」, p.351

58 김재호, 「근대적 재정국가의 수립과 재정능력, 1894~1910」, 『경제사학』 57권, 경제사학회, 2014

59 이윤상, 『1894~1910년 재정 제도와 운영의 변화』, 서울대학교 국사학과 박사논문, 1996

60 Homer Hulbert, 『The Korea Review』 vol.1(1901), 왕립아시아학회 편, 경인문화사, 1984, p.409~412

61 이윤상, 『1894~1910년 재정 제도와 운영의 변화』, 서울대학교 국사학과 박사논문, 1996, p.194~195 〈표2-25〉, 〈표2-26〉

62 1997년 11월 27일 『조선일보』

63 서영희, 『광무정권의 국정운영과 일제의 국권침탈에 대한 대응』, 서울대학교 국사학과 박사논문, 1998

64 1902년 고종 39년 10월 19일 『고종실록』

65 김윤희, 이욱, 홍준화, 『조선의 최후』, 다른세상, 2004, p.233

66 F. MacKenzie, 『Korea's fight for freedom』, Fleming H. Revell Company, 1920, p.62~63

67 『주한일본공사관기록』 22권 13.기밀본성왕 (16) 「전환국 처분에 관한 건」 1904년 4월 26일

68 이상 수치는 이윤상, 『1894~1910년 재정 제도와 운영의 변화』, 서울대학교 국사학과 박사논문,

1996, p.140~142를 정리한 것이다.

69 『각부 청의서 존안』 각부청의서존안03 「융호길일(隆號吉日) 時의 제반비용 요청」 1897년 10월 15일

70 『각부 청의서 존안』 각부청의서존안03 「어보(御寶)를 새로 만드는 데 들어간 황금 1,000냥 요청」 1897년 10월 7일

71 『코리안 레포지토리The Korean Repository』 1896년 4월호 「Korean Finance 조선의 재정」(서재필): In looking over the several items of expenditure, out of $6,316,831 only $149,090 are intended to be spent for the benefit of the people in general. The balance of the $6,167,741 is intended for the salaries and other expenses of the Government Officials.

72 황현, 『매천야록』 3권 1902년 15. 「경기도의 기근」

73 중추원은 1894년 갑오개혁으로 신설된 의정부 자문기관이다. 근대 의회와 달리 입법기능은 없는 자문기구였고, 의관은 그 관원이다.

74 1904년 고종 41년 7월 15일 『고종실록』

75 1904년 고종 41년 9월 2일 『고종실록』

76 1904년 고종 41년 12월 31일 『고종실록』

77 АВПРИ Ф. 150 О п. 439 Д. 79 Л. 45-46: 「고종 친서」 1905년 1월 10일: 최덕규, 「일본군의 한국강점 과정과 고종황제의 기억: 을사조약의 글로벌 히스토리」, 『서양사학연구』 27집, 한국세계문화사학회, 2012 재인용.

78 위 친서.

79 『한국근대사에 대한 자료: 오스트리아-헝가리제국 외교보고서(1885~1913)』 94. 「1898년 1월 11일 화요일 조선의 정세」, 서울대학교 독일학연구소 옮김, 신원문화사, 1992, p.355

80 Fred Harvey Harrington, 『God, Mammon, and the Japanese: Dr. Horace N. Allen and Korean-American relations, 1884-1905』, University of Wisconsin Press, 1944, p.326: 해링턴이 인용한 알렌의 편지와 전문, 단행본은 다음과 같다: ①Allen to the Secretary of State, May 31 1902, Dispatches, State Department Archives; ②'Alen to Ellinwood', April 26 1897 ③to his sons, April 6 1902 ④to Everett, June 2 1902 ⑤to E.V. Morgan, June 25 1902, February 14 1904 ⑥to John Hay, November 21 1902 ⑦to E.E. Rittenhouse, January 20 1903 ⑧to Rockhill, February 28 1901, January 4 1904 ⑨to Morse, June 7 1904 ⑩Townsend to Allen, November 30 1905, in the Allen MSS ⑪Hamilton, Korea, 52-55 ⑫Gale, "Korea in War Time," Outlook, 77(1904):453-456 ⑬Sands to the Secretary of State, August 10 1899, Dispatches, State Department Archives

81 문일평, 『한미오십년사』(1939), 탐구당, 1975, p.283

82 1894년 고종 31년 5월 25일 『고종실록』

83 「C. T. Gardner to N. R. O'Conor」, July 5 1894(Received July 6 1894), Telegram, FO 228/1168; Gardner to N. R. O'Conor, July 5 1894(Received July 5 1894), Separate & Confidential, FO 228/1168: 'This morning the King sent me a message to the effect that he was in some apprehension lest the Japanese should surround his palace and put constraint on his person. In that event would I receive His Majesty at this Legation? It was

indicated that if His Majesty did visit me he would come secretly.」

84 FRUS, 「Chinese-Japanese War, Mr. Sill to Mr. Gresham」, 1894.7.8: 장경호, 「청일전쟁 직전 고종의 대미의존 심화와 미관파천 시도」, 『한국근현대사연구』 86권, 한국근현대사학회, 2018 재인용: I have promised the King asylum, in case of emergency.

85 「자매문기(自賣文記)」 二, 『일본소재한국고문서』(한국사료총서 제46집) 天理大學所藏 韓國古文書: 본문 한자에는 이두 표현이 섞여 있다.

86 1893년 고종 30년 3월 25일 『고종실록』

87 『갑오실기』 1894년 5월 1일: 동학에 관한 자세한 내용은 '8장. 개틀링으로 학살한 백성' 편 참고.

88 황현, 『매천야록』 2권 1894년② 7. 「일본군의 남산 포진과 오토리 게이스케大鳥圭介의 알현」

89 한미외교관계문서(Korean American Relations: 이하 KAR) 2, 「Sill to Secretary of State」, 1894.6.18: 장경호, 앞 논문.

90 1894년 고종 31년 5월 25일 『고종실록』

91 이상 FRUS, 「Chinese-Japanese War, Mr. Sill to Mr. Gresham」, 1894.6.29. 1894.7.8.: 장경호, 앞 논문.

92 「Mr. Gresham to Mr. Sill」, 1894.7.8

93 「C. T. Gardner to N. R. O'Conor」, July 5 1894(Received July 6 1894), Telegram, FO 228/1168: 한승훈, 「19세기 후반 조선의 대영정책 연구」, 고려대학교 박사학위논문, 2015 재인용: This morning the King sent me a message to the effect that he was in some apprehension lest the Japanese should surround his palace and put constraint on his person. In that event would I receive His Majesty at this Legation? It was indicated that if His Majesty did visit me he would come secretly.

94 1894년 고종 31년 6월 11일 『고종실록』

95 김종헌, 『러시아문서 번역집2』 p.223: 장경호, 「고종의 미관파천 시도와 한미관계(1894~1905)」, 한국학중앙연구원 박사학위논문, 2018 재인용

96 DUSMK.VOL13, No.11, 「Mr. Allen to Secretary of State」 1897.10.03.: 장경호, 「대한제국 선포 직후 고종의 미관파천 연구」, 『한국학』 42권, 한국학중앙연구원, 2019 재인용

97 KAR 3, 「Horrace Allen to Secretary of State」, 1897.12.27

98 『주한일본공사관기록』 12권, 10.기밀본성왕신 (5) 「미관파천 계획이 폭로된 건에 관한 사실보고」 1898년 1월 24일: "러시아파는 설을 만들어 말하기를, "황제께서는 미국 공사관으로 파천하시려는 의향이 있다. 지난날에 문고를 건설하였지만 이는 문고라는 이름을 빌려서 실제로는 파천 후의 경영을 하려는 것이다. 그리고 이달 13일(러시아 설날)이 곧 파천을 실행하는 날이 될 것이다"라고 운운 하였습니다.(중략) 이를 항의하는 러시아공사에게 폐하께서는 "그런 일은 결코 없었다"고 단언했다고 합니다."

99 KAR 3, 「Horrace Allen to Secretary of State」, 1904.1.2

100 『주한일본공사관기록』 23권 2.전본성왕 (13) 「한국 황제의 러시아공사관 파천설 정보 건」 1904년 1월 04일

101 서영희, 『대한제국 정치사 연구』, 서울대학교출판부, 2003, p.180

1102 『주한일본공사관기록』 24권 5. 궁중왕복 (2) 「황제폐하의 외관파천 저지 상주문 봉서초」 1904년 1 월: 일본 기록에는 이 상소가 친일 관료 성기운에 의해 환송된 것으로 나와 있다.(『주한일본공사관 기록』 24권 5. 궁중왕복 (3) 「上件 封書草 還收 件」 1904년 2월 8일)

103 KAR 3, 「Horrace Allen to Secretary of State」, 1905.1.19

104 황현, 『매천야록』 4권 1905년 23. 「미국공사 모르간의 부임」: 알렌은 갑신정변 때 고종 측근 민영익 을 치료해주고, 왕비 민씨가 살해당했을 때도 옆을 지켰던 사람이었다. 하지만 알렌은 철도에서 금 광까지, 그 고종으로부터 모든 것을 다 빼낸 뒤 본국으로 돌아갔다. 후임은 공사에 근무하던 서기관 에드윈 모건이었다. 모건은 친일 성향을 가진 외교관이었다.

105 한승훈, 「19세기 후반 조선의 대영정책 연구(1874~1895):조선의 균세정책과 영국의 간섭정책의 관 계 정립과 균열」, 고려대학교 박사학위논문, 2015

5부

고물을 팔아치우다

1904~1910

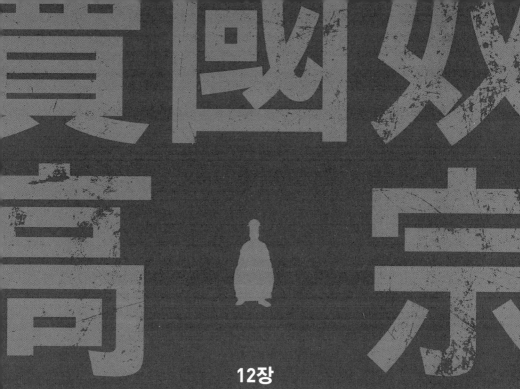

12장

러일전쟁과 주합루

황천항해 荒天航海
1904~1905

> 그 아름다운 곳이 일본인들 환성으로 가득 찼다. 눈물을 흘리지 않을 수 없었다.
> 황제의 실정이 수치스럽게도 이 나라를 붕괴시켰다.
> 무엇보다 슬픈 일은 황제에게서도, 비굴하고 부패한 신하에게서도 끔찍하게 생기를 잃은
> 대중에게서도 조선의 미래에 대한 아무런 희망도 발견하지 못한다는 사실이다.[1]
>
> – 윤치호

좌절된 도주, 그리고 러일전쟁

서울에 주재해 있는 그 어떤 외국 공관도 고종에게 도주로를 열어주지 않았다. 결국 고종은 대한제국 왕좌에 앉아 전쟁을 기다릴 수밖에 없었다. 1904년 2월 10일 청나라 여순에서 러시아와 일본 사이에 전투가 벌어졌다. 아시아 패권을 두고 벌어진 두 강대국의 피할 수 없는 전쟁이었다. 일본이 선전포고를 한 명분은 '한국의 위급사태를 구제하고 일본의 자위권을 확보하기 위한 성전聖戰'이었다. 고종이 두려워하던 그 전쟁이 터진 것이다.

2월 23일 일본은 대한제국과 한일의정서를 체결하고 대한제국 전 영토를 마음대로 군용지로 수용할 권리를 획득했다. 서울 용산 미군기지가 이 의정서에 뿌리를 두고 있다. 여섯 달 뒤인 8월 22일 일본은 대한제국 정부에 고문을 파견해 내정 간섭을 할 수 있는 권리를 취득했다. '1차 한

일협약'이라고 한다. 이웃 두 나라 개전 반 년 만에 군사권과 통치권이 실질적으로 일본으로 넘어간 것이다. 1873년 친정 선언 후 고종이 대원군으로부터 가장 먼저 회수했던 권력이 군사권과 통치권이었다. 32년 만에 그게 일본으로 통째로 넘어갔다.

소름끼치는 사진 한 장

1904년 5월 6일 창덕궁에서 대단한 파티가 열렸다. 한때 규장각으로 쓰였던 후원 주합루에는 대형 국기가 걸렸고 칼 차고 소총 든 군인들이 사방에 우글거렸다. 서양 외교관도 눈에 띄었다. 흰옷 입고 흰갓을 쓴 조선 사람들도 눈에 띄었다. 이날 자 〈황성신문〉은 행사를 이렇게 예고했다.

'경성의 일본 거류민 등이 오늘 창덕궁에 우리 대신 약 50~60명을 초청해 전첩 축하회를 연다고 한다.'[2]

전첩 축하회. 개전 두 달 만에 러시아에 파죽지세로 승리를 거둔 일본군이 본국 일본은 물론 대한제국 영토 내에서, 그것도 황제가 소유한 궁궐에서 축하파티를 벌인다는 기사였다. 즉, 지금 대한민국 국민도 허락없이 출입이 불가능한 저 주합루에 우글거리는 군인들은 일본군이다. 국기는 태극기와 일장기다. 닷새 전 청나라 구련성九連城 전투에서 러시아군을 물리치고서 일본군이 벌인 전승 축하파티다.

섬뜩하지 않은가. 바다 건너 일본군이, 청나라 땅에서 러시아군을 누르고 대한제국 구중궁궐에 떼로 모여 일장기를 걸어놓고 즐기는 가든파티 풍경이. 대한제국 주권과 영토와 황민과 그 황제가 멀쩡하게 살아 있는데, 외국 군사가 떼로 들어와서 궁궐을 점령한, 고물이 된 나라 꼬라지가.

1904년 5월 6일 러일전쟁 전첩 기념파티가 열린 창덕궁 후원 주합루.
넉 달 뒤 일본군은 조선인 3명을 경부선 철도 파괴혐의로 체포해 총살했다. / 코넬대학교 디지털컬렉션

    파티에 얼굴을 보인 군상群像은 다양했다. 〈황성신문〉 기사에 따르면
이날 잔치에 참석한 대한제국 정부 각료는 50~60명이었다. 고종은 이날
정3품 홍순욱을 '일본 진북군 접응관'에 임명해 파티에 참석시켰다.[3] 의
정부 참정 조병식과 의전 담당 예식원 예식경 민종묵도 참석했다. 조선
인은 흰 옷과 흰 갓을 쓰고 참석했다. 때는 헌종의 계비 홍씨 국상 기간이
라 백립과 백의, 백대 착용이 의무였다.

    주합루 2층 가운데 기둥 오른쪽에 서 있는 양복 차림 사내는 군부대신
윤웅렬이다. 그 앞은 그의 자식들이다. 그 아래층에 파티에 초대된 주한
외국 인사들이 보인다. 공식적인 파티 주관을 일본인 거류자들이 했으니
일본 복식을 한 사람들도 눈에 띈다. 윤웅렬의 아들인 개혁파 지식인 윤치
호 또한 이날 행사에 참석했다. 윤치호는 이날 일기에 이렇게 기록했다.

대한민국시대 창덕궁 주합루.

'그 아름다운 곳이 일본인들 환성으로 가득 찼다. 눈물을 흘리지 않을 수
없었다. 황제의 실정이 수치스럽게도 이 나라를 붕괴시켰다. 무엇보다 슬
픈 일은 황제에게서도, 비굴하고 부패한 신하에게서도 끔찍하게 생기를
잃은 대중에게서도 조선의 미래에 대한 아무런 희망도 발견하지 못한다는
사실이다.'[4]

잃어버린 10년, 고물이 된 나라

나라는 일찌감치 엔진이 멎어 있었다. 20년 전인 1884년 고종이 갑신
정변을 청나라 군사를 불러 진압한 이후 1894년 동학농민혁명까지 조선
은 태평천국이었다. 실질적인 청나라 속국으로, 일본도 조선을 탐하지 못

했고 청 또한 자기네 방식으로 조선 개혁을 시도하던 때였다. 그때 조선 권력자 고종과 민씨들은 단군 이래 최악의 부패를 저지르며 국가 동력動力을 갉아먹었다. 고종-민씨 연합은 국력과 국고 대신 권력과 개인 주머니를 택했다. 그 결과 군사력은 미약했고 경제력은 더 미약했다. 고종과 그 무리는 청, 러시아, 미국에 의지해 권력 유지를 기도했고 백성은 그 강화된 부패 정권에 더욱 시달렸다.

그 학정에 시달린 백성이 들고 일어난 사건이 1894년 동학농민혁명이었다. 죽창과 기껏해야 화승총밖에 없던 농민군을 조선 정부는 진압할 능력이 없었다. 군軍이 없었다. 조선 정부는 결국 다시 한 번 청나라 군사를 불러들였고, 이에 함께 출병한 일본군이 일으킨 전쟁이 청일전쟁이었다.

고종이 길러냈던 궁궐 수비대 또한 청일전쟁 직전 경복궁에 난입한 일본군을 대적하지 못했다. 게다가 결사항전하는 친위대에게 고종은 무장해제를 명하기까지 했다. 조선 권력은 일본 수중으로 넘어갔다. 1895년 겨울 러시아에 기대려는 왕비 민씨가 일본인에 살해됐다. 이듬해 봄 고종은 러시아공사관으로 도주했다. 그리고 1년 뒤 대한제국을 세웠다. 황제에 의한 황제를 위한 황제의 나라였다. 그때 일본은 조선을 놓고 러시아를 상대로 힘을 재고 있었다. 대한제국은 빈사상태였다. 고물이 돼 있었다.

거제도 일본군 기념탑과 러일전쟁

경상남도 거제시 계도마을 앞바다에 무인도가 하나 있다. 이름은 취도吹島다. 면적은 570평 정도다. 섬 서쪽 봉우리 위에는 탑이 솟아 있다. 기단 높이는 270센티미터 정도고 위에는 70센티미터쯤 되는 포탄 탄두가 박혀 있다. 기단에는 '취도 기념'이라고 적혀 있다. 세운 때는 1935년 8월이다. 세운 사람은 일본 해군 중장 이치무라 히사오市村久雄, 바로 바다 건너 진해에 있던 일본 해군 진해경비부 사령관이다.

탑기단에는 이렇게 적혀 있다.

'전쟁 때 함대가 밤낮으로 이 섬을 향해 함포 사격을 행했다. 그래서 섬 원형은 남아 있지 않으나 일본 해군의 공훈은 이 섬에서 얻은 바가 많아 이 비를 세운다.'

전쟁 이름은 대마도해전이다. 1905년 5월 27일 대마도 앞바다에서 러시아 함대와 일본 함대가 맞붙은 전투다. 그 일본 연합함대 출항지가 거제도 송진포였다. 1904년 2월 10일 청나라 여순에서 시작한 러일전쟁은 대마도해전을 끝으로 1년 3개월 만에 실질적으로 종료됐다. 취도는 당시 일본 연합함대 함포 사격장이었다.

러일전쟁 이후 일본 해군 진해경비부가 사용했던 거제도 취도 함포 사격장.
포탄이 솟아 있는 탑은 이를 기념하는 기념비다.

러일전쟁 승전기념비.
1931년 도고 헤이하치로의 친필을 받아 거제도 송진포에 세웠다.
지금은 거제시청 창고에 보관 중이다.

러시아의 동방정책과 조선

때는 19세기 제국주의 시대였다. 영국과 프랑스를 필두로 유럽제국은 산업혁명을 통해 대량으로 생산한 대량살상무기를 대량의 군함에 싣고 아시아 국가를 식민지로 만들어갔다. 요체는 군사력이었다. 소극적으로 는 국가 안보를 지키고 적극적으로는 약소국을 무자비하게 희생시켜 국 익을 얻는 냉혹한 힘이었다.

1840년 영국과 청나라가 벌인 아편전쟁은 황제국 청의 '천하天下'를 무 너뜨린 일대 사건이었다. 충격을 받은 일본 지도부는 복잡한 과정을 거 쳐 문호를 개방하고 1868년 서양식 근대화에 착수했다. 조선 지도부는 서양을 오랑캐로 배격하며 쇄국을 유지했다. 그 사이 일본은 지구상 최 초의 비非 백인 제국주의 국가로 변신해갔다.

유럽에서는 가장 늦게 근대화에 뛰어든 러시아가 있었다. 1682년 황제가 된 표트르1세(1672~1725)는 서유럽으로 시찰단을 파견해 기술을 배웠다. 직접 프로이센과 네덜란드와 영국에 가서 포술과 조선술과 수학과 기하학을 배웠다. 돌아와서는 단발령을 내려 남자들 수염을 강제로 잘라버리고 여자들 치마를 잘라버렸다. 해군을 창설해 스웨덴과 전쟁을 벌여 발트해에 얼음이 얼지 않는 항구를 확보했다. 1762년에 등극한 예카테리나 2세는 폴란드를 집어삼키고 발칸반도와 크림반도로 영토를 넓혔다. 서유럽을 배워, 남으로 영토를 넓힌 것이다.

그리고 남은 곳이 동쪽이었다. 1891년부터 러시아는 모스크바 야로슬랍스키역에서 연해주 블라디보스토크역까지 9,288킬로미터짜리 시베리아 횡단철도를 건설해나갔다. 블라디보스토크역에는 이를 기념하는 탑이 서 있다.

아시아를 먼저 점령한 서유럽 선발 제국들은 양보할 생각이 전혀 없었다. 중앙아시아에서는 인도를 향해 남하하는 러시아와 식민지 인도를 지키려는 영국 사이에 그레이트 게임Great Game이 벌어지고 있었다. 1853년 10월 영국과 프랑스는 러시아와 오스만 제국이 벌인 크림전쟁에 오스만 편으로 참전했다. 1854년 3월 러시아령인 사할린 북쪽 캄차카 반도를 영국과 프랑스 연합군이 공격했다.

영국과 러시아가 박 터지게 전쟁을 벌이자, 1854년 일본은 두 나라를 배제하고 미국과 국교를 수립했다. 일본을 중간기착지로 삼고 고래를 따라온 미국 포경선이 동해를 누비고 다녔다. 영국과 프랑스는 울릉도와 독도(외국은 독도를 리앙쿠르 암초Rochers Liancourt라 불렀다)를 해도에 그려 넣고 동해를 누비고 다녔다. 1885년 영국이 그 러시아를 견제하기 위해 조선 거문도를 점령했다.

북새통이 된 조선과 지도부의 무지

조선 옆에 일본만 있었던 것이 아니었다. 조선은 세계 제국주의에 포위돼 있었다. 조선은, 조선의 바다는 말 그대로 전 세계 제국주의로 북새통이었다. 오로지 조선만 이 북새통이 된 정황을 감지하지 못했다. 아니, 관심을 가질 겨를이 없었다. 1887년부터 1905년까지 조선 정부가 일본에 파견한 조선공사는 8명이었다. 그런데 18년 4개월 동안 실제로 공사가 현지에 재임했던 기간은 6년 9개월이었다.[5] 공사가 정보수집과 외교 활동은 하지 않고 국내정치에 정신이 팔려 있었으니, 조선 지도부는 대량살상무기를 대량으로 생산하고 사회체계를 갈아엎는 일본을 목격할 수 없었다. 서유럽을 흉내 내 스스로 제국주의화한 일본을 보지 못했다. 그래서 1895년 청일전쟁에서 일본이 승리하고, 러시아가 여순을 차지한 사실을 조선 정부는 무슨 뜻인지 이해하지 못했다.

고종은 그 모든 나태한 행위를 묵인하고 방조한 사람이었다. 사료를 들춰보고, 동시대 지식인들 증언을 살펴보면 그 어디에도 고종이 국가와 백성과 국익을 위해 정책 방향을 제시했다는 증거는 찾아보기 어렵다. 권력 유지와 확장은 고종이 친정을 한 이래 초지일관 추구했던 유일한 정책이었다.

1904년 제물포와 1905년 거제도

러일전쟁 발발 1주일 전인 1904년 2월 3일, 영국 잡지 〈펀치Punch〉에 삽화 한 장이 실렸다. 러·일 양국이 조선 노인의 허리를 밧줄로 조이는 장면인데, '러일전쟁 와중에 조선이 엄중 중립[Strict Neutrality]을 선언했다'는 설명이 붙어 있다.

매국노 고종

IN A TIGHT PLACE.

["The Korean Government has decided to preserve a strict neutrality in the event of war between Japan and Russia."—*Daily Paper*.]

1904년 2월 3일 자 영국 잡지 〈펀치〉 삽화. 러일 양국이 조선 노인의 허리를 밧줄로 조이는 장면인데, '러일전쟁 와중에 조선이 엄중 중립을 선언했다'는 설명이 붙어 있다. / 토론토대학교 도서관

피비린내가 거칠게 퍼져가던 1904년 1월 21일 대한제국 황제 고종이 중립을 선언했다. 한반도를 군수기지로 삼으려던 일본은 순간 멈칫했지만, 개의치 않았다. 중립을 유지할 군사력도 국제적 네트워크도 없는 껍데기 선언이었으니까. 믿었던 러시아도 거부했고 일본도 거부했다. 이미 일본은 각지 항구를 통해 군수품을 반입 중이었다. 한 달 뒤인 2월 10일 전쟁이 공식 개전했다. 이에 앞서 2월 9일 일본 함대는 제물포항에 도착해 러시아 함대에 올라 공격을 예고했다. 러시아는 항복 요구를 거부했다. 러시아군은 항구에 정박해 있던 각국 함대 송별식 속에 팔미도 앞 바다에 포진한 일본 함대에 곧바로 돌진했다. 참패한 러시아 해군은 남은 배를 자폭시켰다.[6] 동시에 일본군 2,000명이 한성으로 진주했다.

그리고 만 1년 3개월이 지난 1905년 5월 대마도 해협에서 일본 연합함대가 지구를 반 바퀴 돌아온 러시아 발틱 연합함대를 궤멸시킨 것이다. 일본 해군 사령관 도고 헤이하치로東鄉平八郎는 T형 전술로 러시아 함대를 작살냈다. 일렬 종대로 전진하는 러시아 함대에 맞서 전함을 횡으로 전진시키며 포를 쏴댔다. 전함의 포는 좌우현에서 사격하니, 일본 해군은 러시아 함대 최전위부터 십자포화를 쏴댔고 러시아 해군은 그 포화를 맞받아칠 수가 없었다. 러시아 해군은 3분의 2가 사라졌고 발틱 함대는 궤멸됐다.(이 T자 전법을 '충무공 이순신이 쓴 학익진'이라고 주장하는 쇼비니스트들이 있는데, 이는 일본 해적들이 즐겨 쓰던 전술이다)

시작도 끝도 모두 대한제국 영토 내였다. 9월 5일 종전협정(포츠머스 조약) 두 달 뒤인 11월 일본은 대한제국에게 을사조약을 강요해 외교권을 강탈해갔다. 종전협정을 성사시키고 아시아 평화를 가져다준 미국 대통령 시어도어 루스벨트는 노벨 평화상을 받았다.●

일본군이 총살한 대한제국인, 일본군을 위문한 대한제국

창덕궁 파티가 끝나고 넉 달이 지났다. 일본군은 군사를 실어 나를 경부선 철도를 건설하며 대륙 침략을 서두르고 있었다. 그해 9월 20일 오전 10시 철도 건설을 방해하다가 검거된 아현동 사람 김성삼, 안양 사람 이춘근, 신수철리 궁방동 사람 안순서가 일본군에 의해 총살당했다. 뒤늦게 보고를 받은 한성판윤 김규희가 간부들을 급파했으나 처형은 끝났다.[7] 한 달 뒤인 10월 26일 황제는 '먼 땅에서 여러 달째 비바람을 맞고 있는'

● 발칸반도에 있던 몬테네그로도 일본에 선전포고를 했다. 두 나라는 101년 동안 교전상태로 있다가 지난 2006년에 깜짝 놀라서 교전상태를 종식시켰다.

러일전쟁 때 경부선 철도를 파괴한 혐의로 일본군에 총살당한 조선인들. / 코넬대학교 디지털컬렉션

일본군을 위로하기 위해 육군 부장 권중현을 위문사로 보냈다.[8]

　두 달 뒤 1904년 12월 31일 의정부 참정 신기선이 "백성이 도탄에 빠진 것이 (민란이 극성했던) 1862년과 (동학의) 1894년보다 더 심해졌다"고 사표를 던졌다. 황제 고종은 "뜻이 간절하니 받아들인다"며 사표를 받았다. 같은 날 두 달 전 러일전쟁 전투에 고생하는 일본군 위로차 대륙으로 떠났던 위문사 권중현이 귀국했다. 권중현은 그날 법부대신으로 승진했다.[9]

황천항해 荒天航海

　파국破局이었다. 그 누구에게도 그 어떤 나라에도 고종은 기댈 선택권이 없었다. 1873년 친정을 선언한 이래 끝없이 확장해왔던 권력이지만, 이제는 한 줌도 그 권력이 남아 있지 않았다. 500년을 이어온 조선 왕국, 형식적이지만 당당하게 하늘에 제사를 지낼 수 있는 제국帝國이 무자비하

게 난파되고 조난돼 갔다. 텅 빈 창고에는 빚 문서가 가득 쌓여 있었다. 대한제국은 온통 고물이 된 채 상어 떼가 날뛰는 폭풍 속 망망대해를 표류하기 시작했다.

악천후에 포위된 바다를 황천(荒天·Rough sea)이라고 한다. 황천은 피하는 게 상책이다. 불가피하게 폭풍 속에 진입하면 평상시 운항 규칙과 다른 운항법이 필요하다. 그 황천을 탈출하기 위한 극단적인 항해를 황천항해荒天航海라고 한다. 거대한 배가 기울고, 선원은 생명을 위협받고 화물은 요동친다. 그 거친 바다를 헤쳐 나가야 유능한 선장이며 선원이다.

황천을 만난 대한제국은, 그 대한제국을 지휘한다던 고종은, 과연 똑바로 황천항해를 해왔으며 할 것인가. 아니었다. 고종에게는 아직 기댈 언덕이 하나 더 남아 있었다. 그에게서 모든 권력을 강탈하고서 수평선 끝에서 입을 벌리고 있는 일본을 혼내줄, 미국이었다.

13장

황제가 기댄 그녀, 앨리스

1905년 9월,
을사조약두달전

앨리스 일행이 한국에서 한 일은 축제를 벌이고 만찬을 하고 환영연을 벌이고
야외파티를 하고 이 고대도시 바깥으로 말을 타고 놀러 다닌 것밖에 없었다.
한국인들은 이번 방문이 정치적으로 무슨 뜻이 있어서 미국 정부가 한국을 도와
위태로운 상황에서 꺼내 주리라고 생각한다. 하지만 그런 바람은 사실과 거리가 아주 멀다.[10]

공주, 하늘에서 내려오다

러일전쟁이 일본 승리로 끝났다. 일본이 '조선을 위한 성전聖戰'이라는 명분으로 노골적으로 조선 정복욕을 드러낸 전쟁이었다. 고종 운명은 결정타를 맞았다. 자기가 세운 제국, 모든 권력을 독차지한 그 나라에서 이제 고종은 국내적으로도 국제적으로도 파트너 선택권을 완전히 상실한 것이다.

그해 가을, 껍데기만 남은 그 권력자에게 홀연히 공주가 찾아왔다. 진흙탕에 자빠져 있는 고종에게 그녀는 천사 날개를 단 여신으로 보였다. 나라를 팔기 일보 직전, 고종에게 구원의 손길이 내려온 것이다. 고종은 또 한 번 희망을 갖기 시작했다.

1905년 5월 26일 창덕궁 주합루에서 일본인들이 벌인 또 다른 파티. 경부선 개통 축하 가든파티에 동원된 대한제국 군악대. / 일로전쟁실기 한국사진첩

1905년 5월 일본 황족의 한성 나들이

1905년 5월 25일 한성 남대문역[11]에서 경부선 철도 개통식이 열렸다. 개통식에는 일본 황족 후시미노미야 히로야스伏見宮博恭가 참석했다. 다음 날 대한제국 궁내대신 박제순은 일본 관련 인사들을 창덕궁으로 초대해 원유회를 개최했다. 주합루에는 다시 한 번 한일 양국기가 교차돼 걸렸다. 일본인의 이 자축잔치에, 대한제국 군악대가 동원돼 축하 연주를 했다.[12]

박제순은 6개월 뒤 외부대신 자격으로 을사조약을 체결했다. 다시 5년 뒤 내부대신 자격으로 한일합병조약에 참석했다. 나라를 고물로 만들어버린 자들이, 참으로 헐값에 그 나라를 팔아버린 것이다. 이 박제순 이름을 똑바로 기억해둔다.

1905년 6월 미국 부영사 스트레이트의 부임

윌라드 스트레이트Willard Straight는 러일전쟁 취재차 일본에 와 있던 〈APAssociated Press〉 기자였다. 그러다 덜컥 대한제국 주재 미국공사관 부영사에 임명됐다. 1905년 6월 25일 신임 부영사가 황제를 알현했다. 알현 장소는 중명전重明殿이었다. 중명전은 경운궁에 딸린 왕실도서관이다. 아관파천 후 경운궁으로 환궁한 고종은 주로 중명전 2층에 거주해왔다.

일행이 알현을 마치고 나오는데, 고종이 그 뒷모습을 보고 있었다. 미국공사관은 중명전과 맞붙어 있었다. 스트레이트가 친구에게 이렇게 편지를 썼다.

'이봐, 궁전이 바로 옆이야. 우리가 공사관 뜰로 들어왔더니 황제가 침대 의자에 앉아서 우릴 쳐다보더라고. 저녁이 되니까, 독일공사가 찾아왔어. 중국 조랑말을 타고서 우리 잔디밭까지 들어왔다니까. 영사 모건이랑 나랑 무관인 딕시가 잠옷차림으로 공사를 맞았지. 도대체 이런 나라를 상상이나 할 수 있겠어? 나는 못해.'[13]

1년 전 창덕궁 후원에서 열린 러일전쟁 일본군 전첩 파티를 서러워했던 윤치호는 그날 일기에 이렇게 적었다.

황제가 굴 같은 수옥헌(漱玉軒·중명전)에서 지내기 위해 이렇게 아름다운 궁궐을 방치해야 했다니 정말 슬픈 일이다. 황제의 실정失政이 이 나라를 수치스럽게 만들고 붕괴시킨 것은 더 슬픈 일이다.[14]

'조선의 미래에 아무런 희망이 없다'고 한탄했던 윤치호였다. 그 눈에는 온갖 실정은 다 저질러놓고 굴과 다름없는 초라한 곳에 피난생활 중

매국노 고종

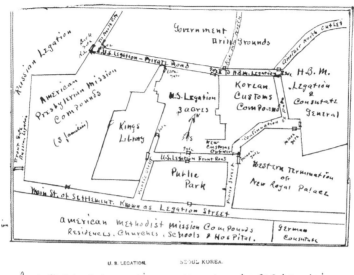

1897년 9월 당시 미국공사 호러스 알렌이 그린 정동 지도. 'King's Library'로 표시된 공간은 현재 중명전이고, 그 오른쪽 위는 미국공사관이다. 알렌은 "황제가 도서관을 공사관 옆에 짓고 미국 보호를 받으려 했다"고 기록했다.

인 고종이 한심하기 짝이 없었다. 중명전은 아관과 미관과 덕관으로 에 워싸여 있었다. 서양 공관과 마치 한 집인 듯했다. 스트레이트는 6개월 뒤 미국공사관 담 너머로 이 중명전에서 을사조약이 체결되던 장면도 목 격했다.

대한제국으로 출발하기 전 스트레이트는 도쿄항에 정박한 러시아 군 함 오룔호를 목격했다. 3주 전 대마도해전에서 무참하게 포격당한 배였 다. 크고 작은 포탄 67발을 맞은 오룔호는 일본군이 전리품으로 접수한 뒤 자기네 군함으로 재활용하기 위해 수리 중이었다. 스트레이트가 올라

탄 갑판에서는 여자들이 웃으며 핏자국과 머리카락 범벅을 닦아내고 있었다.[15]

그 상반된 풍경. 한 제국은 세계 최강 러시아제국 군함을 차지했고 바다 건너 또 다른 제국에서는 서양 공관들 한가운데 도서관을 짓고 황제가 살고 있는 풍경. 여전히 기자적 시각으로 세상을 관찰하던 스트레이트에게 이미 두 제국 운명은 결정돼 있었다.

1905년 9월, 이상한 나라의 앨리스

그가 부임하고 석 달 뒤 또 다른 귀빈이 대한제국을 찾았다. 1905년 9월 17일 자 〈대한매일신보〉는 이 귀빈에 대해 이렇게 소개했다. 길지만 (소리 내서) 읽어보자.

그녀는 세계 최고국 귀한 공주라. 당당함과 예법은 말할 나위도 없고 바다를 건너 여러 국가를 경유해 세상을 돌아다니고 있으니, 이는 여성으로 드문 일만 아니라 남자로도 힘든 일이라.
예사로움을 뛰어넘는 의지와 기개, 그리고 소탈하고 명랑한 자질과 깊고 고요한 학문은 일일이 논할 필요도 없이 짐작하고도 남으니, 그 향기로운 수레가 머무는 곳과 공주가 맑게 바라보는 곳에는 산천이 빛을 더하고 초목이 영광을 더함은 말해 무엇하리오. 여러 묵객은 앞 다퉈 찬가를 지어 기쁨을 남기고, 착하고 현명한 아낙들은 서둘러 비단실을 사서 수를 놓나니. 우방을 편케 하고 교의를 도탑게 만드는 인애지심과 관대한 풍모는 고금에 그 버금가는 사람이 없도다. 황제 폐하께서는 옥과 비단으로 예우를 베풀고 최고의 집에서 음식을 내고 음악을 베풀어 양국 우호를 달성하고 귀빈

앨리스 루스벨트.
아버지 시어도어 루스벨트가 "나라를 책임지거나
딸을 책임지거나 둘 중 하나는 할 수 있지만, 두 개 다는 못한다"고
포기했던 왈가닥이었다. / 코넬대 디지털컬렉션

을 즐겁게 하여 예의가 군건하게 된 연후에 너그러움을 베풀지니라.[16]

동서고금에 이런 사람이 있겠는가. 눈길 가는 곳에는 꽃들이 빛을 더하고, 가마가 서는 곳에는 산천이 반짝인다니. 이 세계 최고 나라 공주님 이름은 앨리스 루스벨트Alice Roosevelt, 제26대 미국 대통령 시어도어 루스벨트의 외동딸이다. 그 공주를 영접하기 위해 궁내대신 이재극은 일본 방문 때 한번 깎았던 머리를 다시 한 번 깎고 제물포로 마중을 갔다.[17]

1882년 한미조약 거중조정

1876년 강화도조약으로 문호를 개방한 조선은 1882년 미국을 필두로 영국과 독일(1883), 러시아, 이탈리아(1884), 프랑스(1886)와 수교했다. 청제국을 중심으로 한 수직적 '천하天下'에서 마침내 정글 같은 '세계世界'로 진입한 것이다. 1882년 음력 4월 6일 미국과 맺은 조미수호통상조약

1조는 이렇게 규정했다.

> 만약 타국이 불공경모不公輕侮하는 일이 있게 되면 일차 조지照知를 거친 뒤에 필수 상조相助하여 잘 조처함으로써 그 우의를 표시한다.

'제3자가 국제 분쟁을 일으킨 당사국 사이에 끼어들어 분쟁을 평화로운 방법으로 해결한다.' 이를 거중조정居中調停이라고 한다.

이 조약 초안을 작성한 사람은 청나라 이홍장이다. 거중조정 조항을 삽입한 사람도 이홍장이다. 이홍장은 잠재적 분쟁국인 러시아와 일본을 미국을 통해 견제하려고 한 것이다. 고종과 그 측근은 이 조항을 철석같이 믿었다.

러일전쟁 직전, 고종 최측근 이용익이 이 조항을 언급하며 영국인 종군기자 매켄지에게 말했다.

"미국과 유럽이 조선 독립을 보장한다."

매켄지가 답했다.

"국력 없는 조약은 쓸모없다. 당신들이 자신을 보호하지 않는데 남이 보호해줄 까닭이 있는가."

이용익이 반박했다.

"미국이 약속했다. 무슨 일이 있어도 미국은 친구가 될 것이다."●

철석같이 미국을 믿은 고종

자그마치 23년 뒤 지축이 한 바퀴 돌아가고도 세상이 완전히 바뀐 1905년에, 고종 정부는 바로 이 조항을 생각해내고 미국 공주 앨리스를 극진히 접대한 것이다.

당치도 않은 일이었다. 국력이 어느 정도 비슷하고, 상호 교역을 위한 시장 가치가 있을 때에도 거중조정은 이루기 힘들다. 하물며 아무런 힘도, 아무런 구매력과 생산력도 없는 조선을 이미 제국주의 한복판에서 힘을 휘두르는 미국이 도와주리라고 기대하는 희망은 배짱이 아니라 무지와 무식과 무능의 상징이었다. 1882년 수교한 미국은 교역량이 미미하자 2년 만에 이미 조선주재공사 지위를 대사급인 '특명전권공사'에서 '변리공사(총영사급)'로 강등시켰다.[18] 앨리스가 방한할 때는 전권공사로 복귀했지만, 이는 철저하게 러시아를 견제하려는 미국적 이해관계에 따랐을 뿐 대한제국을 높이 평가한 조치는 아니었다.

미 아시아함대 전함 오하이오호를 타고 인천 제물포에 도착한 앨리스 일행은 이런 대접을 받았다.

어제 오후 7시에 미국 대통령의 영랑令娘이 왔는데, 관리가 인천까지 가서 영접해 특별열차를 타고 신문외新門外 정거장(서대문역)에 도착했다. 궁내부 대신 이재극이 황명을 받들어 황색 가마로 영랑을 모시고 앞뒤로 경무관과 순사들이 옹도했다. 한성 내외 사녀士女들이 영랑의 용모와 명성을 애모하여 두루 좌우에 운집하였다.[19]

미국을 '큰형Elder Brother'[20]이라고 불렀던 고종에게, 앨리스는 마지막

● F. Mackenzie, 『Korea's fight for freedom』, Fleming H. Revell Company, 1920, p.78: 매켄지는 러일전쟁을 종군한 뒤 1907년, 1919년 다시 조선을 찾아와 의병활동과 삼일운동을 세계에 알리는 데 공헌했다. 2014년 대한민국 정부는 매켄지에게 건국훈장 독립장을 추서했다.

희망이었다. 첫 만찬에서 황제가 앨리스를 팔짱을 끼고 테이블로 직접 인도할 정도였다.

홍릉에 나타난 버펄로 빌

다음은 스트레이트가 기록한 앨리스의 서울 체류 11박 12일 일정이다.

'19일 도착, 20일 황제 알현 및 연회, 21일 궁중 연회 및 공사관 연회, 22일 창덕궁 파티 및 미국 선교사 접견, 23일 전차 시승, 25일 승마 여행, 27일 전차 탑승해 왕비 민씨 왕릉 구경, 28일 환송 만찬, 30일 부산행 출발.'

축제와 만찬과 야외파티와 여행이 전부였다. 지한파 선교사요 지식인 이던 헐버트는 이렇게 기록했다.

한국인들은 이번 방문이 정치적으로 무슨 뜻이 있어서 미국 정부가 한국 을 도와 위태로운 상황에서 꺼내 주리라고 생각한다. 하지만 그런 바람은 사실과 거리가 아주 멀다.[21]

가장 극적인 장면은 왕비 민씨가 잠든 옛 청량리 홍릉洪陵에서 연출됐 다. 조선 역사상 유례가 없는 왕릉 축하 연회였다. 당시 고종 의전 담당이 던 독일여자 엠마 크뢰벨Emma kroebel은 이렇게 기록했다.

행사에 참석한 사람들은 한사람도 빠짐없이 예복을 갖추어 입었다. 황실 의전 담당 고희경과 민영환, 고관들과 내가 귀빈을 기다리고 있었다. 먼지 가 뿌옇게 나더니 말 탄 무리가 나타났다. 앨리스 공주와 약혼자, 수행원들

왕비 민씨릉인 홍릉에서 석물에 올라탄 앨리스와 그 일행.
아래 오른쪽 사진은 미국공사관에서 촬영한 고든 패덕 대리공사, 앨리스 루스벨트, 약혼자 닉 롱워스(왼쪽부터).
/ 코넬대학교 디지털컬렉션

이었다. 그녀는 붉은색 긴 승마복에 달라붙는 바지를 입고 무릎까지 올라오는 반짝이 가죽장화를 신고 있었다. 오른손에는 말채찍을 들고 있고 입에는 시가를 물고 있었다.

갑자기 그녀가 한 석상에 올라탔다. 약혼자에게 눈짓하자 그는 재빨리 카메라를 꺼내들고 초점을 맞췄다. 얼마 뒤 그녀가 모두 말에 올라타라고 명령했다. 일행은 마치 서부 가죽업자 버펄로 빌처럼 떠났다. 성스러운 장소에서 부적절한 행동을 한 그녀에게 조선인들의 거부감과 모멸감을 우리는 결코 상상할 수 없을 것이다.●

이게 미국 공주님이 했던 전부다. 앨리스는 이듬해 약혼자 롱워스와 백악관에서 사상 가장 호화스러운 결혼식을 올렸다. 두 사람이 즐긴 신혼여행에 모든 비용과 이벤트를 가난한 대한제국이 마련하고, 뒷바라지를 하고, 모욕을 당했다. 그럼에도 불구하고 황제는 귀국하는 공주에게 자기 사진을 선물로 안겨주며 따뜻하게 배웅했다.● 미국 부영사 스트레이트는 친구에게 이렇게 편지를 썼다.

루스벨트 일행은 왔노라, 보았노라 그리고 정복했노라.[22]
The Roosevelt party came saw and conquered.

'큰형의 딸'에게 황제가 농락당한 것이다.

● 엠마 크뢰벨, 『나는 어떻게 조선 황실에 오게 되었나?』(1909), 민속원, 2015, p.236~237: 이 사건은 엠마 크뢰벨이 1909년 베를린에서 이 책을 출판하자 "저 독일여자가 정신병자거나 거짓말쟁이"라고 앨리스 측에서 극구 부인했다. 그러나 미국 코넬대학교 희귀본 컬렉션에서 앨리스 일행이 홍릉에서 난장판을 벌인 사진이 발견되면서 사실로 드러났다.

● 사진에 대한 고종의 집착은 광적이었다. 이미 임오군란 전인 1881년에도 조선 정부는 각국 정부 수반 사진을 일본에서 맹렬하게 수집했고(이은주, 「개화기 사진술의 도입과 그 영향」, 서강대학교 석사논문, 2000), 고종은 정부 내에 촬영국을 설치하고 자기 사진을 즐겨 찍었다.

大韓皇帝眞 光武九年 在慶運宮

相照鎭圭室

고종이 앨리스에게 선물한 자기 사진. 한국 사진 선구자 김규진이 촬영했다. / 뉴어크미술관

아시아로 향하는 군함 선상 단체사진.
가운데 앨리스 루스벨트, 그 바로 뒤쪽은 육군 장관 윌리엄 태프트. / 코넬대학교 디지털컬렉션

고종만 몰랐던 세상 꼬라지

　지푸라기 잡는 심정이었던 조선은 루스벨트 일행을 구명 장치로 생각하고 있었다.[23] 하지만 이미 운명은 결정된 상태였다. 루스벨트는 일찌감치 1900년 부통령 시절 '조선인은 자치 능력이 없기 때문에 일본의 지배를 받아야 한다'고 선언한 대통령이었다.[24] 또 9월 5일 러일전쟁 종전협

정인 포츠머스조약에서 조선에 대한 일본의 우월한 지위가 인정된 상황이었다.

세계 각국이 합심해서 반反 러시아 전선을 형성하고 있었다. 중앙아시아에서는 영국이, 동아시아에서는 일본이, 태평양에서는 미국이 함께 팽창하는 러시아를 경계하던 때였다. 고종과 그 측근은 러시아를 신흥강국이라고 판단했지만, 전 세계 제국주의 국가들은 반 러시아였다.

그 냉혹한 시대에 고종은 완전한 판단 착오에 빠져 있었다. 고종은 미국에게 '러시아를 경계하는' 일본을 막아달라고 애원을 하고 있었다. 또 러시아에는 끝없이 일본군의 폭압과 내정 간섭을 저지해달라는 친서를 보내고 있었다. 하루 빨리 러시아군이 대한제국에 진주해 일본을 제거해달라는 친서들이다.[25] 직간접적 경로로 러시아와 연줄을 대고 있는 근왕파 측근들과 고종이 만들어낸 비극이었다.

게다가 두 달 전 7월에 일본 총리 가쓰라 다로桂太郎는 미국 육군장관 윌리엄 태프트William Taft와 만나 조선에 대한 일본의 우위권을 확인해 둔 상태였다. '미국 사교계의 스타'였던 앨리스 루스벨트는 미일 수교 50주년 축하라는 명분으로 일본을 방문한 태프트 일행에 끼어 있었다. 7월 25일 도쿄에 도착한 이들은 이틀 뒤 가쓰라 총리와 밀담을 나누고 두 달 동안 필리핀, 싱가포르, 홍콩, 상해, 북경을 여행했다. 그리고 다시 도쿄를 들렀다가 조선을 찾은 것이다.

엄밀하게 말하면 밀약은 아니었다. '필리핀에 대해 일본은 침략 의도가 없고' '조선에 대한 일본 보호권은 러일전쟁의 필연'이라는 두 사람 사이 대화에 불과했다. 하지만 일본 우익 신문들은 이를 '양국, 필리핀과 조선 맞교환 합의'로 대서특필했다.

'사실 영일동맹은 영미일 동맹이다. 영국이 우리 동맹이 됐을 때 이미 미국은 그 일부가 됐다. 국가적 상황으로 인해 공개적으로 연합을 주장하지 못할 뿐 우리(일본)는 공식적인 조약이 없더라도 미국이 우리와 동맹임을 상기해야 한다.'26

10월 4일 도쿄 〈고쿠민신문國民新聞〉

이어 〈뉴욕 타임스New York Times〉를 비롯한 여러 미국 신문과 호주 신문들까지 이를 보도했다.27 무슨 말인가.

세상 돌아가는 꼬라지를 고종 빼고 다 알고 있었다는 말이다. 측근에 에워싸여 국제 정세에 대한 그 어떤 정보도 없이, 세상이 자기를 중심으로 회전한다고 믿었던 어느 사내의 말로였다.

그렇게 황제는 전 세계로부터 철저하게 무시당했다. 황제가 철저하게 무지했음 또한 만천하에 증명됐다. 제국 또한 철저하게 외면당했다. 그 모든 것을 쥐떼들이 보았다. 난파선에서 쥐떼들이 뛰어내리기 시작했다.

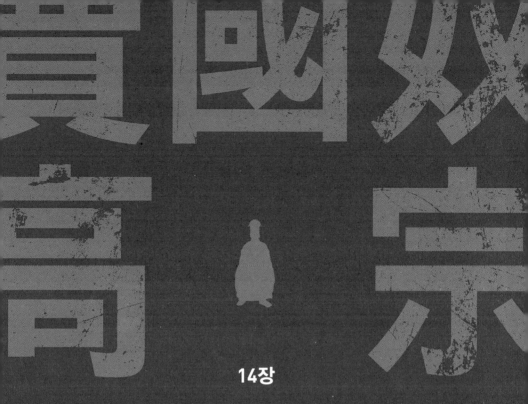

14장

늙은 조병세의 죽음과
난파선의 쥐떼들

을사조약 전야

"폐하가 눈물이 줄줄 흐르고 말이 매우 절절하여 지극한 성의가 넘쳐났건만
실천한 일은 한 가지도 없으니 무엇 때문입니까."**28**

- 1905년 3월 10일 태의원 도제조 조병세

의관 안종덕의 상소

1904년 7월 15일 중추원 의관 안종덕이 고종 황제에게 상소를 올렸다.
시작부터 살벌했다.

> 황제가 임오년(1882) 이후 수십 년 동안 환난 때마다 내린 밝은 조서가 몇
> 천, 몇백 마디인지 모르겠다. 그러나 관리들 탐오와 착취는 전과 같아지고
> 게으르고 안일함도 전과 같아졌으며 법률이 불공정함도 전과 같아지고 정
> 책이 자주 뒤바뀌어 신의를 잃게 됨도 전과 같아졌다. 무슨 까닭인가. 황제
> 가 신의가 없기 때문이다.**29**

안종덕은 '죽음을 무릅쓰고' 그 과오를 열거했다.

1. 황제가 청렴하지 않다. 나라 금고인 탁지부가 있는데 황실 금고 격인 내
   장원을 또 만들어 토지, 산과 연못, 어장과 염전, 인삼밭과 광산을 모두
   내장원을 통해 가져갔다. 탁지부가 녹봉 줄 돈이 없으면 대뜸 **내탕전**內帑
   錢 명목으로 꿔주고는 갚으라고 한다.

2. 왜 **벼슬을 파는가**.

3. 왜 무절제하게 **토목공사를 벌이는가**. 경운궁 화재가 진화되기 전에 벌
   써 새로 만들 궁리부터 한다. 평양에 새 궁궐을 짓느라 이미 평안도 민력
   이 고갈됐다. 새 궁궐이 왜 필요한가.

4. 황제가 새벽에 잠들고 **정오가 지나 일어나니** 해가 지도록 신하들은
   황제 얼굴을 보지 못하고 녹봉을 축낸다.

5. 황제가 능력 있는 사람 대신 **계책과 술법을 쓰는 자들**과 은밀히 정사를
   한다.

6. **관직이 복잡하다.** 탁지부가 있는데 내장원이 있고, 군부가 있는데 원수
   부가 있고, 외부가 있는데 예식원이 있고, 경무청이 있는데 경위원이 있
   다. 다 없애라.

7. **외교 똑바로 해라.** 500년 왕업을 가지고도 가만히 앉아서 독립자주권을
   잃고 위협하는 자들 말을 고분고분 듣고 있다. 북쪽 나라에서 오면 북쪽
   나라에 빌붙어 나라 이권을 경중도 헤아려 보지 않고 넘겨주고, 동쪽 나
   라에서 오면 동쪽 나라에 빌붙어 나라 주권을 존망도 생각해 보지 않고
   넘겨준다. 장차 국내 정사와 대외 실무가 모두 남에게 넘어가 나라가 나
   라 구실을 못하게 될 것이다.

친정 선언 이후 고종 재위 31년을 총정리하는 날카로운 비판이었고 결
과적으로 소름끼치도록 들어맞는 예언이었다. 서문에서 지금까지 이 책
을 총정리하는 말이기도 하다.

열흘 뒤 봉상사 부제조[30] 송규헌이 상소를 올렸다. 송규헌은 위 안종덕의 상소를 "시국 병통에 들어맞지 않는 것이 하나 없다[無非切中時病무비체중시병]"고 말했다. 그는 "근래 조정 대신大臣을 불과 10여 명이 돌아가면서 하고 있는데 죄다 자격 미달"이라며 이들을 내쫓고 네 가지를 개선하라고 주장했다.

1. 궁궐 공사를 영원히 중단하라.
2. 벼슬팔이를 영원히 중단하라.
3. 무명잡세를 철저히 폐지하라.
4. 이상 내용을 실천하라.

그때 내부대신은 이용태였다. 11년 전 장흥부사로 있을 때 고부에서 터진 동학 민란을 진정시키러 파견된 안핵사였다. 그런데 이용태는 진정은커녕 농민들을 죄인 취급하며 오히려 폭력으로 소요를 진압해 혁명의 불을 당겨버린 자였다. 그 이용태가 1905년 3월 현재 내부대신이었다. 그뿐 아니었다. 법부대신은 왕비 민씨 최측근인 무당 진령군의 양아들(?) 이유인이었다. 궁내부대신 민병석은 평안감사 시절 당오전을 찍어내 백성을 괴롭히는가 하면 그 가운데 30만 냥을 고종에게 상납해 외조카를 과거급제시킨 바로 그 오리汚吏였다.[31]

원로 조병세와 고종의 대화

해가 바뀌고 1905년 3월 7일 태의원 도제조太医院都提調에 임명된 조병세趙秉世가 황제를 알현했다. 조병세는 일흔여덟 살이다. 1893년 3월 고종이 동학교도들을 청나라 병사를 불러 진압하자고 했을 때, "500년 동안 가

조병세 초상. / 개인 소장

르치고 길러온 백성들이 침해를 견디지 못하고 우물에 들어가고 있다"며 극구 반대했던 사람이었다.

그리고 이듬해 4월 동학 농민들이 전주성으로 진격 중일 때, "언제 한 가지 폐단이라도 제거하고 바로잡아 백성에 부응한 적이 있는가"라고 고종에게 물었던 조병세였다.

그런 조병세가 이미 정승까지 지내고 경기도 가평에 은거하다가 조정으로 다시 불려왔다. 태의원은 황제 건강을 책임지는 부서이고 도제조는 그 수장이다. 공식 업무는 주치의지만 황제를 최측근에서 대면하며 육성으로 황제에게 자문을 하는 묵직한 자리다. 그 자리에, 원로 조병세가 임명되었다. 조병세는 고종에게 다섯 가지 시정개혁안에 대해 상소문을 올렸는데, 임명장을 받은 김에 조병세가 고종에게 물었다.[32] 대화는 가히 청문회 수준이었다.

조병세: "강한 이웃 나라가 우리나라를 씹어 삼키려 하고 백성은 도탄에 빠졌다. 어찌하여 황제는 결단을 내려 스스로 개진할 생각을 하지 않고 측근에 에워싸여 나라를 그르치면서 팔짱을 끼고 망하기를 기다리는가. 연전에는 폐하 눈물이 흐르고 말이 절절하여 지극한 성의가 넘쳐났었건만 끝내 한 가지도 실천한 일은 없으니 무엇 때문인가."

조병세가 다섯 개 시정개혁안을 읽어보라고 권했다. 고종은 "나라가 이리 위태로우니 마땅히 옆에 두고 밤낮으로 가슴에 새겨보겠다"고 답했다. 청문회가 시작됐다.

조병세: "인사고과에서 최하위라도 뇌물을 주면 오히려 기름진 고을 수령이 된다. 나라에 법이 있긴 한가. 새롭게 하라."

조병세: "요즘 대신들이 상소를 올리면 비답을 내리지 않는 경우가 많다고 들었다. 왜 그런가."

고종: "답을 내리면 외국까지 전파돼 말썽이 되니 두리뭉실하게 답한다."

조병세: "왜 하급관리는 상소를 올리지 못하게 한 것인가."●

고종: "옛날에는 그렇지 않았는데, 지금은 어찌하다 그리 되었다."

● 11년 전 갑오개혁이 진행 중이던 1894년 12월 16일, 권력 탈환을 노리던 고종이 내린 '상소 금지령'을 말한다. p.216 참조.

조병세: "영친왕●은 왜 공부를 하지 않는가."

고종: "나라에 사변이 많아서 학교에 입학시키지 못했다."

고종: "물가가 뛰어올라 백성 생활이 곤란하니, 나 또한 걱정이다."

조병세: "나라에서 돈을 너무 많이 찍어서 돈이 천해진 것이다. 차관은 나라를 여위게 만든다. 절대로 다시는 차관을 받지 말라."

고종: "공무원이 이렇게 늘었는데도 나라가 무력하다."

조병세: "황제가 과단성이 없기 때문이다."

고종: "(청계천 남쪽) 남촌은 외인들이 점유했는데, 혹시 북촌까지 올라올 폐단은 없을까?"

조병세: "틀림없이 발 디딜 틈이 없게 될 것이다."

상소문에 대해 고종이 한마디 답이 없자, 사흘 뒤 조병세가 또 상소문을 올렸다. 비장했다.

"폐하가 깨닫기를 바랐건만 여러 날 동안 귀를 기울여보아도 분발하여 실시하겠다는 처분이 없다. 태평한 때라도 안일하게 세월을 보내면 일을 망치는데 지금 같은 존망의 위기에는 더 말할 것이 없다. 이번 상소에 대해서

● 1897년 고종과 엄비 사이에 태어난 일곱째 아들. 이름은 은(垠). 훗날 일본 제1항공군 사령관이 됐다.

조선왕조의 상징인 종묘. 역대 왕과 왕비 신위를 모신 곳이다.
실질적인 조선왕조 최후의 지도자 고종 또한 그 신위가 이곳에 있다.

는 확답을 받지 않고서는 그만둘 수 없으니 깊이 생각해보고 시원히 실행하라. 피눈물을 흘리며 간절히 바란다[不勝泣血懇禱之至불승읍혈간도지지]."³³

나라를 고물로 만든 고종

고종이 재위한 지 어느덧 41년째였다. 친정 선언으로부터는 31년째였다. 친정 초기부터 이날까지 아래에서 올라온 상소는 주제가 동일했다. '안일함' '탐욕' '사치와 부패' '측근정치' '벼슬팔이' '무명잡세'…. 임오군란 때 왕십리 군인들이 총을 든 것도 고종과 민씨들의 탐욕 때문이었고 갑신정변 때 급진개혁파가 적어내린 정강에도 같은 내용이 들어 있었다. 동학 농민들을 분노하게 만든 것도 탐관오리의 탐학과 가렴주구였다. 청

매국노 고종

나라와 일본 군사를 불러들여 그 백성을 무자비하게 학살한 주역도 고종
이었다.

그때마다 고종은 "정치를 똑바로 하겠다"며 공개 반성문을 썼지만 반
성문은 모면책에 불과했다. 잠깐 움츠러들었던 권력욕과 탐욕은 곧 옛
측근과 연합하면서 부활했다. 나라는 만신창이가 돼 갔다.

국가 명운이 달린 위기상황은 기회이기도 했다. 지도자이자 권력자로
서 권력욕을 희생하고 자기가 소유한 자원을 국가와 공동체를 위해 사용
했다면 더 강건한 권력을 얻을 수 있었을 것이다. 하지만 고종은 끝까지
권력을 포기하지 않았다. 위기는 기회로 바꾸지 못하고 위기로 끝났다.

조선을 노리는 외국 세력도 고종에게는 권력 유지를 위한 도구에 불과

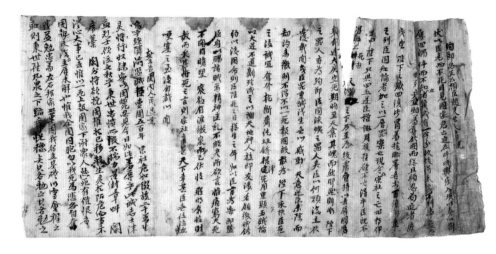

조병세가 자결 직전 올린 상소, 유소(遺疏). 다른 사람이 필사한 글이다.
을사오적을 감싸고도는 고종을 조병세는 죽음으로 각성시키려 했지만 소용없었다. / 부산광역시립박물관

했다. 국가 운명과 무관하게, 고종은 나라를 바꿔가며 왕권 유지와 강화에 도움이 되는 국가를 파트너로 택했다. 이를 위해 땅에 있던 금은보화와 수목은 외국에 팔았다. 곳간은 텅 비었고 마침내 고종 본인이 열쇠를 쥐고 있던 내장원 금고 또한 텅 비어버렸다. '오로지 백성을 위하여' 권력을 잡고 시작한 정치가 31년 동안 완벽하게 퇴보하고 나라는 고물, 너무도 팔아먹기 좋은 급매물 고철덩이가 돼 버렸다.

그 긴 세월 고종 옆에서 나라와 공동체를 지켜보던 조병세였다. 1894년 4월 4일 조병세 본인이 주장했던 '대경장大更張'을 기다리고 지켜보던 늙은이였다. '확답을 받지 않고서는 그만둘 수 없는' 절박감으로 대경장을 기다렸지만, 늦어도 너무 늦은 봄날이었다.

7개월 뒤인 11월 17일 고종은 일본 전권대신 이토 히로부미와 을사조

약을 체결하고 대한제국 외교권을 일본에게 넘겼다. 조병세는 조약을 체결한 대신들을 처벌하라고 네 차례 상소를 올렸다. 궁궐 안에서 농성하는 조병세를 고종은 "지루할 정도로 고집스럽다"며 궐 밖으로 쫓아버렸다. 일본 헌병대가 조병세를 체포해 구금했다. 풀려난 조병세는 "역신逆臣 너댓 명과 상의해 일을 주선하고도 망하지 않기를 바라는가[雖欲不亡得乎수욕불망득호]"라고 다시 한 번 상소문을 작성했다. 조병세는 12월 1일 자살했다.[34]

난파선을 떠나는 쥐떼들

현재의 시국에 대해 궁중 및 정부에는 조금도 통일됨이 없고 조금도 종잡을 수 없는 태도일 뿐만 아니라 왕왕 시국문제로써 권세쟁탈의 마수가 되어 서로 각종의 설을 유포하여 서로 중상하게 되기 때문에, 의심암귀疑心暗鬼의 모습을 나타내어 헛되이 한국 황제의 공포심을 선동할 뿐입니다.[35]

국왕을 보좌하고 공동체가 갈 길을 인도해야 할 관료들이었다. 하지만 이들 또한 고종과 똑같이 각자도생各自圖生하며 제 살길을 도모하는 소인들에 불과했다. 일본 눈에는 오히려 이들로 인해 황제 판단력이 흐려지고 공포심만 늘어나는 것처럼 보였다. 이미 나라는 나라 형체와 실질을 잃어버리고 침몰하고 있었다. 고물이 돼 버린 난파선에 더 이상 쥐떼는 머물지 않았다.

일본은 집요하고 치밀했다. 그들은 무엇을 해야 할지 명확하게 알고 있었다. 주한일본공사 하야시 곤스케林權助가 본국에 내놓은 대한제국 침몰 작전은 단 세 가지였다.

오로지 한국 정부로 하여금 눈앞의 이익을 얻게 하고 또 상당한 위력을 가하는 수밖에 달리 방도가 없는 것으로 생각합니다. 즉 한국 황제가 얻을 수 있게 하는 이익으로는

1. 한국 황제가 몹시 꺼리고 피하는 망명자에 관해 한국 황제가 만족할 견제를 가할 것.
2. 재정을 보완하기 위해 거액의 차관을 제공할 것.
그리고
3. 상당한 운동비를 한국 조정의 실력자에게 제공할 것.[36]

한 나라를 집어삼키는 데 필요한 전략적 자원이 '군사력'이 아니라 '뇌물'이라는, 이 얼토당토 않는 점령 계획은 정확했다. 순식간에 쥐떼들이 배를 탈출했다.

러일전쟁 직전인 1904년 1월 11일 오후 외부대신 이지용은 일본공사 하야시 곤스케에게 사전에 요구했던 '황제를 회유하는 데 필요한 활동비 1만 원' 전액을 받아갔다. 하야시는 "미리 주지 않으면 행동을 망설일 듯하여 전액을 전달했다"고 본국에 보고했다.[37] 일본은 대한제국에게 러일전쟁을 위한 군용지 불하를 요구하던 중이었다. 긴 협상이 필요한 이 안건을, 대한제국 외부대신 이지용은 '활동비 1만 원'을 주면 로비를 벌여서 해결해주겠다고 제 발로 걸어서 일본공사관으로 들어갔다. 나라는 헐값이 돼 있었다. 쥐들은 그렇게 난파선을 탈출하고 있었다.

8일 뒤 이지용은 궁내부 특진관 이근택, 군부대신 민영철과 함께 하야시에게 황제 위임장을 들고 왔다. 이들은 하야시에게 "생명을 걸고 본건 성립에 온 힘을 다할 작정이니 (일본) 제국 정부에서도 충분히 신뢰해 주

을사오적
❶ 권중현, ❷ 박제순
❸ 이근택, ❹ 이완용
❺ 이지용

기 바란다"고 요구했다. '신상에 위험이 발생하게 될 경우 보호를 받을 수 있도록 해줄 것'도 요구했다.[38] 2월 23일 '한일의정서'가 전격 체결됐다. 대한제국은 일본제국 병참기지로 변했다.

"그물 치기도 전에 물고기가 뛰어들었다"

국가 판매 정식 계약인 1905년 제2차 한일협약, 을사조약도 마찬가지였다.

> 이때 이토 히로부미는 300만 원을 가지고 와서 정부에 고루 뇌물을 주어 조약이 성립되기를 꾀하였다. 이에 도둑 무리들 중 탐욕한 사람들은 그 돈으로 많은 땅을 사서 고향으로 돌아가 편안한 생활을 하였다. 권중현權重顯 같은 사람이 이에 해당하며 이근택李根澤, 이제순李齊純 등도 졸부가 되었다.[39]

황현은 직접 눈으로 확인한 것이 아니라 전언傳言을 기록했으니, '300만 원'은 정확한 숫자는 아닐 것이다. 하지만 하야시가 제안한 대로 '눈앞의 이익을 얻게 하는 상당한 운동비' 전략은 타율이 100%였다.

1910년 7월 23일 일본 육군대신 데라우치 마사타케寺内正毅가 3대 조선 통감으로 부임했다. 그리고 며칠 뒤 밤 10시, 대한제국 내각총리대신 이완용의 비서가 통감부 외사국장 고마쓰 미도리小松綠를 방문했다. 비서는 최초의 신소설《혈의 누淚》를 쓴 이인직이다. 그는 일본 체류 시절 고마쓰의 제자였다. 굳은 표정을 한 이인직이 옛 스승에게 은밀하게 말했다.

"이천만 한인이 쓰러지거나 육천만 일본인과 함께 전진하는 수밖에 없다."

대한제국 내각총리대신 이완용과 조선통감 데라우치 마사타케가 한일병합조약을 체결한 통감부 탁자. / 국사편찬위원회

고마쓰는 그 순간을 이렇게 기록했다.

"그물을 치기도 전에 물고기가 먼저 뛰어들었다."[40]

대화는 즉각 신임 통감에게 보고됐다.

8월 16일 이완용이 일본어에 능한 농상무대신 조중응을 데리고 쌍두마차를 타고 통감관저를 방문했다. 출입기자들에게는 "도쿄의 수재민 위로 방문"이라고 둘러댔다. 엿새 뒤 8월 22일 나라가, 사라졌다. 대한제국 융희제가 합병조약을 어전회의에서 통과시키고 일본제국 천황 메이지에게 나라를 바친 것이다. 발표는 일주일 뒤인 29일에 있었다. 고마쓰는 이렇게 기록했다.

8월 22일은 한일 관계에서 가장 기념할 만한 하루였다. 오전 10시 도쿄 추밀원 임시회의에서 메이지 천황이 병합조약을 재가하고 오후 2시에는 한국 정부 어전회의에서 융희제 스스로 병합조약을 가납했다. 이어 데라우치 통감과 이완용 총리가 조약에 조인하고 모든 절차를 완료했다. 데라우치는 병사 한 명도 움직이지 않았고 피 한 방울 흘리지도 않았다. 담판 개시일부터 조약 조인까지 딱 일주일 걸렸다.[41]

자, 그렇다면 누가 나라를 고물로 만들었는가. 누가 나라를 난파시켰는가. 누가 난파한 나라를 팔았는가. 쥐떼들이?

그 황제 또한 이제 난파 일보 직전인 고물 제국을 팔아치울 궁리에 들어갔다.

15장

매국노 고종

1905년 을사조약과
뇌물 2만 원

보호권 확립에 관한 조약 체결을 위해 비용을 필요로 하겠기에
기밀비 10만 원을 송부하여 위 목적에 지출하라는 훈시 취지를 삼가 받았습니다.
이에 지난 11월 11일 대사 접대비 명의로 금 2만 원을 경리원 경 심상훈을 거쳐
무기명 예금증서로 황제 수중에 납입시켰습니다.[42]

— 일본공사 하야시 곤스케林權助

엠마 크뢰벨의 기억

황제 고종 의전 담당 엠마 크뢰벨이 쓴 자서전에는 이런 내용도 있었다.

러일전쟁 후 조선 정국은 나날이 위험을 몰고 오는 검은 구름으로 뒤덮이기 시작했다. 불길한 정세를 알아차린 조선 백성은 술렁대기 시작했다. 이러한 사실을 전혀 눈치채지 못하고 있는 단 한 사람이 있었는데, 바로 황제였다. 그는 여전히 일본을 신뢰하고 있었고, 그런 일본이 자국 정세를 간섭하거나 왕위를 찬탈할 거라고는 전혀 생각하지 못하고 있었다.[43]

왕위를 찬탈하리라 생각하지 못했다? 왜? 비록 정치와 무관한 의전 담당관이긴 해도, 크뢰벨은 고종을 최근 거리에서 보좌한 사람이었다. 그 사람마저 고종에게서 두려움과 공포를 느끼지 못했다고 증언한다. 왜?

믿는 바가 있지 않았을까.

이제 매국노 고종을 정면으로 바라볼 시간이 왔다. 국제 정세에 대해 큰 그림을 그리는 능력은 전무했으나 고종은 권력 유지 기술에 관한 한 도사였다. 그 도사가 살아남는 처세술을 이제 보기로 한다.

앨리스 루스벨트 일행이 대한제국을 방문한 때는 1905년 9월이었다. 황제 고종은 앨리스를 공주처럼 접대하며 조선 독립을 호소했다. 이미 두 달 전 미국 육군 장관 태프트와 일본 총리 가쓰라는 필리핀과 조선에 대한 우선권을 맞교환한 이후였다. 공주 방문 두 달 뒤 일본은 을사조약을 통해 외교권을 '강탈'했다.

강탈이 맞는가. 조선이라는 민족공동체에게는 강탈이라는 말이 옳다. 고종에게는? 1905년 11월 17일 을사조약 체결 전후로 고종이 한 행동을 하나하나 뜯어보자.

그 음울하고 비겁했던 풍경

미국 부영사 윌라드는 조약 체결 당일 풍경을 공사관 담 너머로 모두 보았다. 풍경 속에는 일본공사 하야시가 제안했던 '눈앞의 이익' '상당한 위력'과 함께 '비겁함'이 뒤섞여 있었다.

새벽 두 시에 잔디밭에서 중명전 쪽을 보니 건물 주변은 물론 베란다까지 일본인들이 가득했다. 뒤편 프랑스공사관 쪽 통로에도 가득했다. 황제가 여차하면 그리로 도망갈까 예상하는 듯 했다.
이곳 상황은 참 놀랍다. 왕관을 쓴 자들 가운데 최악으로 비겁하고 최하급인 황제는 궁전 속에 움츠리고 자기가 저지른 잘못으로 타인들을 고통스럽게 만들고 있다. 황제는 외부대신에게 조약에 서명하라고 지시하고서는 자기가 지시하지 않았다고 말하라고 또 지시했다. 그래서 외부대신이 모든 책임을 뒤집어썼다.

의정대신 한규설은 회담장에서 쫓겨났다. (조약에 찬성하라는) 황제 명령을 어기고 반대해서가 아니었다. 한규설은 그 파란만장한 밤에 엄비 방으로 뛰어드는 바람에 엉겁결에 황제에게 대신들로 하여금 나라를 배신하지 말게 하라고 간청해버린 것이다. 이 행동으로 한규설은 3년형을 받았다.[44] (중략) 제일 얼토당토 않는 일은, 저들은 무슨 일이 닥칠지 벌써 경고가 돼 있었고 그래서 늦기 전에 이 사태가 오지 않도록 충고를 받았다는 사실이다. 하지만 저들은 마치 타조처럼 머리를 모래에 처박고 사태를 똑바로 보려하지 않았다.[45]

상소한 자들을 처벌하라

숨 막히는 밤이 지나고 조약은 체결됐다. 대한제국은 외교권을 일본에게 박탈당했다. 그런데 조약 후 고종이 내린 첫 조치부터 이상했다. 의정참정대신 한규설을 "황제의 지척에서 온당치 못한 행동을 했다"며 파면해버린 것이다. 한규설은 중명전에 모여 있던 대신들 가운데 유일하게 적극적으로 조약 체결을 반대했던 사람이다. 그리고 조약 체결 당사자인 외부대신 박제순을 영의정에 해당하는 의정대신 서리로 임명하고, 엿새 뒤 참정대신에 임명했다.[46]

일본공사관 기록에 따르면 이 인사는 "이토 히로부미와 일본공사 하야시의 충고에 따라" 이뤄졌다. 이날 고종은 '인심을 도발시키는 상소자들을 가둬두기 위하여 강력한 조치를 취하시겠다는 결심을 보였다'.[47] 일방적인 일본 측 기록임을 감안해도, 나라를 빼앗긴 국가 지도자가 보일 행동은 아니다.

고종 태도를 성토하는 상소가 봇물 터지듯 이어졌다. 실록을 본다.

"역적 두목을 의정대신 대리로 임용해 신으로 하여금 그 아래 반열에 나가도록 하니, 분한 피가 가슴에 가득 차고 뜨거운 눈물이 넘쳐흘러 당장 죽어 모든 것을 잊어버렸으면 한다."

- 11월 24일 의정부 참찬 이상설

"두렵고 꺼리는 것이 있어서 그렇게 하는 것인가. 그렇다면 폐하 뜻이 견고하지 못함을 헤아릴 수 있으니 나라의 존망은 알 수가 없다."

- 11월 26일 시강원 시독 박제황

"나라를 주도해서 팔아먹은 박제순에게 총애를 베풀어 의정 서리로 삼고 다른 역적들도 편안하게 권위를 유지시켰다. 무엇이 두려워서 그렇게 하는 것인가. 저들의 위엄과 권세를 두려워해서 그런가."

- 11월 26일 정3품 윤병수

이해 못 할 처분에 사람들은 의심을 하기 시작했다.

"삼천리강산을 한밤중에 도둑맞았다. 이제 그저 궁내부에서 헛된 자리에 앉아서 메가타目賀田⁴⁸가 주는 황실비皇室費를 가지고 풍족히 살면 마음이 편안하겠는가. 이 역시 한두 해를 넘기지 못하고 없어질 것인데, 무엇을 꺼려 역적들을 섬멸하지 않고 도리어 총애와 영예를 안겨주는가."

- 11월 28일 전 내부주사 노봉수

노봉수 상소에는 본질적인 질문이 들어 있었다.

"선왕의 판도版圖를 일본으로 넘겨주고 조종祖宗이 남겨준 백성을 일본 포로로 모두 넘기려는가. 국토와 백성은 태조고황제太祖高皇帝가 비바람 맞으며 힘들게 마련한 것이지 폐하의 개인 소유가 아니다."

대한제국은 고종의 개인 재산이 아니며, 그 황민 또한 고종이 좌지우지할 존재가 아니라는 뜻이다.

이런 상소에 고종 답은 한결 같았다.

"이처럼 크게 벌일 일이 아니고 또 요량해서 처분을 내릴 것이니 경들은 그리 알라."⁴⁹

11월 27일 원로대신 조병세 무리가 궁중에 들어와 농성을 하며 상소를 하자 고종은 "반복하여 타이른 것이 서너 번만이 아닌데 왜 말을 받지 않는가"라며 이들을 궐 밖으로 쫓아버렸다.⁵⁰ 조병세는 일본 헌병대에 끌려갔다. 28일 무관장 민영환이 뒤를 이었다. 고종은 "번거로우니 속히 물러가라"고 답했다. 그래도 민영환이 물러나지 않자 고종은 이들을 체포해 징계를 내리라 명했다.⁵¹ 이틀 뒤 민영환이 자결했다. 그 다음날 조병세가 자결했다.

대한제국 황제 고종은 왜 조약을 주도한 박제순을 '국무총리' 서리에 임명했는가. 황제는 왜 이들을 처단하라는 상소에 번거롭다는 반응으로 일관했는가. 틀림없이 이유가 있을 것이다. 힌트가 몇 군데 있다. 고종이 기본적으로 앓고 있는 기저질환, 돈이다.

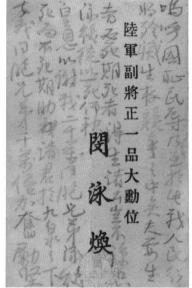

민영환과 그가 명함에 남긴 유서(오른쪽). / 국사편찬위원회

황제가 받은 접대비 2만 원

'내탕금(황실 자금)이 부족하다는 점을 이용해, 심상훈을 통하여 황제 수중
으로 2만 원을 납입했습니다.'

을사조약 체결 6일 전인 1905년 11월 11일 주한일본공사 하야시 곤스
케는 일본 외무성 기밀 제119호에 의거해 기밀비 10만 원을 집행했다.[52]
다음은 일본공사관 기록 전문이다. 이 자료는 국사편찬위원회 '한국사데
이터베이스'에 공개돼 있다. 문서에는 지출된 금액을 계산한 메모까지 그
대로 남아 있다.

'지난달 4일 자 기밀 제119호로써 보호권 확립에 관한 조약 체결 등을 위하여 무엇인가 비용을 필요로 하겠기에 기밀비 10만 원을 송부하여 위의 목적에 지출하라는 훈시를 받았습니다.

따라서 신협약 체결 전에 있어서는 당장 이토 대사 내한에 즈음해 궁중 내탕금이 궁핍 상태라는 것을 탐지했기 때문에 대사 접대용 비용에 충당하는 명의 아래 금 2만 원을 심상훈沈相薰을 거쳐서 황제 수중에 납입시키고 금 3,000원은 폐하 좌우에 있는 시종들을 회유하기 위하여 구완희具完喜에게, 금 3,000원은 법부대신 이하영李夏榮에게 급여한 외에 나머지 2만 원은 모두 조인 후 이완용, 이근택, 이지용 등으로 하여금 선후책으로써 그 부하를 위무시킬 필요상 지급할 것을 조치했습니다.

또한 참정 박제순 기타 한두 대신에게 같은 목적으로 지급할 필요가 있다고 인정되었기에 그 견적 1만 5,000원을 공제하고 잔액 금 3만 9,000원은 반납 조치하였사오니 확인하시기 바랍니다.'

한 마디로, 조약 체결 6일 전에 황제 고종이 일본공사에게서 2만 원을 받았다는 것이다. 통계에 따르면 5년 뒤인 1910년 서울 숙련 목수 일당이 1원이었다.[53] 목수 연봉을 200원으로 가정했을 때 2만 원은 이 목수 100년치 연봉에 해당한다. 2010년 현재 대한민국 직장인 평균 연봉은 2,500만 원이니, 그 100배는 25억 원이다. 그 25억 원 명분은 이토 히로부미 접대비이고, 이유는 '내탕금 궁핍 상태'였다. 조약 상대방의 궁박함을 이용한 증뢰贈賂요, 태조고황제가 비바람 맞으며 힘들게 마련한 나라를 판, 수뢰受賂다.

하야시 보고서에는 황실 재산 담당관인 경리원 경 심상훈을 통해 무기명 예금증서로 2만 원을 궁중에 보내고 러일전쟁 참전 일본군 응접관을 지낸 구완희와 법부대신 이하영에게 3,000원을 줬다고 기록돼 있다. 그

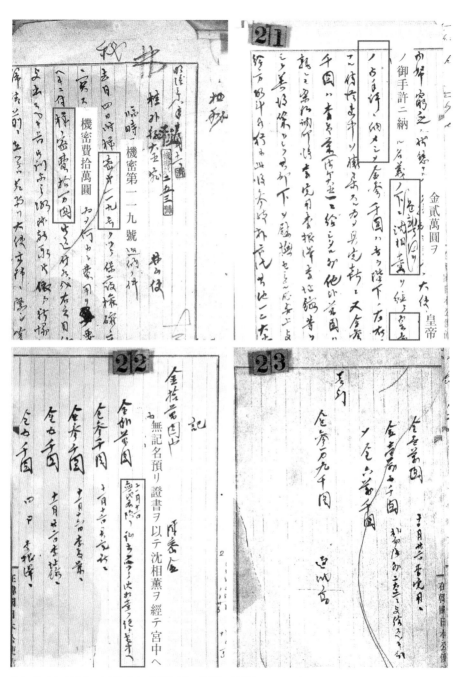

을사조약 직전 고종에게 무기명예금증서 2만 원(현시가 25억 원)을 상납했다는 1905년 12월 11일 주한일본공사관 기록. / 국사편찬위원회

리고 조약 체결 후인 11월 22일 내부대신 이지용과 군부대신 이근택에게 5,000원, 학부대신 이완용에게 1만 원을 줄 예정이며 외부대신 박제순을 비롯한 다른 세 대신에게 1만 5,000원을 지급할 예정이라고 적혀 있다. 이지용과 이근택, 이완용은 조약 완료 조건부로 뇌물을 준 것이다. 액수로는 고종-이완용-이지용과 이근택 순이다.

조약에는 고종 뜻에 따라 '한국 황실의 안녕과 존엄 유지' 조항이 삽입됐다. '이등박문이 정부에 300만 원을 고루 뇌물로 나눠줬다'고 기록했던 황현은, 황제가 직접 뇌물을 받았을 줄은 상상하지 못했다.

뇌물 30만 엔과 경부선 지분

을사조약 전해인 1904년 2월 일본은 러시아와 전쟁을 일으키며 조선과 한일의정서를 체결했다. 조선 전역을 군사부지로 사용할 권리를 갖는다는 협정이다.

협정 체결 전인 2월 17일 고종은 일본 요청에 의해 창덕궁 후원을 일본군 12사단 병영으로 내줬다.[54] 2월 23일 한일의정서가 체결되고 3월 20일 일본국 특파대사 이토 히로부미가 고종을 알현했다.

접견장에서 오간 대화나 국서 내용은 물론 무슨 일이 벌어졌는지에 대해서 실록은 침묵한다. 실록에는 '황제가 이등박문을 접견했다'고 딱 한 줄 적혀 있다[55]. 그런데 뜻밖에도 영국에 그 기록이 남아 있다.

3월 31일 접견식에 배석했던 영접 위원장 민영환이 영국공사관을 방문해 공사 조던에게 이토 방문에 대해 설명을 했다. 다음은 조던이 영국 외교장관 랜스다운에게 보낸 면담 기록이다.

이토 후작은 메이지 천황 국서를 조선 외부外部에 사본을 남기지 않고 직접

매국노 고종

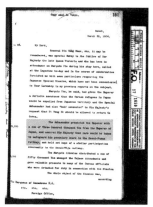

1904년 한일의정서 체결 직후 고종이
천황 하사금 30만 엔을 받았다는 영국외무성 기록.
/ 영국 외무성 문서보존소

황제에게 전달했다. 그래서 내용은 알 수 없다. 그런데 민영환이 그날 면담
내용을 이렇게 전했다. '이토 대사는 황제에게 천황 선물이라며 30만 엔을
줬다. 그리고 경부선 철도에 고종이 가진 지분을 보장하고 향후 경의선 지
분 또한 보장한다고 확약했다. 이토 후작은 같은 방식으로 50만 엔을 궁중
참석자에게 나눠주고, 이번 방문 관계자들에게도 귀중품을 선물했다.'[56]

1910년도 목수 임금을 기준으로 현 시가 375억 원인 30만 엔과 경부
선 지분. 경부선은 건설 당시 일본 로비스트 다케우치가 경부철도회사
주식 1,000주와 5만 원을 황실에 헌납하고 진행한 공사였다.[57] 그 지분을
보장받은 것이다. 황제가 한 회사 지분을 보유한 것도 엉뚱하지만, 그 지
분을 보장 받은 것도 우습지 않은가.

하야시 표현을 빌면, 고종이 받은 '눈앞의 이익'은 또 있었다. 의정서
조인 전인 2월 8일 고종은 이지용을 통해 '궁성과 정부는 범접 금지 보증'
을 요구했고[58], 의정서에는 '대한제국 황실의 안전과 안녕을 성실 보장'
조항이 삽입됐다.[59]

그리고 세계 외교사에 길이 남을 희한한 일이 벌어졌다. 3월 20일 고종은 공사 하야시로부터 통역관 마에마 교사쿠까지 서울 주재 일본공사관 '전원全員'에게 훈1등부터 5등까지 훈장을 내렸다. 나흘 뒤 고종은 특파대사 이토에게 최고 훈장인 금척대수장을 주고 수행원 '전원全員'에게 훈장을 내렸다. 그 다음날 이토가 탑승했던 일본 함장 해군 대위 두 명에게 또 훈장을 내렸다.[60]

간악한 일본의 강압에 의해 이뤄진 서훈? 가당치 않다. 어느 누가 군사조약을 이리 휘황찬란하고 공개적인 방식으로 강요하는가. 30만 엔과 철도 지분이 창출한 부가가치였을 뿐이다.

떡밥 150만 엔

을사조약 석 달 전인 1905년 8월 27일 일본인 재정고문 메가타 다네타로가 고종을 알현했다. 일본공사 하야시와 동행한 메가타는 고종에게 궁중 재정 개선책을 건의했다. 고종은 이에 "일본인 고문에게 재정을 위임하는 건은 아직 이견이 많다"며 거부했다. 그런데 메가타가 "궁중의 용돈 증가를 도모하기 위하여 150만 엔을 무이자로 일본 정부로부터 차입하는 방법에 관하여" 건의하자 황제는 깊이 후의를 감사하며 계획을 받아들였다.[61]

조약 체결 한 달 뒤인 1905년 12월 18일 하야시는 대한제국 대신들을 공사관으로 불러 '황실비 대여 150만 엔'은 진행을 중지한다고 선언했다. 그리고 다음 날 재정고문 메가타는 그때까지 황실이 직접 세금을 거두던 제도를 없애고 모든 조세는 황실이 아닌 대한제국 정부 수납기관에서 징수하겠다고 선언했다.[62] 황실비 150만 엔 무이자 대출은 솔깃한 제안이었으나, 거꾸로 돈줄이 완전히 차단된 것이다.

을사오적의 상소와 고종의 묵묵무답

무이자 대출이 없던 일로 결정된 다음날, '을사오적'으로 낙인찍힌 의정대신 서리 학부대신 이완용, 참정대신 박제순, 내부대신 이지용, 농상공부대신 권중현, 군부대신 이근택이 고종에게 상소문을 올렸다.[63] 상소문 가운데 이런 말이 들어 있었다.

그날 밤 사정도 모르면서 대뜸 신 등 5인을 '나라를 팔아먹은 역적'이요, '나라를 그르친 역적'이라고 하는데 이것은 크게 잘못된 것입니다.

무슨 사정일까. 상소문에 그날 밤 사정이 아주 자세하게 기록돼 있다. 핵심만 본다.

농상공부대신 권중현: 황실의 안녕과 존엄에 조금도 손상을 주지 말라는 내용이 한 마디 언급도 없습니다. 부득이해서 첨삭하거나 고치게 된다면 응당 따로 한 조목을 만들어야 하리라고 봅니다.

고종: 과연 옳다. 농상공부대신의 말이 참으로 좋다.

대신 일동: 신들이 물러나가 일본 대사를 만나서, 안 된다[不可불가]는 두 글자로 물리치겠습니다[當以不可二字却之矣당이불가이자각지의].

고종: 그렇기는 하지만 조금 전에 이미 짐의 뜻을 말하였으니 잘 조처하는 것이 좋겠다.

수 연 의 자 이 유 짐 지 호 양 조 처 가 야
雖然 儀者已喩朕志 好樣措處可也.

요컨대 결연히 '조약은 불가하다'고 다짐하는 대신들에게 고종이 '짐의 뜻대로 잘 조처하라'고 조약 체결을 허락했다는 것이다. 그리고 거기에는 '황실 안녕과 존엄 보장'이라는 고종 요구가 들어 있었고. 자기네는 죽어도 죄 없다고 조목조목 통박하는 대신들에게 고종은 "각기 한층 더 노력함으로써 속히 타개할 계책을 도모하라"고 답했다. 할 말이 없다는 자백이었다.

"나가 죽으시라"

2007년 소장 역사학자 3명이 을사조약에 임한 고종을 이렇게 표현했다.

갑신정변 주역인 김옥균과 박영효를 죽이기 위해 자객을 보냈던 고종은 이완용 등 을사오적을 죽이기 위해 자객을 보낸 적이 없었다. 을사조약과 합방으로 을사오적이 호의호식하는 것보다 더 황실은 편안한 일상을 보냈다. 식민지에 대한 책임을 저야 하는 사람은 분명하다. 고종이 뛰어난 지략가로 외세를 잘 이용하고 나라의 근대화를 위해 절치부심하고 굶주리는 백성을 위해 눈물로 베갯잇을 적셨다고 해도 그 책임은 면할 수 없다.[64]

국가 존망에는 개의치 않고 오로지 본인 감정만을 생각하는 고종의 자세는 이미 아관파천 때에도 드러난 바 있다.

그때 고종은 "(왕비 민씨 살해 사건에) 한 번 복수의 뜻을 달성할 수만 있다면 설사 국가가 멸망하더라도 감히 마다할 바가 아니다"라고 분명히 말했다고 했음.[65]

나라가 망해도 복수만 할 수 있다면 마다하지 않겠다는, 일본 천황으로부터 30만 엔을 받고 이토 히로부미 이하 전 일본 관리에게 훈장을 주고, 일본공사로부터 2만 원을 받고 며칠 뒤 비굴한 태도로 을사조약을 용인한, 그는 무엇인가.

위 학자들은 '뛰어난 지략가로 외세를 잘 이용하고 나라의 근대화를 위해 절치부심하고 굶주리는 백성을 위해 눈물로 베갯잇을 적셨다고 해도'라고 조건을 달았다. 필자는 그리 생각하지 않는다. 그 어디를 보아도 그가 베갯잇을 적셨다는 증거는 없다. 고종은 순수한 매국노다. 군사력과 경제력과 인력을 독점한 군주 고종이, 그 모든 자원을 사적 탐욕을 위해 소진한 끝에 국가를 판매한 것이다. 작게는 을사조약 한 달 전 2만 원 수

을사조약 체결 후 대한제국 영빈관인 대관정에서 기념촬영을 한 일본 대표단.
한가운데 실크해트를 쓴 사람이 이토 히로부미다. / 코넬대학교 디지털컬렉션

뢰에서 훗날 자기 일족에게 매년 150만 엔이라는 거금 증여와 신분 보장을 약속받고 팔아넘긴 것이다.[66]

조약 체결 닷새 뒤인 1905년 11월 22일 이상설이 노골적으로 분노의 붓을 던졌다.

이 조약은 맺어도 망하고 거부해도 망한다. 망하는 것은 똑같으니 차라리 사직을 위해 죽는 것이 낫지 않겠는가.[67]

준 역 망 부 준 역 망 야 여 등 망 언 즉 무 녕 결 지 순 사
准亦亡不准亦亡也 如等亡焉則 無寧決志殉社.

이틀 뒤인 11월 24일 앨리스 공주의 나라, 큰형님 미국이 가장 먼저 일본에게 공사관 철수 의사를 밝혔다. 황궁皇宮을 호위하던 서양 공사관들이 줄지어 문을 닫았다. 스트레이트는 '난파선에서 뛰어내리는 쥐떼들(The stampede of the rats from a sinking ship)'이라고 불렀다.[68] 대한제국은 난파했다.

16장

도쿠주노미야 이태왕

헤이그 밀사와
왕공족王公族

소동파가 말하기를, 육국六國을 멸한 것은 육국이지 진나라가 아니며
진나라를 멸한 것은 진나라이지 천하가 아니라고 하였다.**69**

- 양계초梁啓超

돌아오지 않은 밀사들

고종은 을사조약 이후 경운궁에 유폐된 채 '메가타가 주는 공식 황실
비'로 살았다. 을사조약 체결 한 달 전인 1905년 10월 9일 러시아 정부는
주러시아공사 이범진에게 헤이그 만국평화회의 초청 각서를 전달했다.
러일전쟁에서 패배한 러시아지만, 고종은 러시아가 일본을 견제해주리
라고 믿었다. 러시아 또한 회의를 통해 조선에 대해 외교적인 영향력을
확대할 수 있다고 판단했다.

그런데 딱 1년 뒤인 1906년 10월 9일 일본주재러시아공사 바흐메치
예프는 외상外相으로 영전한 전 주한공사 하야시에게 "대한제국은 참가
불가"라고 통보했다. 이미 그해 러시아와 일본은 '몽골과 한반도에 대한
상호 이익을 인정한다'는 러일협약을 진행 중인 상태였다. 그 급변한 국
제 정세를 알지도 못한 상황에서 밀사가 파견된 것이다. 밀사들은 회의

매국노 고종

1907년 8월 22일 자 미국 〈인디펜던트〉지에 실린 이위종.
/ Harthi Trust

장 입장은 물론 각국 대표 개별 면담조차 거부됐다.

　구중궁궐에 유폐된 황제이니, 국제 정세를 알 도리는 없었겠다고 생각
해본다. 그런데 돈은 어디서 났을까. 그때 밀사 정사인 이상설은 간도에
서 서전서숙이라는 학교를 운영 중이었다. 이준은 서울에서, 이위종은 러
시아에서 활동 중이었다.

　많은 사람은 밀사 파견 자금이 고종이 외국 은행에 예치해둔 비자금에
서 나왔다고 추정한다. 또 황실비인 내탕금을 밀사 외교를 위해 사용했
으리라는 추정도 있다. 사실일까. 당시 통감부 외사국장인 고마쓰 미도리
는 밀사 자금 수사 결과를 소상하게 기록해놓았다.

　밀사 파견 사실이 공개되면서 통감부는 난리가 터졌다. 통감 이토는 대신
들을 불러 전모를 밝히라고 닦달했다. 그 사이 "유폐 중인 황제에게는 자금

이 있을 리 없다"고 판단한 고마쓰는 한성전기회사 사장인 미국인 콜브란을 만났다. 고마쓰가 물었다. "요즘도 황제에게 용돈을 주시는가." 콜브란이 대답했다. "15만 엔을 달라고 해서 영수증을 받고 (황제 조카뻘인) 조남승에게 돈을 줬다."

그리고 보니 조남승이 수입이 없을 텐데 요즘 갑자기 씀씀이가 헤퍼졌다. 조남승을 불러 따졌더니 15만 엔은 미국인 헐버트와 이준, 이상설과 본인이 나눠 가졌다고 자백했다. 또 고종이 헐버트가 마련한 친서 초안과 위임장을 밀사들에게 줬다고 자백했다. 자백에 따라 한 프랑스 교회를 수색하니 각종 비밀 서류와 함께 위임장과 친서 초안이 나왔다.[70]

또 다른 일본 측 기록인 《일한합방비사日韓合邦秘史》에는 금액이 20만 엔으로 적혀 있다.[71] 어찌 됐건 밀사는 당시 반일 운동을 하던 미국인 헐버트가 기획하고 미국인 기업가 콜브란이 자금을 댔다는 게 통감부 조사 결과였다.

서울을 출발한 이준은 그해 5월 중국 용정에 있던 이상설을 연해주 블라디보스토크에서 만났다. 이위종은 6월에 상트페테르부르크에서 합류했다. 한국교민회장 김학만과 정순만 등이 한교韓僑에게서 모금하여 이들에게 1만 8,000원을 전달하였다.[72]

고종에게 15만 엔(혹은 20만 엔)을 받은 밀사들이 왜 동포들에게서 또 의연금을 받았을까. 콜브란이 준 15만 엔이 어딘가에서 배달사고가 나서 자금난에 봉착한 것은 아닐까. 실제로 '한시가 급한 밀사' 이준과 이상설은 뚜렷한 이유 없이 블라디보스토크에 한 달을 체류했다.

조남승의 자백에는 '헐버트와 이준과 이상설과 본인'이 등장한다. 하지만 그때 서울에는 이준과 헐버트밖에 없었다. 조남승이 밀사 파견 현장에 동석했을 확률은 희박하다. 추정컨대, 이 증언은 고종으로부터 들은 사실을 전했을 가능성이 높다. 헐버트는 자기 재산을 털어서 조선 독립에 헌신한 사람이다. 헤이그 밀사는 고종이 적극적으로 의견을 내서 파견한 사절단이 아니라 주변 청에 의해 만들어진 사절단이라는 주장이 많다. 필자는 그 특사 자금까지 고종이 횡령했으리라고 믿고 싶지 않다. 이에 대한 연구는 훗날을 기약한다.

풍찬노숙 끝에 헤이그에 도착한 밀사들은 회의장 입장을 거부당했다. 그리하여 7월 8일 밀사들은 취재기자들을 상대로 연설을 했다. 이위종이 프랑스어로 기자들에게 웅변한 내용은 이 책 서문에 자세하게 기록했다.

밀사들, 그날 이후

7월 14일 일요일 이위종이 잠시 상트페테르부르크로 돌아간 사이 일요일 이준이 호텔에서 죽었다. 이틀 뒤 이준은 현지 공동묘지에 가매장됐다. 임시 장례식에는 이상설과 호텔 사장이 참석했다. 고종은 강제 퇴위 당했다. 7월 20일 대한제국 황제 순종은 "거짓 밀사들을 사법처리하라"고 명했다. 8월 8일 법부대신 조중응이 평리원 선고문을 순종에게 보고했다. 정사 이상설은 교수형, 부사 이위종과 이준은 종신형을 선고받았다. 형은 이들을 체포한 후 집행하기로 결정했다.[73]

이상설은 1917년 3월 2일 연해주 니콜리스크에서 병에 걸려 죽었다. "광복을 못 이루니 몸과 유품은 불태우고 재도 날려버리고 제사도 지내지 말라"고 유언했다. 동지들은 아무르 강변에 장작을 쌓고 화장을 치른 뒤 그 유골을 북해北海에 산골했다.[74] 48세였다.

이위종은 헤이그 회의 다음 해인 1908년 안중근과 함께 무장조직 동

(京218) THE GOVERNOR GENERAL OFFICIAL RECIDENOE 邸官督總山南 (所名鮮朝)

1910년 한일병합조약이 체결된 서울 남산 통감관저. 오른쪽은 2020년 모습. 터에는 을사조약을 주도했던 주한공사 하야시 곤스케 동상이 설치돼 있었다. 지금은 종군위안부 기념시설이 들어서 있다. / 부산박물관

의회를 조직했다. 1911년 아버지 이범진이 자결한 뒤 전 재산을 독립자금으로 내놓고 러시아제국군 장교로 제1차 세계대전에 참전했다. 종전 후 혁명군인 적군파로 활동하던 이위종은 1920년 12월 28일 일본군에 체포돼 이듬해 2월 5일 총살됐다.[75]

왕공족, 도쿠주노미야 이태왕과 쇼토쿠노미야 이왕

1910년 8월 22일 나라가 사라졌다. 병합을 두고 담판을 벌일 때, 데라우치는 황제 순종을 '대공(大公·왕보다 아래인 유럽식 제후)'으로 격하시키려 했다. 이완용은 "중국에 조공할 때도 왕王 호칭은 유지했다"고 반대했다. 데라우치는 본국 문의를 거쳐 이를 승인했다.

그리하여 전문 8개조로 구성된 '한일병합조약'이 탄생했다. 1조와 2조

매국노 고종

는 한국 황제와 일본 황제 사이 통치권 인수인계, 3조는 한국 황실 지위 유지 및 상응하는 세비 지급, 4조는 황실에 기타 자금 제공, 5조는 병합 기여 한국인 표창, 6조와 7조는 한국인을 보호하고 공무원으로 등용. 8개 조 가운데 2개 조가 황실의 신분, 경제적 보장 조항이었다.

초대 총독이 된 데라우치는 일본 정부로부터 자작에서 백작으로 승급되고 은사금 10만 엔을 받았다. 이완용은 15만 엔을 받았다. 조중응을 위시한 대한제국 각부 대신들은 10만 엔을 받고 모두 조선 귀족 작위를 받았다.

조약 체결 열흘 뒤인 9월 1일 창덕궁 인정전에서 조선 국왕격인 이왕李王 책봉식이 열렸다. 천황 칙사가 책봉 조서를 전달했다. 침묵만 흐르는 무언극 같은 책봉식이 끝났다. 이왕으로 책봉된 순종은 곧바로 남산 총독관저를 방문했다. 궁내부 일본인 특진관 곤도 히로스케權藤四郎介가 〈오사카마이니치신문〉 기자들을 몰래 인정전에 들여보냈다. 샴페인 잔에 거품이 남아 있었다.[76] 황제는 왕으로 격하됐다. 일본 천황에 의해 아버지 광무제 고종은 도쿠주노미야 이태왕德壽宮李太王에, 융희제 순종은 쇼토쿠노미야 이왕昌德宮李王에 책봉됐다.

왕공족王公族의 탄생

인도네시아 족자카르타 왕국은 네덜란드군과 전쟁을 벌였다. 왕족은 유배지에서 죽었다. 인도 무굴제국도 영국과 세포이항쟁을 벌였다가 멸망했다. 대한제국은 달랐다. 평온하게 국가는 처분됐고, 종묘와 사직은 보전됐다.

종묘사직의 향불은 태평양전쟁 패전으로 일본 황실이 해체되는 1945년까지 끊어지지 않았다. 쇼토쿠노미야 이왕은 이후에도 정상적으로 종

메이지 45년(1912년) 4월 10일 일본에서 발행된 이왕가 기념 화보. '조선이왕가 어존영'이라고 적혀 있다.
오른쪽 위부터 시계방향으로 고종, 순종, 순종비, 고종비, 가운데 영친왕.

매국노 고종

묘에 제사를 올렸다. 제국 황실은 이왕가李王家로 명칭이 바뀌고, 순종의 직계는 천황가의 일원인 왕족王族으로, 그 형제들은 공족公族으로 대우받았다. 옛 궁내부를 대신한 이왕직李王職이 왕공족 재산과 신분을 관리했다. 왕공족의 지위는 일본 황족에 준했다.[77] 일본 왕족보다 높았다.

재산은 막대했다. 조약에 따라 나라는 사라졌지만 구 황실은 이듬해부터 세비歲費도 지급받았다. '조선총독부통계연보'에 따르면 세비는 1911년부터 1920년까지 150만 엔이었다. 그리고 150만 엔은 1921년부터 30만 엔이 증가해 1945년까지 180만 엔으로 유지됐다.[78] 1911~1913년 회계연도 조선총독부 세출예산은 5,046만 9,000엔이었다.[79] 식민지 세출의 2%가 2,000만 조선인의 10만분의 1도 되지 않는 옛 지배자 가족에게 매년 지급됐다.

1930년 9월 2일 자 총독부 자료 '이왕가추가예산설명'에 따르면 그해 이왕가 재산은 유가증권으로 60만 7,778엔, 부동산은 논, 밭, 대지, 임야 모두 합쳐서 772만 6,091엔어치를 가지고 있었다. 1921년 예산은 100만 엔이 늘어난 257만 3,425엔에 달했다. 불시적인 행사에는 추가예산이 투입됐다.

왕공족의 식민 일상

병합 두 달 뒤인 1910년 10월 27일 쇼토쿠노미야 이왕은 도쿠주노미야 이태왕이 사는 덕수궁으로 가서 1895년 일본인에 피살당한 왕비 민씨 육순탄신일을 축하했다. 고종 사후에는 홍릉도 수시로 찾았다. 가끔 총독관저에서 만찬을 하고 영화를 구경했다. 1910년부터 1926년 사망 때까지 종묘를 찾은 횟수는 17회였다. 1917년에는 조선 건국의 성지인 함흥 본궁을 찾았다. 조선 500년사에 유례없는 행차였다.[81] 병합 3주년을

1907년 12월 일본으로 떠나는 고종 막내아들 영친왕 이은(가운데)이 당시 내각과 기념사진을 찍었다.
그해 7월 강제 퇴위 당한 고종(사진 뒤편 오른쪽 끝)은 평상복 차림으로 뒤편에서 이를 바라보고 있었다.
촬영장소는 을사조약이 체결된 중명전이었다. / 국립고궁박물관

맞은 1913년 8월 29일 자 총독부 기관지 〈매일신보〉는 고종의 일상을 이렇게 전한다.

'옥돌장玉突場(당구장)에 나가서 공을 치시는데 극히 재미를 붙여 여관女官들을 함께하신다. 여름에는 서늘한 때에 석조전에서 청량한 바람을 몸에 받으시며 내인들을 데리고 이야기도 시키고 유성기 소리도 즐거워하신다더라.'

1913년 고종 회갑연이 성대하게 열렸다. 원래는 1912년이었으나 그해에 일본 천황 메이지가 죽어 잔치를 연기했다. 광교와 다동기생조합 소속 예기藝妓들이 잔치에서 노래하고 춤을 췄다.[82]

고종의 7남 영친왕 이은은 1907년 고종 퇴위 직후 일본으로 갔다. 왕

1918년 1월 13일 덕수궁 석조전에서 영친왕 귀국 기념사진을 촬영한 조선 왕공족과 조선귀족과 총독부 관리들.
전 대한제국 황제인 조선 왕족 도쿠주노미야 이태왕(고종, 가운데)이 앞줄 한가운데에 앉아 있다.
고종 왼쪽에는 역시 전 대한제국 황제 쇼토쿠노미야 이왕(순종, 콧수염 기른 사람)과 공족인 그 동생 의친왕 이강과
총독부 정무총감 야마가타 이사부로가 앉아 있다. 고종 오른쪽에는 왕족인 영친왕 이은이,
그 왼쪽으로는 조선총독 하세가와 요시미치가 보인다. 《한말궁중관계사진첩》에는
'1월 23일 석조전 오찬 기념사진'으로 적혀 있지만, 《순종실록부록》에는 오찬 날짜가 1월 13일로 기록돼 있다.
/서울대학교박물관 소장 《한말궁중관계사진첩》

도쿠주노미야 이태왕. / 국립고궁박물관

족으로 살며, 왕족 의무 규정에 따라 군에 입대해 중장까지 진급했다. 1927년에는 일본 백작 신분으로 유럽을 순방했다. 1917년 6월 순종은 일본 도쿄로 가서 천황을 알현하고 영친왕을 만났다.

이듬해 정초 영친왕이 잠시 귀국했다. 1918년 1월 13일 전 황제 이형과 현 황제 이척, 이척의 동생인 영친왕 이은과 또 다른 동생인 의친왕 이강이 당시 조선총독 하세가와 요시미치長谷川好道, 정무총감 야마가타 이사부로山縣伊三郎, 조선귀족, 총독부 관리들과 덕수궁 석조전에서 오찬을 하고 기념사진을 찍었다. 사진 속에서도 여전히 왕족과 공족들은 중심에 있었다.

마치 나라에 아무 일이 일어나지 않았던 것처럼 왕공족들은 살았다. 순종을 위시한 조선 왕공족은 일본 황실의 책봉을 받은 후 그 일원이 되어 왕실 일가의 안위만을 위해 존재한 것이 아닌가 하는 의구심이 들 정도의 모습을 보여주었다.[83] 한 사람은 달랐다. 고종의 5남이자 순종의 배다른 동생 의친왕 이강이다. 미국 유학파인 이강은 끝까지 배일排日 독립獨立을 주장했다. 1919년 11월 상해임시정부가 이강을 망명시키려다 발각됐을 때, 이강은 이렇게 주장했다. "나는 독립된 우리나라의 평민이 될지언정 합병으로 일본의 황족이 되는 것을 원치 않는다."[84] 이강은 아들 이우를 일본 황실 반대를 무시하고 조선 여자와 결혼시켰다. 아버지를 닮았던 아들 이우는 1945년 히로시마에서 폭사했다. 이강은 1955년 서울 안국동에서 죽었다.

1919년 9월 14일 중국 학자 양계초梁啓超가 이렇게 썼다.

소동파가 말하기를, 육국六國을 멸한 것은 육국이지 진나라가 아니며 진나라

를 멸한 것은 진나라이지 천하가 아니라고 하였다. 일본이 별의별 궁리를
다해 남의 나라를 도모한 것만이 문제이겠는가. 일본이 정예精銳를 길러 남
의 나라를 망하게 할 수 있는 실력을 가진 것만이 문제겠는가. 조선 사람들
은 실로 오늘에 이르기까지 아직도 깨어나지 못하고 있는 것은 아닌가.[85]

1919년 1월 21일 고종이 덕수궁에서 죽었다. 고종 장례 이틀 전인 3월
1일 전수 조선인이 일어났다. 4월 11일 중국 상해에서 임시정부가 수립됐
다. 1945년 8월 15일 조선이 해방됐다. 왕공족은 이후로도 신분을 유지
했다. 왕공족은 해방 2년 뒤인 1947년 일본이 신 헌법으로 황족 예우 규
정을 폐지하면서 사라졌다.[86] 지금 우리는 부활한 나라, 대한민국에 산
다. 또 다시 추락하지 않기 위하여, 우리는 고종에게서 무엇을 배우지 말
아야 하는가.

[주석]

1   1904년 5월 6일 『윤치호일기』

2   1904년 5월 6일 『황성신문』

3   1904년 고종 41년 음력 3월 21일 『승정원일기』

4   1904년 5월 6일 『윤치호일기』

5   한철호, 『한국근대 주일한국공사 파견과 활동』, 푸른역사, 2010, p.290

6   박종효, 『한반도 분단의 기원과 러일전쟁(1904~1905)』, 선인, 2014, p.249~271

7   『각사등록 근대편』 한성부래거안1 「일본군용철도 공사를 방해한 한국인 3명을 총살한 것에 대한 보고서」 1904년 9월 21일

8   1904년 고종 41년 10월 26일 『고종실록』

9   1904년 고종 41년 12월 31일 『고종실록』

10   Homer Hulbert, 『The Korea Review』 vol.5(1905), 왕립아시아학회 편, 경인문화사, 1984, p.332

11   지금의 서울역.

12   대한제국 군악대는 1901년 창설됐다. 1896년 러시아 니콜라이2세 즉위식에 참석한 민영환이 훗날 만든 군악대다. 군악대는 황제 생일과 각종 연회에 동원돼 연주를 했다. 군악대 교관은 일본에서 활동하던 독일 음악가 프란츠 폰 에케르트였다. 에케르트는 1880년 일본 국가 '기미가요'를 작곡한 공로로 일본정부로부터 훈장을 받았다. 에케르트는 대한제국 국가도 만들어 제국 훈장 또한 받았다. 작곡이 아니라 민요를 편곡했다는 최근 주장도 있다. 에케르트 지휘 하에 대한제국 군악대는 군악대 연주홀로 건립된 파고다공원 팔각정에서 연습하며 실력을 쌓고, 각종 국가행사와 외교 행사에서도 연주를 했다. 에케르트는 1916년 죽어서 양화진에 묻혔다. 대한제국 군악대는 1907년 8월 군대 해산과 함께 역사에서 사라지고, 이후 '경성악대'라는 이름으로 민간 연주단으로 변신했다.

13   『The Willard Straight Papers』 at Cornell University, reel 01 segment 2, Straight to Henry, July 2 1905

14   1904년 5월 6일 『윤치호일기』: 윤치호는 일기에 뇌보헌(賴寶軒)이라고 기록했는데, 이는 수옥헌(漱玉軒)의 잘못이다. 중명전은 원래 이름이 수옥헌이었다.

15   『The Willard Straight Papers』, reel 01 segment 2, Straight to Bac, July 21 1905

16   1905년 9월 17일 『대한매일신보』 2면 「잡보」:世界一等國之貴主라 地位에 堂堂과 威儀에 체체는 不須多論이고 重溟을 涉ᄒ며 列國經ᄒ야 周遊觀風흠은 非徒女流中의 罕有라 抑亦男子輩에 所難이오/ 逈凡ᄒᆫ 志槩와 散朗ᄒᆫ 姿質과 淵邃ᄒᆫ 學問은 不待接其芳論 而可以測知인즉/其香車所住와 淸眄所被에 山川之增輝와 草木之含榮은 姑置勿論이고/詞人墨客은 爭獻頌而識喜ᄒ며 善女賢媛은 競買絲而繡面이오/其友邦을 寵綏ᄒ며 交誼를 敦密케ᄒᆫ 仁愛之心과 寬大之風은 求之今古에 鮮有儔匹이라/ 韓皇陛下게옵셔 筐비玉帛으로 隆其禮遇ᄒ며 適舘授餐을 盡其款曲ᄒ야 以成兩國之好ᄒ며 以樂嘉賓

之心은 禮固然矣라 宣宜疎虞홀지로다

17 『대한매일신보』 위 기사.

18 최문형, 『러시아의 남하와 일본의 한국 침략』, 지식산업사, 2007, p.172

19 1905년 9월 20일 『황성신문』

20 KAR 3, 「Legation of the United States Seoul to Secretary of State」 1905.9.13: 'We feel that America is to us an Elder Brother(우리 조선은 미국을 큰형으로 생각한다).'(Reply of the King to the remarks of Mr. Allen)

21 H. 헐버트, 『The Korea Review』 vol.5(1905), 경인문화사, 1984, p.332

22 『The Willard Straight Papers』 at Cornell University, reel 1 segment 2, Straight to Palmer, October 3 1905

23 윌라드 스트레이트, 위 편지.

24 김원모, 「19세기 말 미국의 대한정책(1894~1905)」, 『국사관논총』 60집, 1994 재인용

25 서영희, 「대한제국의 종말」, 『신편한국사』, 국사편찬위원회, p.356

26 David Wolff, John Steinberg 등, 'The Russo-Japanese War in Global Perspective: World War Zero' Volume.2, Brill, Boston, 2007, p.483: In fact, it is a Japanese Anglo-American alliance. We may be sure that when once England became our ally, America also became a party to the agreement. Owing to peculiar national conditions, America cannot make any open alliance, but we should bear in mind that America is our ally though bound by no formal treaty.

27 Kirk W. Larsen and Joseph Seeley, 「Simple Conversation or Secret Treaty: The Taft-Katsura Memorandum in Korean Historical Memory」, The Journal of Korean Studies, Vol.19 No.1(Spring 2014), Duke University Press

28 1905년 고종 42년 3월 10일 『고종실록』

29 1904년 고종 41년 7월 15일 『고종실록』

30 왕실 제례 관련 업무를 맡은 부서. 부제조는 그 두 번째 수장이다.

31 『대한계년사』(한국사료총서 제5집) 상 고종황제 28년 춘정월

32 1905년 고종 42년 3월 7일 『고종실록』

33 1905년 고종 42년 3월 10일 『고종실록』

34 1905년 고종 42년 12월 2일 『고종실록』

35 『주한일본공사관기록』 18권 11.일한밀약부 한국중립 (3) 「한국의 시국 및 장래에 관한 건 구신(具申)」 1903년 10월 30일

36 『주한일본공사관기록』 18권 8권 11.일한밀약부 한국중립 (2) 「일·한간 비밀조약 체결에 관한 건」 1903년 10월 14일

37 『주한일본공사관기록』 18권 12.한일의정서 (16) 「한일밀약 체결 예상 및 한정韓廷 회유 상황 등 보고 건」 1904년 1월 11일

38 『주한일본공사관기록』 18권 12.한일의정서 (20) 「한일밀약체결안 협의진행과정 보고 건」 1904년 1월 11일

39 황현, 『매천야록』 4권 1905년⑤ 8. 「이등박문(伊藤博文)의 뇌물 공세」: 본문에 나오는 '이제순'은 '박제순'의 잘못이다.

40 고마쓰 미도리(小松綠), 『명치외교비화(明治外交祕話)』, 原書房, 1976, p.274 이하

41 고마쓰 미도리(小松綠), 앞 책, p.295

42 『주한일본공사관기록』 24권 11.보호조약 1~3 (195) 「임시 기밀비(機密費) 지불 잔액 반납의 건」 1905년 12월 11일

43 엠마 크뢰벨, 『나는 어떻게 조선 황실에 오게 되었나』(1909), 민속원, 2015, p.238~239

44 3년형을 받았다는 내용은 사실이 아니다.

45 『The Willard Straight Papers』 at Cornell University, reel 11 segment 2, Straight to Bland, November 29 1905

46 1905년 고종 42년 11월 17일, 22일, 28일 『고종실록』

47 『주한일본공사관기록』 24권 11.보호조약 1~3 (145) 「이토 대사 작별인사 차 알현 및 시정 개선에 관한 정부당국에의 훈유적 강화 건」 1905년 11월 29일

48 메가타 다네타로(目賀田種太郎): 일본 정치가·관료·법학자·재판관·변호사. 1904년 8월 22일 제1차 한일협약에 의해 대한제국에 파견된 재정고문이다.

49 1905년 고종 42년 11월 27일 『고종실록』

50 같은 날 『고종실록』

51 1905년 고종 42년 11월 28일 『고종실록』

52 『주한일본공사관기록』 24권 11.보호조약 1~3 (195) 「임시 기밀비 지불 잔액 반납의 건」 1905년 12월 11일

53 김낙년 등 4명, 『한국의 장기통계』 1, 해남, 2018, p.191

54 『주한일본공사관기록』 23권 2.전본성왕 1~3 (144) 「창덕궁 日兵 兵舍병사 사용칙허 건」 1904년 2월 17일: 이를 근거로 창덕궁에 일본군이 주둔했고, 그해 5월 후원 주합루에서 전첩 축하 파티가 열린 것이다.

55 1904년 고종 41년 3월 20일 『고종실록』: 함녕전에 나아가 황태자가 시좌한 상태에서 일본 특파 대사 이토 히로부미를 접견하였다.

56 Jordan to Lansdowne, 1904. 3. 31, FO/17/1659

57 김윤희, 이욱, 홍준화, 『조선의 최후』, 다른세상, 2004, p.233

58 『주한일본공사관기록』 23권 2.전본성왕 1~3 (104) 「심상훈을 통해 황제 위안 노력에 관한 건」 1904년 2월 8일, (105) 「한국황실과 국토보전을 보장하겠다는 하야시 공사의 상주문」 1904년 02월 08일 등

59 한일의정서 제2조: 대일본제국정부는 대한제국의 황실을 확실한 친의(親誼)로써 안전·강녕(康寧)하게 할 것.

60 1904년 고종 41년 3월 20일, 24일, 25일 『고종실록』

61 『주한일본공사관기록』 26권 1.본성왕전1~4 (216) 「한국 총세무사 브라운 사임과 황실비 대출에 관한 상주 건」 1905년 8월 27일

62 『주한일본공사관기록』 26권 11.잡찬(雜纂) (1) 「황실비에 관한 건」 1905년 12월 18일

63 1905년 고종 42년 12월 16일 『고종실록』

64 김윤희, 이욱, 홍준화, 『조선의 최후』, 다른세상, 2004, p.331

65 『주한일본공사관기록』 10권 2.화문전신왕복공 (50) 「봉로주의자(奉露主義者)의 국왕파천계획에 관한 보고」 1896년 2월 15일

66 일제강점기 고종과 왕실이 보장받은 대우에 관해서는 '16장. 도쿠주노미야 이태왕' 참조.

67 1905년 11월 23일 『대한매일신보』에 실려 있다. 이 상소문을 올린 날이 23일 당일인지 22일인지는 확인되지 않는다. 전날 사건을 보도하는 신문 관행에 따라 22일 올린 상소문으로 추정한다.

68 『The Willard Straight Papers』 at Cornell University, reel 01 segment 2, Straight to Whitey, November 30 1905

69 양계초(梁啓超), 「朝鮮滅亡之原因(조선 멸망의 원인)」, 『량치차오, 조선의 망국을 기록하다』, 최형욱 편역, 글항아리, p.103

70 고마쓰 미도리(小松綠), 『명치외교비화(明治外交秘話)』, 原書房, 1976, p.244~246

71 구즈 요시히사(葛生能久), 『일한합방비사(日韓合邦秘史)』 상권, 黑龍會出版部, 1930, p.280

72 윤병석, 『이상설전: 헤이그특사 이상설의 독립운동론』, 일조각, 1998, p.64

73 1907년 순종 즉위년 8월 8일 『순종실록』

74 윤병석, 『이상설전: 헤이그특사 이상설의 독립운동론』, 일조각, 1998, p.185: 공식 서거일은 4월 1일이다.

75 이승우, 『시베리아의 별, 이위종』, 김영사, 2019, p.326 등

76 곤도 히로스케(權藤四郎介), 『대한제국황실비사』, 이마고, 2007, p.104

77 이왕무, 「대한제국 황실의 분해와 왕공족의 탄생」, 『한국사학보』 64호, 고려사학회, 2016

78 이윤상, 「일제하 조선왕실의 지위와 이왕직의 기능」, 『한국문화』 40집, 규장각한국학연구원, 2007

79 박기주, 「식민지기의 세제」, 『한국세제사』 1편, 한국조세연구원, 2012

80 김명수, 「1915~1921년도 구황실 재정의 구성과 그 성격에 관한 고찰」, 『장서각』 35집, 한국학중앙연구원, 2016

81 이왕무, 「1910년대 순종의 창덕궁 생활과 행행 연구」, 『조선시대사학보』 69집, 조선시대사학회, 2014

82 김영운, 「1913년 고종 탄신일 축하연 악무 연구」, 『장서각』 18집, 한국학중앙연구원, 2007

83 이왕무, 「1910년대 순종의 창덕궁 생활과 행행 연구」, 『조선시대사학보』 69집, 조선시대사학회, 2014

84 김병조, 『한국독립운동사략』 상편 10. 「내외인사의 독립정신거익투발」, 1977, 아세아문화사, p.211

85 양계초(梁啓超), 「朝鮮滅亡之原因(조선 멸망의 원인)」, 『량치차오, 조선의 망국을 기록하다』, 최형욱 편역, 글항아리, p.102~105

86 新城道彦, 『朝鮮王公族-帝國日本の準皇族』, 中央公論公新社, 2015, p.21

이 책을 나오게 해주신 분들께 진심으로 감사를 드립니다.

제 글 오류를 고쳐주고 영감을 던져주신

고려대 명예교수 김언종 선생님은 제 멘토이십니다.

많은 연구와 저술로 제 눈을 넓혀주신 학자들도 감사합니다.

그 많은 고전들을 국역國譯해 저를 사료史料의 바다로 보내주신 분들께도

감사드립니다. 제 책과 신문기사에 따뜻한 격려와

소름끼치는 비판을 아끼지 않으신 온-오프라인 벗들도 감사합니다.

저자를 대신해 원고를 꼼꼼하게 읽고 교정해준

와이즈맵 유영준, 오향림 두 분에게도 고맙습니다.

내 엄마 김원한, 내 아내 이주연과 딸 박서우에게도 무한 감사를.

– 저자 올림

매국노 고종

초판 1쇄 발행 2020년 12월 30일
초판 9쇄 발행 2025년 02월 05일

지은이 | 박종인

발행인 | 유영준
편집 | 한주희, 권민지, 임찬규
마케팅 | 이운섭
표지디자인 | 김윤남
본문디자인 | 디자인 연우
인쇄 | 두성P&L
발행처 | 와이즈맵
출판신고 | 제2017-000130호(2017년 1월 11일)

주소 | 서울 강남구 봉은사로16길 14, 나우빌딩 4층 쉐어원오피스(우편번호 06124)
전화 | (02)554-2948
팩스 | (02)554-2949
홈페이지 | www.wisemap.co.kr

ISBN 979-11-89328-35-1(03910)